프랑스의 이민문제

엄한진

엄한진은 서울대학교 사회학과에서 학부를 마치고 프랑스 파리3대학에서 프랑스 이주민 사회운동을 주제로 DEA 학위를, 파리8대학에서 북아프리카의 이슬람주의에 관한 연구로 박사학위를 받았다. 현재 한림대 사회학과에 재직 중이며 다문화사회론, 종교사회학, 사회학이론, 사회적경제 분야 강의를 담당하고 있다. 주요 연구 분야는 이민, 이슬람주의이며 종교, 사회적 경제에도 관심을 가지고 있다. 「동질화에 대한 반발로서의 극단주의 현상: IS와 유럽 극우의 사례를 중심으로」(2015), 「한국 사회 인종주의 현상의 주요 양상과 특징」(2016)과 같은 논문이 있으며, 저서로 『다문화사회론: 이민과 다문화 현상에 대한 성찰적 입문서』(2011, 소화), 『이슬람주의: 현대 아랍세계의 일그러진 자화상』(2014, 한국문화사, 대한민국학술원 우수도서)을 출간하였다. 최근에는 이주배경 청소년, 증오 현상에 관한 연구를 수행하고 있다.

서강학술총서
106

프랑스의 이민문제

엄한진 지음

서강대학교출판부

서강학술총서 106

프랑스의 이민문제

초판 1쇄 발행 | 2017년 11월 30일

지 은 이 | 엄한진
발 행 인 | 박종구
편 집 인 | 전종호
발 행 처 | 서강대학교출판부
등록 번호 | 제2002-000170호

주 소 | 서울특별시 마포구 백범로 35(신수동)
전 화 | (02) 705-8212
팩 스 | (02) 705-8612

ISBN 978-89-7273-342-3 94900
ISBN 978-89-7273-139-9(세트)

값 21,000원

* 잘못된 책은 구입하신 곳에서 바꿔드립니다.

* '서강학술총서'는 SK SUPEX 기금의 후원으로 제작됩니다.

책머리에

2016년 7월 14일 밤 니스에서 차량 테러가 일어났을 때 필자는 마침 파리에 있었다. 귀국을 하루 앞둔 그날은 프랑스 혁명 기념일이라 프랑스 전역에서 불꽃축제가 열렸다. 파리에서도 에펠탑 아래 광장에서 불꽃축제 등 기념행사가 예정되어 있었다. 그날 아침 숙소였던 가톨릭단체가 운영하는 기숙사의 식당에서 함께 식사한 프랑스인은 행사장에 나가지 않는 편이 나을 거라고 얘기했었다. 내가 체류하던 때는 유럽 국가대항전 축구대회인 '유로 2016'이 막바지에 이른 시기였고 테러에 대한 우려가 컸었다. 다행히 대회가 끝나는 날까지 특별한 일은 없었다. 그날 밤은 현지인의 조언도 있고 해서 기숙사에 있었다. 그리고 TV를 통해 니스 테러를 알리는 속보를 보게 되었다. 테러도 테러이지만 대형 트럭이 인도로 돌진하고 수많은 사람들이 비명을 지르며 피하는 모습은 현실이 아닌 듯 했고 안전한 방안에 있으면서도 두려움을 느꼈다. 그때 TV로 본 하얀 색의 매우 큰 트럭을 생각하면 지금도 섬뜩할 정도이다.

더 무서웠던 것은 니스에서 일어난 테러가 며칠 전 영화에서 본 것과 똑같은 것이었기 때문이었다. 영화에서는 젊은 여성이 트럭을 몰고 인도로 질주해 몇 명이 사망하게 된다. 퐁피두 센터 바로 옆 영화관, 비서구 영화를 주로 상영하는 영화관에서 본 이 영화는 폴란드-프랑스 합작 영화 〈나, 올가〉(Moi, Olga, 2016)였다. 1970년대 체코슬로바키아를 배경으로 한 이 영화에서 주인공 올가는 22살의 여성으로 동성애자이다. 매우 삭막하고 권위적인 분위기의 집을 뛰쳐나와 작은 움막 같은 곳에서 지내며 여러 사람을 만나고 험한 일도 해보는 등 새로운 삶을 모색하지만 사회에서 자신의 자리를 찾지 못한다. 심한 방황 끝에 결국 그를 힘들게 한 사회에 복수하기로 한다. 그 방법이 바로 트럭을 몰고 인도로 돌진해 사람들을 다치게 하는 것이었다. 그런데 2016년 프랑스에서 목격한 현실은 영화의 상상력보다 더 극단적이고 잔인한 것이었다. 영화 속의 트럭은 니스의 트럭보다는 작았고 그 희생자 수도 적었다. 테러범도 동정심을 불러일으키게 그려진 나이 어린 여성이었다. 그리고 주인공이 겪은 고통을 길게 접한 이후 보게 되는 테러는 일말의 공감을 불러일으키기까지 했다.

그런데 왜 프랑스에서 이런 일이 발생하는가? 전 세계로부터 망명객들이 모여드는 나라, 똘레랑스의 나라, 박애의 나라 프랑스에서 왜 이런 일이 발생하는가? 게다가 니스 테러와 같은 사건이 이번에 처음 일어난 것도 아니다. 1995년에 발생한 일련의 테러를 시발점으로 2015년 11월 130명의 사망자를 낸 파리 동시다발 테러에 이르기까지 프랑스는 줄곧 이슬람주의 세력이 자행하는 테러의 표적이었다. 이슬람주의 테러리즘은 2005년 11월 대도시 외곽지역에서 발생한 이주민들의 소요사태에 이어 다시 한 번 프랑스에게 이민문제의 반면교사 역할을 부여하고 있다. 이러한 시대적 배경에서 이 책은 이주민을 둘러싼 프랑스 사회의 갈등이 어떻게 시작되었으며 최근의 양상은 어떠한지에 대해 소개하고자 한다. 특히 이민 현상이 사회문제로 부각되는 과정에서 국가가 한 역할에 초점을 두고 논의를 전개한다. 그것은 히잡 착용 사건, 이주민을 대상으로 한 경찰의 폭력, 그리고 위에서 언급한 이슬람주의 테러나 무슬림을 겨냥한 폭력에 이르기까지 그 중심에 국가가 있었기 때문이다. 유사한 맥락에서 히잡 사건, 대도시 외곽지역 소요사태, 마호메트 만평사건, 샤를리 엡도 테러, 니스 테러 등 전 세계적인 반향을 일으켰던 사건들에 초점을 맞추는 것도 이 책의 특징이다.

테러 사건으로 세계의 이목을 끌기 전에도 프랑스는 이민 분야에서 독특한 위상을 가지고 있었다. 공화주의가 이 독특함의 비밀이었다. 프랑스 사회는 전통적으로 미국, 영국, 독일 등 다른 서구 사회에 비해 모든 영역에서 중앙정부 및 파리를 중심으로 하는 중앙집권적 성격이 강했다. 프랑스 대혁명은 가톨릭 교회나 다양한 자발적 결사체를 사회의 통일성을 해치는 것으로 간주해 억압했고 이로부터 사회의 부분적 이해보다 전체의 이해를 우선시하는 공화주의 전통이 수립되었다. 이러한 전통에서 종족, 종교, 문화의 다양성은 부정적인 것으로 간주되는 경향이 있었다. 물론 전통은 현실에 의해 변형된다. 세계화와 '새로운 이민'[1]에 따른 문화적, 종족적 이질성의 심화는 사회통합에 대한 새

1 '새로운 이민' 현상은 세계화의 직접적인 산물로서 자본주의 생산양식의 확산과 관계된 것이다. 즉 한편으로는 주변부 세계로의 자본주의 생산양식의 파급이 이 사회들의 전통적인 경제구조와 노동시장을 교란시켰고 다른 한편으로는 중심부 국가들에서 새로운 노동력 수요가 생겨남에 따라 대량이주가 나타난 것이다 (Schmitter, 2008).

로운 논의를 촉발시켰다. 즉 20세기의 막바지에 접어들면서 비서구 출신 이주민들이 늘어남에 따라 프랑스 문화에 동화되기가 보다 어려워졌다. 게다가 장기불황은 이주민들의 직업적인 통합을 가로막는 장애물이었다. 이러한 맥락에서 다문화주의, 상호문화주의와 같은 새로운 통합과 공존의 방식이 제시되기도 했다. 이러한 복합성을 감안하더라도 프랑스의 이민 현상과 이민정책은 매우 독특한 면모를 지녔으며 한국 사회에 유용한 교훈을 준다. 종족적, 언어적 통일성이 강하고 매우 중앙집권적이고 한반도라는 동일한 지역에 오랜 국가의 역사를 가지고 있는 한국 사회가 최근 겪고 있는 '다문화' 경험은 분권적이고 문화적 다양성이 크고 근대에 형성된 신흥 국가인 미국, 캐나다, 호주, 뉴질랜드보다 프랑스의 사례에서 더 의미 있는 교훈을 얻을 수 있을 것이다.

최근 한국 사회의 소위 '다문화' 현상의 특징은 무엇보다도 놀라운 속도와 양적 팽창일 것이다. 정부와 언론, 그리고 학계가 생산하는 다문화 관련 정책 및 논의는 불과 몇 년 만에 국민적인 반향을 일으켰으며, 정부 및 지자체, 그리고 시민단체의 주요 활동 영역이 되었다. 학자들의 연구열 또한 전례가 없는 것이었다. 인문사회과학 영역에서 교과목, 학과, 학회의 창설과 같은 제도화 과정이 이렇게 급속히 진행된 사례도 찾아보기 힘들 것이다. 빠른 속도로 권위와 권력을 획득하게 된 다문화 영역과 담론의 필연적인 한계는 획일성과 규범성이었다. 단선적인 진화론적 전망에 포획된 다문화 담론은 계몽적이고 무비판적인 양상을 띠었다. 우리는 끊임없이 단일민족신화라는 원죄를 고백해야 했고 항상 더 관용적이 되어야만 했다. 개발독재 시절의 '발전'이나 탈냉전 이후의 '세계화'처럼 이제 '다문화'를 신봉하게 된 것이다. 이러한 시각에서 보게 되면 성 담론의 역사에 대한 미셸 푸코의 논의를 떠올릴 수 있다. 그에 따르면 근대권력은 일반적 인식과 달리 못하게 하고 내쫓는 것(부정적 권력)만이 아니라 생산하고 창조하는 것(생산적 권력)이다(Foucault, 1972). 최근 한국 사회 역시 생산적 권력으로서의 다문화 담론을 경험하고 있다고 할 수 있다.

이러한 한국 사회의 맥락에서 프랑스의 경험은 이민 현상 또는 이민문제에 내포된 정치적, 권력적 측면에 대한 감수성을 높이는 데 도움이 될 것이다. 예를 들어 이민문제가 사회적 관심거리로 부상하는 데 국가가 핵심적인 역할을 수행하였고 안전, 범죄가 이민 담론에서 핵심적인 지위를 가지게 된 프랑스의 경험은 외국인 범죄에 대한 경각심이 높아지는 최근 한국의 상황을 비판적으로 이해하는 데 도움이 될 것이다. 또한 위에서 언급했듯이 프랑스의 공화주의 전통은 유사하게 중앙집권 전통이 강한 한국의 이민정책에 대한 논의에 많은 시사점을 줄 것이며, 현재 한국 사회에서도 핵심적인 사회적 의제로 제기되고 있는 인구문제, 고용문제, 불평등문제가 이민 또는 다문화와 맺는 관계에 대한 프랑스의 경험 역시 유용할 것이다. 물론 이 책에서 다루는 이민의 종교적 측면이나 사회운동적 측면의 경우는 한국 사회에 직접 대입하는 것이 섣부르고 심지어 위험할 수도 있다. 프랑스 경험에 대한 소개가 필요한 배경에는 사회적 요구도 있다. 특히 2005년 프랑스 대도시 교외지역에서 발생한 소요사태를 목격하면서 많은 사람들이 우리에게도 이런 비극이 닥칠 수 있다는 우려를 제기했었다. 프랑스 등 이민 선진국에서 발생한 이민 관련 사건들이 주기적으로 전해져 오면서 이러한 우려도 주기적으로 되새겨지고 있다. 이러한 질문과 우려에 정확히 답하기 위해서라도 프랑스 사례에 대한 면밀한 검토는 학자의 한가로운 선택을 넘어서는 일이 되었다.

한편 프랑스의 이민 현상은 보편적인 함의가 큰 다채로운 면모를 보여주기도 했다. 종족적인 한계를 벗어난 보편적이고 포용적인 '프랑스 민족'의 일원이었던 초기 이주민들, 민주주의와 문화적 다양성의 관계에 대한 논의를 촉발시킨 히잡 문제, 신사회운동의 중요한 부분으로서의 아랍계 청년들의 이주민 사회운동, 1980년대 전 사회가 참여한 '통합'에 대한 논의의 경험, 이민 담론이 어떻게 정치적으로 활용될 수 있는지를 극단적으로 보여준 극우주의의 성공 사례 등이 그 예이다. 프랑스 이민문제를 다면적으로 검토하는 것은 이주민들을 한국 사회가 겪는 어려움을 심리적으로 해소하는 배출구로 이용하거나 반대로 불법 체류자들의 열악한 조건이나 드라마틱한 강제출국 모습에 인간적으로 분개하는 것을 넘어서 생각할 수 있는 역량을 제공해 줄 것이다. 또한 이민 현상과 관련된 다양한 논의를 살펴봄으로써 일반적으로 똘레랑스나 공화주의적 통합모델로만 알려져 있는 프랑스 이민 현상에 대한 균형잡힌 시각을 가질 수 있을 것이다.

프랑스의 국제이주와 이주민 사회에 대해서는 1980년대부터 본격적인 논의가 시작되었다. 이 시기에 논의가 본격화된 이유는 무엇보다도 바로 이때부터 프랑스에 새로운 '통합' 방식에 대한 범국민적인 논의가 전개되었기 때문이다. 마그레브[2] 출신 이주민들의 프랑스 사회 통합의 문제를 다룬 사야드의 연구(Sayad, 1977), 프랑스 사회학의 주요 네

2 마그레브는 사하라 이북의 북아프리카 사회 중 이집트 서쪽의 아랍국가인 리비아, 튀니지, 알제리, 모로코를 가리키는 용어이다.

학파 중 하나인 알랭 뚜렌느 학파에 속한 미셸 비비오르카(Wieviorka, 1992)나 공화주의자 앙드레 따기예프가 수행한 인종주의 현상에 관한 연구(Taguieff, 1987), 한국에도 번역된 피에르 부르디외 팀의 이주민사회 리포트(부르디외, 2000), 이주민 사회에서의 이슬람운동에 대한 질 케펠(Kepel, 1984; Kepel, 1994)과 조슬린 세자리(Cesari, 1994)의 연구, 이주민 사회운동에 대한 생생한 사회학적 보고서를 제공해 준 아딜 자줄리의 연구(Jazouli, 1992; Jazouli, 1995), 시민권에 대한 크리스티앙 비톨드 벤덴의 이론적인 연구(Wihtol De Wenden, 1987), 일관되게 이민과 이민정책의 역사를 다루어온 베이(Weil, 1991)가 당시 화려했던 프랑스 이민연구를 주도했다. 영어권에서는 특히 프랑스의 특수성에 초점을 두고 극우주의, 히잡 문제, 이슬람과 정교분리주의의 관계 등의 주제를 중심으로 논의가 발전했다(Betz, 1994; Rodinson, 1987; Fetzer & Soper, 2005).

한편 이민자들의 사회통합이 더욱 어려워지고 정치권이 우호적이지 않은 태도를 보인 2000년대 이후에는 치안의 대상으로서의 이민이라는 주제를 천착한 보넬리와 세나티(Bonelli et Sainati, 2004), 억압적인 상황에서 나타난 이슬람주의의 부상과 정체성 현상에 대한 비판적인 시각을 제시한 바야르(Bayart, 2005)의 연구, 인종주의 부상에 대한 파상과 파상(Fassin et Fassin, 2006)의 편저와 같이 극도로 정치화되고 있는 이민문제에 대한 조명이 주를 이루고 있다. 이러한 현실적 배경에서 등장한 프랑스 이슬람 현상에 대한 연구는 주로 이민연구, 종교 사회학, 아랍연구 등의 분야를 중심으로 진행되어 왔다. 선집이나 사전의 형태로 출간된 저술에서 프랑스의 이슬람과 이슬람

혐오증에 관한 논의들을 일별할 수 있다(Zarka, 2004; Meziti, 2013). 학계뿐 아니라 언론의 역할 역시 간과할 수 없다. 르몽드 디플로마티크(*Le Monde diplomatique*), 르몽드(*Le Monde*), 리베라시옹(*Libération*), 레코(*L'écho*) 등의 언론에 게재된 기사나 특집호 형태로 출간된 단행본은 일반 시민의 교양뿐 아니라 학계의 논의에도 중요한 자료로 활용되었다.[3]

한편 이 시기에 이민 논의가 활성화된 또 다른 배경은 바로 이때부터 프랑스에 이슬람이 가시화되었기 때문이다. 사건의 측면에서 보면 프랑스 사회에서 무슬림의 존재가 인식되기 시작한 것은 1981년 자동차 분야에 종사했던 북아프리카 출신 이주노동자들의 노동운동을 통해서였다. 이들의 요구사항 중에 작업장 내부에 기도할 수 있는 공간을 마련해 달라는 것이 포함되어 있었던 것이다. 이민의 역사 속에서 프랑스에 이슬람이 등장한 맥락을 확인해 보자. 먼저 주변국으로부터 이주민들이 들어오게 된 프랑스 사회 내적인 배경을 보면, 19세기 후반의 급속한 산업화, 주변국에 비해 유달리 낮았던 프랑스의 출산율, 프롤레타리아화에 대한 당시 프랑스 농민과 상인의 거부감 등을 지적할 수 있다. 프랑스 이민사를 보면 1881년에 이미 외국인의 수가 1백만 명(전체 인구 3,700만 명)에 이르렀다. 참고로 당시에는 외국인의 입국 및 노동시장 진입에 대해 국가가 통제하지 않았다. 18세기부터 벨기에와 이탈리아에서, 1880년대부터는 동유럽 거주 유대인들이 이주해 왔으며 집시

3 국내의 연구상황을 보면 직접적으로 프랑스 이민 현상을 다룬 연구는 극소수이며(박단, 2013; 엄한진, 2007; 한명숙, 2009; 박선희, 2010) 공화주의나 히잡 문제를 중심으로 한 프랑스의 이민 및 이슬람 현상에 대한 연구(김남국, 2004; 박단, 2009; 박단, 2005; 서울대 불어문화권연구소, 2004)를 찾아볼 수 있다.

도 동유럽으로부터 이주해 왔다. 1920년대 소위 '제1차 이주의 물결'이 나타났고 1931년에는 외국인 비율 7%(270만 명)로 당시 세계 최고 수준을 기록했다(Rabaud, 2014: 20-22). 이렇게 이미 19세기 후반, 20세기 초부터 '이민의 나라'로서의 프랑스의 면모가 나타났던 것이다.

그런데 이때까지만 해도 당시 프랑스의 식민지였던 알제리로부터의 이주민을 제외하고는 무슬림들을 찾아볼 수 없었다. 1955-1974년 '제2차 이주의 물결' 시기에 와서야 마그레브, 사하라 이남 아프리카 국가들과 프랑스 정부의 노동이민 관련 협약이 체결되면서 무슬림 이주민들이 대거 입국하게 된다. 이러한 무슬림들의 증가는 이후 1970년대 가족합류이민이 본격화되면서 심화되었다. 그렇다고 전체 인구 중 무슬림 인구의 비중이 커진 것이 자동적으로 이슬람을 이민문제의 중요한 요소로 만든 것은 아니다. 그것은 무슬림 이주민 사회와 주류사회 양자에서 나타난 일련의 변화가 만들어 낸 것이었다. 전자의 경우에는 이주민 사회운동에서의 이슬람 담론의 부상, 중동 및 북아프리카 지역에서의 소위 '재이슬람화' 현상, 후자의 경우에는 이민문제를 정치의 도구로 활용한 극우세력의 부상, 공화주의를 다시금 강조하는 사회분위기와 같은 요인들이 이슬람을 부정적인 의미에서 프랑스 사회의 화두로 만들게 된다. 불과 30년 전에 등장한 현상인 것이다. 프랑스의 이슬람 문제는 기독교와 이슬람의 오랜 역사적 관계가 재현된 것이라기보다는 극히 최근에 프랑스 사회 내부에서 등장한 새로운 현상인 것이다.

한편 이민문제에 대한 필자의 관심은 석사학위 준비 시절로 거슬러 올라간다. 1990년대 초반 신사회운동에 관심이 있었던 필자는 프랑스에서 당시 핵심적인 사회문제로 대두되었던 이민문제와 이민자들의 사회운동에 관심을 가지게 되었고 〈프랑스의 이슬람사회운동: 프랑스이슬람단체연합(UOIF)을 중심으로〉라는 제목의 논문을 준비하게 된다. 박사논문을 마그레브의 이슬람주의에 대해 썼던 본인은 이후 2005년 프랑스에서의 이주민들의 소요사태를 계기로 이민문제를 다시 다루게 된다. 이후 '다문화' 현상을 경험하게 된 한국 사례에 관심을 두다가 2009년부터 프랑스의 상호문화주의, 다문화 미디어 등에 관한 글을 발표하였다. 이러한 작업의 연장선상에서 집필된 본 저술은 이슬람주의와 이민 현상이라는 필자의 두 가지 전공분야가 교차하는 주제를 다루고 있다. 아랍의 이슬람주의, 한국의 다문화에 대한 관심을 거치면서 풍부해진 연구경험을 토대로 개인적으로 가장 친숙한 지역의, 시의적으로 매우 중요한 주제를 다루고 있다.

이 책은 모두 8개의 장으로 구성되어 있는데 한편으로는 시대순으로 서술된 측면이 있고 다른 한편으로는 이민 현상 및 이민정책 등 객관적 측면을 앞부분에 다루고 이 과정에서 산출된 담론을 후반부에 다루는 측면이 있다. 주요 내용을 보면 먼저 1장에서는 프랑스로의 국제이주의 역사와 마그레브 지역 출신 이주민들의 사례를 다룬다. 이와 함께 프랑스 이민 현상을 대표하는 용어인 공화주의를 중심으로 프랑스의 이주민 통합모델과 이 전통적인 모델이 처한 위기에 대해 살펴본다. 2장에서는 프랑스가 자랑해온 통합모델이 여러 요인으로 인해 위기에 처하게 되고 이 구조적 위기가 대도시 외곽지역을 지칭하는 '방리유'(*banlieue*)에서의 폭력적인 상황을 중심으로 표출되는 현상을 다룬다. 3장에서는 이러한 방식으로 대두된 소위 '이민문제'가 객관적인 조건의 산물임과 동시에 상당부분 국가와 정치세력이 만든 작품임을 밝힌다.

4장에서는 이민자들이 정책의 대상이나 사회적 약자로서만이 아니라 '주체로서의 이민'의 면모를 가지고 있음을 '방리유'를 중심으로 자신들의 권익을 옹호하고자 하는 이주민사회운동의 경험을 다룬다. 반인종주의운동과 같은 보편주의적 경향에서 이슬람을 자원으로 하는 특수주의적인 '정체성 정치'로, 그리고 제도권 정치의 틀에서 벗어나 '거리의 정치'로 이행하는 과정을 다룬다. 5장에서는 '새로운 이민'의 유입과 기존 이주민 통합모델의 위기를 배경으로 대두된 다문화주의 또는 상호문화주의를 이 이념에 대한 소개, 그리고 상호문화주의가 반영된 대표적인 영역인 교육 영역에서의 상호문화주의적 시도를 중심으로 소개한다. 6장은 미디어에서 이주민이 재현되는 방식과 이민문제 및 종족적, 문화적 다양성을 반영하기 위한 언론의 시도를 다룬다. 공영방송과 종족적 소수자의 미디어가 사례로 소개된다. 7장에서는 이민문제의 탄생을 배경으로 부상한 프랑스의 인종주의, 그리고 인종주의와 안전 담론의 결합이라는 최근 양상을 다룬다. 8장에서는 1990년대 중반부터 주기적으로 발생하는 이슬람주의 테러리즘을 무슬림 이주민들의 통합문제와 반이슬람 경향과 연관지어 설명하고 인종주의와 테러리즘 양자를 극복하는 방안을 모색해 본다. 일부의 장 말미에 실린 보론은 필자가 기존에 발표한 짧은 에세이 형식의 글로서 본문의 관련 내용에 대한 이해를 돕는 차원에서 수록했다. 한편 괄호 안에 원어를 병기할 경우 불어는 이탤릭체로 표기했다.

프랑스에 관한 글을 쓴다는 것은 필자에게 특별한 의미를 지닌다. 관찰자의 입장만이 아니라 적지 않은 기간 그 내부에 있었던 당사자의 입장이 반영되기 때문이다. 그곳에서의 경험은 그리 좋지 않았다. 프랑스를 떠나기 전날 비오는 시청 앞 광장을 바라보면서 다시 이곳에 오지 않을 것이라는 생각을 했었다. 불어를 잘 못하는 소심한 아시아인에게 프랑스와 백인은 두려운 존재 그 이상이 되기 어려웠다. 심지어 같은 이방인으로서 동병상련을 느꼈고 학문적인 연구대상이기도 했던 아랍인들도 내게 우호적이지 않았다. 물론 시간이 지나 다시 찾은 프랑스는 내게 고향으로 느껴질 정도로 다른 존재가 되어 있었다. 이 책을 내면서 애증의 대상인 프랑스를 함께 경험한 가족들을 생각하지 않을 수 없다. 유학시절 힘겹고 막막했던 하루하루를 함께 한 아내 은경, 연구년으로 프랑스 지방도시 렌느에 갔을 때 말이 안 통하는 프랑스 학교를 엄청난 참을성으로 버텨준 딸 혜원, 특히 프랑스 관련 진로를 택한 아들 인식에게 이 책이 작은 위로와 힘이 되었으면 한다. 책을 마무리하면서 한림대 사회학과 교수, 학생들과 함께 할 수 있었던 것이 얼마나 큰 행운인가 하는 생각을 한다. 더불어 출판이 많이 늦어졌는데도 필자가 부담없이 책을 마무리할 수 있게 배려해준 학술총서 측과 서강대학교출판부 전종호 출판부장님, 편집부 팀원에게 감사의 인사를 전한다.

목 차

• 표 목록

• 자료 목록

1장

이민의 나라, 프랑스

1장

이민의 나라, 프랑스

이 장에서는 프랑스가 국제 이주민을 받아들인 역사를 살펴본다. 프랑스는 영국, 북유럽, 동유럽, 남유럽, 그리고 지중해 남쪽의 북아프리카를 주변에 둔 지리적 요인으로 인해 근대 이후 본격화된 국제이주의 주요 대상지역이 되었다. 이념적으로도 특정 민족에서 벗어나 모든 인간을 염두에 둔 계몽사상과 공화주의 사상이 다른 민족의 유입과 통합에 우호적인 전통을 만들었다. 이와 함께 인구학적으로도 이웃 나라들보다 먼저 경험한 인구정체 현상이 국제이주에 대한 수요를 창출했다. 이러한 요인들이 복합적으로 작용해 이미 20세기 초에 프랑스는 미국과 함께 전형적인 이민의 나라의 면모를 갖추게 되었다. 그런데 최근 프랑스 이민문제의 핵심 집단인 마그레브 출신 이주민들은 일반적 인식과 달리 유럽 출신 이주민들에 비해 다소 늦게 프랑스 사회의 일원이 된다. 조숙했던 프랑스의 이주민 유입의 경험은 이에 대한 대응으로서의 이주민 통합정책 역시 일찍이 시작되어 다문화주의와 경합을 벌이는 공화주의 통합모델을 낳았다.

1. 프랑스로의 이주의 역사

고대 말기 북쪽에서 온 이민족의 침입에서 시작해 현대의 평화로운 이민에 이르기까지 역사적으로 프랑스 땅은 고립된 지역이 아니었다. 프랑스 혁명 이전의 구체제에서는 다양한 재능을 가진 외국인들이 프랑스에 초대를 받았고 자본주의 초기에는 많은 기업가들이 네덜란드, 스웨덴, 영국, 스위스 등 주변 지역으로부터 이주해 왔다. 루소, 오펜바흐, 엘베시우스 등 많은 프랑스의 위인들이 프랑스가 아닌 지역에서 태어난 인물들이다.

고급인력의 이주에 이어서 19세기 후반부터는 보다 평범한 사람들이 대량으로 이주해 왔다. 여전히 재능 있는 예술가나 지식인들이 프랑스를 찾았지만 수적인 면에서는 이제 별다른 기술이나 재능이 없는 사람들이 이들을 압도했다. 그러다가 20세기 초반에는 정치적, 인종적으로 억압을 받았던 난민들이 대거 유입되었다(Schor, 1996: 5-6). 이러한 과정을 통해 프랑스는 대표적인 이민의 나라가 된다. 그리고 프랑스로 온 국제이주민들은 인구학적으로, 경제적으로, 그리고 문화적으로 프랑스 사회에 상당한 기여를 했다고 평가되어 왔다. 학문, 예술, 사상, 일상생활 등에서 프랑스가 보여주는 유니크하고 창의적인 면모는 다양한 이주민을 받아들인 것과 무관하지 않을 것이다.

프랑스에 이주해 온 사람들을 보면 19세기에는 벨기에인, 이탈리아인, 그리고 1차 대전 종전 이후에는 이탈리아인, 폴란드인, 폴란드와 독일 출신 유대인이 주를 이루었다. 그러다가 2차 대전이 끝나고 1950년대에 마그레브 출신 이주민들이, 1970년대에는 포르투갈 출신 이주민들이 많았다. 또한 수적으로 많지는 않았지만 과거 프랑스의 식민지였던 인도차이나 지역이 공산화되면서 고국을 등져야 했던 동남아시아 '보트피플'의 일부가 프랑스에 이주하기도 하였다. 보다 최근에는 인도, 중국 등 아시아와 사회주의권 붕괴 이후 동유럽으로부터 오는 이주민들이 많아지고 있다. 이렇게 오래되고 다채로운 국제이주의 결과 현재 프랑스에는 포르투갈, 모로코, 알제리, 스페인, 튀니지, 터키 출신자들이 다수를 차지하고 있다.

20세기에 접어드는 시점에 이미 프랑스로 이주해 온 사람이 100만 명을 넘어섰다. 이는 당시 프랑스 인구의 3%에 해당되는 수치였다. 이러한 현상의 주된 배경은 인구학적인 것이었다. 1차 대전 종전 직후 프랑스는 상당한 인구 감소를 경험했다. 전쟁으로 인해 140만 명의 젊은 남성들이 목숨을 잃었거나 불구가 되었다. 이러한 인구학적 맥락에서 1920년대에 프랑스는 노동력 부족 현상을 해결하기 위해 주변국으로부터 막대한 수의 이주민을 받아들이게 된다. 1919년부터 1930년까지 프랑스 정부는 유럽의 여러 나라들과 노동이민에 관한 협약을 맺게 된다. 그러나 실제로는 정부보다 민간단체나 기업이 주도한 이민이나 불법 이민이 수적으로 더 큰 비중을 차지했다(INSEE, 2012). 프랑스는 또한 당시 대량학살을 겪은 아르메니아인이나 사회주의로의 체제변동과정에서 조국을 등져야했던 러시아인 등 많은 외국인들이 선호하는 망명지였다.

1931년 프랑스에는 270만 명의 외국인이 거주했고 이는 당시 전체 인구의 6.6%에 해당되는 수치였다. 미국(6.3%)보다 전체 인구에서 외국인이 차지하는 비율이 높았던 것이다. 성별로는 예상할 수 있는 대로 남성이 여성보다 훨씬 많았다. 그러다가 1930년대 경제위기로 인해 프랑스로의 이주행렬이 주춤하게 된다. 어려운 경제상황으로 인해 역으로 프랑스를 떠나는 사람들이 생겨나기도 했다. 1932년에는 많은 법령이 도입되어 외국인 노동자들의 입국을 어렵게 했다. 그러다가 1936년부터 제2차 세계대전이 발발한 1939년까지 이주민이 일시적으로 증가하게 된다. 이때 입국한 외국인은 주로 내전(1936-1939년)을 겪고 있던 스페인에서 온 난민들이었다. 당연히 2차 대전 기간 동안 이민이 거의 중단되었다가 종전 후에는 전쟁으로 인한 인구 수의 감소로 인해, 그리고 전후 복구를 위해 필요한 노동력 수급을 위해 국가가 나서서 이민을 적극적으로 받아들이게 된다. 그 결과 1945년 2차 세계대전 종전 이후 프랑스에서는 전체 인구 증가 중 이민이 기여한 부분이 40%가 넘을 정도였다. 물론 국가는 이민에 우호적이면서도 효과적으로 이민의 물결을 통제하고자 했다. 이를 위해 1945년 이민국(*Office national d'immigration, ONI*)을 신설해 외국인 노동자들의 수급을 주관하게 하였다. 당시에는 가족 이민이 허용되어 가족을 동반할 수 있었다. 또한 1952년 프랑스는 제네바협약에 가입하고 '난민 및 귀환동포 보호국'(*Office français de protection des réfugiés et apatrides, OFPRA*)을 창설하게 된다. 이 기관은 난민지위 인정 여부를 결정하고 난민에 대한 보호를 담당하였다.

1945년부터 재개된 이주민의 유입은 1956년부터 1975년까지의 호황기에 본격화된다. 그 결과 1975년 이주민의 수는 전체 인구의 7.4%에 이르게 되어 1930년대 초반의 이주민 비율을 앞지르게 된다. 당시 프랑스의 이주민 수를 출신국가별로 보면 포르투갈 758,000명, 알제리 710,000명, 스페인 497,000명, 이탈리아 462,000명, 모로코 260,000명, 튀니지 139,000명 등 모두 3,442,000명의 외국인이 거주하고 있었다. 이는 프랑스 전체 인구의 6.2%에 해당하는 것이었다(Weil, 2005: 16). 그러다가 1974년 불황이 시작되면서 정부는 이민을 본국에 있는 이주민 가족의 이주를 의미하는 가족합류이민(*regroupement familial*)이나 기업주의 특별한 요구가 있을 경우에 한해 허용하는 식으로 제한하게 된다. 이때 프랑스에 온지 얼마 되지 않은 이주민들은 당초 계획보다 더 오래 체류하고 그로 인해 가족을 프랑스에 오게 하려는 경향이 나타났다. 따라서 정부가 의도했던 이주민들의 조기 귀환은 미미한 수준에 그치게 된다. 그 결과 역설적이게도 이민을 금지하는 상황에서 이주민의 수는 소폭 늘어나게 되었다. 또한 전체 인구 중 이주민이 차지하는 비율은 이후 현재까지 유사한 수준을 유지하게 된다. 그러다가 1989년 베를린 장벽이 붕괴되면서 동유럽으로부터 이민이 들어오기 시작한다. 물론 그 수는 동유럽에 인접해 있는 독일과 달리 그리 많지는 않았다.

1999년부터 2008년까지 이주민의 수는 22% 정도 늘어났다. 연평균 2%씩 증가한 셈이다. 그 결과 프랑스에서 출생한 사람의 20% 이상이 적어도 한 사람 이상의 부모나 조부모가 이민자였다. 2008년 당시 프랑스에서 출생한 아이 중 16%가 최소 1명의 이주민 부모를 가지고 있었다. 이는 1975년 10%에 비해 다소 늘어난 수치였다. 이주민 부모를 가진 출생아의 비중이 커진 것은 당시 아이를 낳을 연령대의 이주민의 수가 많았기 때문이다. 이와 함께 이주민과 프랑스 토박이 간의 결혼이 늘어난 것도 적어도 한 명의 이주민 부모를 가진 아이의 비율을 늘린 원인이었다(INSEE, 2012).

최근에도 프랑스로의 이주민의 수는 소폭 상승하였다. 2008년에는 184,000명의 이주민에게 체류증이 발급되었는데 그 수가 2014년에는 210,000명으로 늘어났다. 이러한 증가 추세에 가장 큰 기여를 한 것은 가족합류이민이다. 2013년 93,700명, 2014년 92,000명으로 일자리를 찾아 이주한 '경제적인' 동기에 따른 이주민의 수 연평균 20,000명을 크게 넘어서는 수치인 것이다. 오히려 유학생의 비중이 커서 2014년의 경우 65,000명이 '학업'을 목적으로 이주하였다. 인도주의적인 차원에서 이주를 허가한 난민의 수는 20,000명 정도로 당시 독일에 비해 크게 적은 수치였다.

출신지역별로 보면 2012년에 프랑스에 온 이주민 중 1/2은 유럽 출신이며 3/10이 북아프리카를 포함한 아프리카 출신이었다. 유럽 출신 이주민의 주요 출신 국가는 포르투갈, 영국, 스페인, 이탈리아, 독일 등이었다. 이 5개국이 유럽 출신 이주민의 57%를 차지했다. 아프리카 출신 이주민들은 주로 북아프리카 3국, 즉 모로코, 알제리, 튀니지 출신이었다. 다른 지역과 마찬가지로 최근 중국 출신 이주민의 수가 늘어나 2012년의 경우 전체 이주민의 3%에 달했다(Marc, 2015). 또한 세계화 시대 이민의 특성이 나타나 이전에 비해 프랑스 거주 이주민의 출신 지역이 다양화되는 경향을 보였다. 이제 과거에는 보기 힘들었던 생소한 지역 출신자들을 쉽게 볼 수 있다. 〈표 1-1〉은 2004년부터 2012년까지 출신 대륙별 이주민 유입 상황을 보여준다. 이 도표에서 우리는 최근 들어 유럽 출신자들의 비율이 가장 크고 그 추세도 다른 대륙 출신자들에 비해 증가세가 높다는 점을 알 수 있다. 한편 과거에 이주해 온 사람들을 포함해 현재 프랑스에 거주하고 있는 이주민의 수는 북아프리카를 포함한 아프리카 출신이 가장 많다. 유럽이 그 뒤를 잇고 아시아와 아메리카 대륙 출신자들은 이 두 대륙에 비해 크게 못 미치는 수치를 보인다.

표 1-1. 출신 지역별 이주민의 수

지역	2004	2005	2006	2007	2008	2009	2010	2011	2012	2012(%)
유럽	80,500	78,660	80,120	79,290	80,330	75,040	88,820	94,580	105,830	46(EU회원국 42)
아프리카	70,200	66,110	62,340	62,140	63,470	66,480	65,610	66,280	68,640	30(마그레브 17)
아시아	30,960	30,120	30,520	32,070	30,180	32,960	29,810	32,430	32,060	14(터키 2)
아메리카와 오세아니아	19,810	19,990	20,460	18,770	21,440	20,450	26,270	26,270	23,070	10
전체	201,460	194,880	193,440	199,658	195,410	194,920	210,510	216,640	229,600	100

출처: INSEE, 2013

2. 인구 담론과 프랑스 이민사

이민과 관련된 프랑스의 가장 두드러진 특징이 있다면 다른 유럽 국가들과 달리 일찍이 19세기 중반부터 인구가 늘지 않는 현상을 경험하면서 인구를 증가시키기 위한 다양한 노력을 해왔다는 점일 것이다. 이로 인해 국제이주민 수용에 적극적이어서 1930년대에 이미 미국, 캐나다와 같이 지속적인 이주의 물결을 경험한 나라들과 같은 수준의 이주민의 비율을 나타냈다. 이때 생긴 '프랑스가 이민의 나라'라는 생각이 지금까지 퍼져 있지만, 최근의 추세는 이민자의 수가 정체되어 있다.

프랑스가 이민의 나라가 된 것은 불과 1세기 전부터이다. 1860년대 당시 알제리뿐 아니라 남미에서도 식민화를 적극 추진할 때에도 프랑스는 이민을 받아들이기보다는 구대륙의 식민지나 신대륙으로 이민을 떠나는 나라였다. 1880년대 중반이 되자 상황이 달라지기 시작했다. 1886년 프랑스에 있는 외국인의 숫자가 1,127,000명으로 전체 인구의 3%가 되었다. 이러한 변화의 가장 중요한 원인은 19세기 말 프랑스가 겪은 인구문제였다. 즉 근대화 과정에서 주변국들의 인구는 급속히 증가해 3배 가까이 늘어난 나라들도 있었는 데 반해 프랑스 인구는 거의 늘지 않았고 그에 따라 농촌이든 도시든 일손이 부족해졌던 것이다. 바로 그것이 19세기 말, 20세기 초 이탈리아, 스페인, 벨기에 등 주변국들로부터의 이민 물결의 배경이었다.

1870년에서 1940년까지 인구 수는 프랑스의 세력 약화를 설명하는 가장 매력 있는 요인이었다. 1870년 보불전쟁에서 프러시아에 패하고 난 후 프랑스에서는 그 원인으로 인구면에서의 독일과의 차이가 부각되었다. 경제나 군사 영역에서 인구 수가 중요하게 작용했던 당시에 이 논리는 어느 정도 근거를 가진 것이었다. 프랑스는 1800년만 하더라도 유럽에서 가장 인구가 많은 나라였다가 1860년 4000만, 1910년 4000만이었고 그 이후에도 프랑스 인구는 2차 대전 발발 직전까지 줄곧 4000만에 머물러 있었던 것이다. 다른 유럽 국가들이 출산율과 사망률 사이의 격차가 벌어짐에 따라 급격한 인구증가를 경험한 데 반해 프랑스는 양자 간의 차이가 거의 없어 인구정체 현상이 빚어졌다(〈표 1-2〉 참조). 우리에게 익숙한 세계의 인구변화 그래프를 떠올려 보면, 인구가 가파르게 상승하던 바로 그 시기에 프랑스가 보여준 양상은 매우 놀라운 것임을 알 수 있다. 그 결과 프랑스는 외국인 노동력의 유입을 필요로 했으며 역으로 인구폭증으로 인해 주변국에서는 일자리 부족 현상을 겪음으로써 프랑스로의 이주가 해결책으로 여겨졌던 것이다.

표 1-2. 유럽 국가들의 조출산율과 조사망률(1913년)

국가	조출산율	조사망률
독일	27.5	15
벨기에	22.3	14.2
스페인	30.6	22.3
이탈리아	31.7	18.7
포르투갈	32.5	20.6
잉글랜드	24.1	15.5
스위스	23.2	14.3
프랑스	18.8	18.2

* 프랑스의 경우는 1911-13년의 평균치임.
출처: Gendron, J.-P. et alii, 1986, *Ecorama*, Paris: Nathan, Schor(1996: 9)에서 재인용.

이제 진정한 적은 내부에 있었다. 즉 전통적인 앙숙 독일이 아니라 저출산과 인구 수의 정체가 프랑스를 약화시키는 적으로 간주되게 된다. 그리고 그 원인은 프랑스인들이 너무 문명화되어 아이를 적게 낳기 때문이라고 간주되었다. 당시 사람들은 출산력과 국력을 동일시하였고 인구수가 많은 주변국의 침입이나 이민으로 인해 다른 민족의 비율이 상승하는 것을 두려워하였다. 바로 이러한 프랑스 특유의 인구학적 양상, 그리고 이를 배경으로 부상한 인구 담론이 주변국들로부터 대거 이민을 받아들인 배경이었다. 물론 이 이민은 이들을 떠나보낸 출신국가의 사정에서 비롯된 측면도 컸다. 프랑스 인구 담론의 궤적을 보면 제2차 세계대전 종전 이후 나타난 베이비붐 현상으로 그 세력이 약화되었다가 1990년대에 다른 민족의 비율이 증가하는 것에 대한 두려움, 그리고 인구의 고령화로 인해 발생하는 문제에 대한 우려를 배경으로 부활하게 된다. 프랑스는 인구문제를 사회문제를 야기하는 중요한 원인으로 여기고 이러한 인식에 입각해 매우 적극적이고 명시적인 출산장려정책을 편다는 점에서 다른 유럽 국가들과 확연히 구분된다. 프랑스의 대표적인 인구학자 르 브라의 다음 말은 이러한 프랑스적 특수성을 극적인 방식으로 표현하고 있다. "프랑스에서 아이는 가족의 것이기보다 국가의 것이다. 이들은 소위 〈조국의 아이들〉이며 양육기간 동안 일시적으로 그들 부모에게 맡겨지는 것일 뿐이다. 기독교인들에게 신이 의미하는 바와 같이 아이들의 진정한 아버지는 국가이며 부모들은 요셉일 뿐이다."(Le Bras, 1991: 13).

20세기 후반부터는 인구 담론이 부상하고 이것이 이민 영역과 밀접한 연관성을 가지게 되는 것이 프랑스만이 아니라 유럽 전체, 더 나아가 한국을 포함해 이민을 받아들일 조건을 갖춘 국가들 전체에 공통적으로 나타나는 경향이 되었다. 최근 유럽 국가들이 공히 1970년대 초 중단했던 노동이민의 수입을 재개하는 배경에는 인구에 대한 관심이 존재한다. 특히 활용가치가 높은 전문인력만을 받아들이는 선별적인 경향은 IT 등 특정 분야의 숙련노동력 부족과 고령화 현상이 그 주된 배경이었다. 이민이 이 두 문제의 가장 효과적인 해결책으로 간주되었던 것이다(Docquier et Rapoport, 2007). 이러한 변화의 계기는 새로운 이민의 유입이 없다고 가정했을 때 고령화로 인해 2050년이면 유럽은 현재 인구의 60%가 줄어들 것이라는 2000년 3월 유엔보고서의 충격이었다(Wihtol de Wenden, 2002). 그리고 이러한 인구전망으로부터 국경개방이 불가피하다고 평가한 유엔의 진단을 받아들이게 된 것이다. 물론 여기에는 1990년대 말부터 나타난 완만한 경제회복이 촉매제 역할을 하였다. 토착민들이 싫어하는 직종을 맡기기 위해 외국인 노동자들을 필요로 했던 과거의 이민 현상과 달리 최근 이민 수요는 특정 분야의 전문인력 공급 부족에 따른 것이다. 그리고 이러한 맥락에서 과거와 다른 이민정책, 즉 다른 출입국 정책, 다른 통합정책이 필요하다는 점이 제기되었고 최근 서유럽과 북미 등에서 전개되고 있는 기존 이민정책 및 이주민 통합모델에 대한 재검토도 이러한 변화된 상황에 대한 대응인 것이다. 고급 인력이나 외국 학생의 유치를 위한 OECD 국가들 간의 경쟁이 치열하다. 즉 '이민 오기 좋은 나라 만들기'에 전념하고 있는 것이다(Chassard, 2006).

3. 이주민의 의미와 지위

위에서 우리가 사용한 '이주민'이라는 용어는 정확히 어떤 사람들을 가리키는가? 프랑스에서 국제이주와 연관성이 있는 주민을 지칭하는 몇 가지 용어가 있으며 각각의 용어는 의미하는 바가 조금씩 다르다. 먼저 가장 많이 쓰이는 용어인 '(국제)이주민(*immigré,* immigrant)'[1]은 자신이 태어난 곳이 아닌 국가에 거주하는 사람을 의미한다. 이 용어는 결코 변하지 않는 두 요소, 즉 출생시 국적과 태어난 국가를 포함하고 있다. 사회적 맥락을 보면 이 용어는 1990년대에 이주 관련 통계에 도입되었다. 기존에는 국적에 따른 '외국인(*étranger,* foreigner)' 대 '국민(national)'의 구분만 존재했다. '이주민'이라는 용어가 도입된 목적은 국적과 무관하게, 즉 프랑스 국적자라 하더라도 생애의 어떤 시점에 외국인의 신분으로 프랑스로 이주했다는 사실을 인지할 수 있게 해주는 범주가 필요했기 때문이다. 이러한 새로운 범주 설정이 필요했던 것은 이주민을 대상으로 하는 사회통합 정책이 탄생했기 때문이다. 프랑스 국적자 중에도 이주 배경을 가진 사람들은 통합에 어려움을 겪는 경우가 많았기 때문이다. 유사한 배경에서 사회조사나 인구센서스에도 '이주민(*immigré*)'이라는 범주가 도입되었다(Blum Le Coat & Eberhard, 2014a).

한편 이전까지 국제이주민을 지칭하는데 사용된 공식적인 용어였던 '외국인(*étranger*)'은 1880년대에 도입되었다. 당시 민주주의 제도가 도입되는 과정에서 투표권 등 새로운 권리 문제가 제기되었고 국민과 비국민을 구분할 필요성 때문에 등장했던 것이다(Blum Le Coat & Eberhard, 2014b: 37). 이러한 과정을 거쳐 현재 '이주민'은 '외국인'과 외국에서 이주해와서 '국적을 취득한 국민(*naturalisé,* naturalized citizen, 2.7%)'을 포괄하는 개념이다.

1 이 책에서는 괄호 안의 불어를 이탤릭체로 표기한다.

프랑스에서 이주민을 가리키는 또 다른 용어로 '이주민(migrant)'이 있다. 이는 이주민으로 입국한 자를 의미하는데 '이주민(immigrant)'과 달리 유럽연합 출신 이주민은 제외된다. 이주의 유형에 따라 이주민(migrant)을 구분해 보면 2009년의 경우 대다수가 가족합류 이민(73%)이며 난민(12%)과 직업이민(9%)이 그 뒤를 잇고 있다. 출신 지역으로는 북아프리카의 아랍사회를 의미하는 '마그레브'가 37%로 가장 많고 사하라 이남 아프리카(32%)가 그 뒤를 잇고 있다. 아프리카 출신만큼 많은 유럽 출신 이주민은 '이주민(migrant)' 범주에는 포함되지 않는 것이다.

프랑스에서 이주민들은 어떤 조건에서 거주하고 있을까? 다른 영역과 마찬가지로 이주민 관련 법률도 수많은 개정을 거쳤고 법률에서 명시하고 있는 이주민의 지위도 상당히 복잡한 모습을 띠고 있다. 2004년부터 이주민의 지위에 관한 규정은 '외국인 입국 및 체류와 난민에 관한 법'(*Code de l'entrée et du séjour des étrangers et du droit d'asile*)에 바탕을 두고 있다. 우선 프랑스 영토로의 입국에 관한 조항을 보면 위의 법 L211조 1항에 입국에 필요한 요건이 명시되어 있다. 이주 관련 국제협약과 프랑스 법에 명시되어 있는 비자와 기타 행정서류를 제시해야 하며 직업활동에 종사하기 위해 입국하는 경우에는 관련 서류가 추가로 요구된다. 입국한 후 프랑스에 체류하는 데 필요한 요건은 다음과 같다. 위의 법 L211조 3항에 따르면, 프랑스에 체류하는 가족을 방문하거나 기타 개인적인 사유로 3개월 미만 동안 프랑스 체류를 원하는 모든 외국인[2]은 해당 기간 동안의 주거와 관련된 서류를 제시해야 한다.

2 비자면제협정이 체결된 국가 출신자는 비자나 주거증명서를 제시하고 않고도 최대 3개월 동안 프랑스에 체류할 수 있다.

이 서류는 해당 외국인에게 주거지를 제공하는 자나 그의 법정대리인이 서명하고 해당 관청이 승인한 주거제공증명서(*attestation d'accueil*)이다. 3개월 넘게 체류하는 외국인은 임시 체류증(*carte de séjour temporaire*)이나 장기 체류증(carte de résident)을 발급받아야 한다. 임시 체류증의 유효기간은 최대 1년이며, 장기 체류증은 10년 이상 체류를 허가하는 증명서로서 추가적인 조건을 충족할 필요 없이 프랑스에서 직업을 가지거나 학업을 수행할 수 있다. 이 두 체류증은 모두 갱신이 가능하다. 또한 프랑스의 체류증을 소지한 외국인은 쉥겐 조약[3]에 가입한 유럽 국가에도 3개월 동안 추가적인 서류가 없어도 체류할 수 있다. 한편 2006년 7월에는 '능력과 재능' 체류증이라는 새로운 형태의 체류증이 신설된다. 가족합류이민의 경우를 보면, 최소 18개월 이상 지속적으로 프랑스에 체류하고 최소 1년 이상 유효한 체류증을 소지한 이주민은 고국에 남겨진 배우자와 18세 미만의 자녀를 초청할 수 있는 권리를 가진다. 이때 배우자는 18세 이상이라는 조건만 충족시키면 된다(Legifrance, 2006).

이제 프랑스 국적 취득에 관한 규정을 살펴보자. 이민과 통합에 관한 2006년 7월 24일 법에 따르면, 프랑스 국적자의 배우자는 4년의 결혼생활 이후 프랑스 국적을 신고만으로 취득할 수 있다(Legifrance,

---

3 쉥겐 조약은 1985년 독일, 프랑스, 베네룩스 3국 등 5개 국가 간에 체결되었으며 조약 가입국들 간의 국경개방을 주요 내용으로 한다. 이 조약은 자유왕래가 가능한 소위 '쉥겐 공간' 형성을 위한 첫 단계였으며 이후 암스테르담 협정이 체결되면서 공동농업정책, 유로화와 함께 유럽연합 차원에서 추진되는 정책의 한 부분이 된다. 유럽의 이민정책은 마스트리히트(Maastricht) 조약과 쉥겐 조약을 계기로 회원국들 간의 이민은 장려하는 반면 다른 지역으로부터의 이민은 철저히 통제하는 방식으로 변화하여 새로운 '철의 장막'이라고 표현되기도 했다.

2006). 다만 부부 간의 '정서적이고 물질적인'(*tant affective que matérielle*) 삶의 공유가 그 기간 동안 지속되었어야 하며 외국인 배우자가 프랑스어를 구사할 줄 알아야 한다는 조건 하에 국적 취득이 가능하다. 최소 결혼생활 기간이 4년이 아닌 5년이 요구되는 경우도 있다. 이 예외조항은 그 기간 동안 부부가 프랑스 이외의 지역에서 거주했을 경우에 적용된다. 또한 프랑스 정부가 위에서 언급한 언어 문제가 아니라 일부다처제나 자녀에 대한 폭력 등의 사유로 국적 취득을 거부할 수도 있다(Legifrance, 1998). 둘 다 외국인인 부모 사이에서 태어난 자녀의 경우에는 출생 이후 일정 기간 프랑스에 거주하였으며 공교육을 받은 경우에 한해 그가 성인이 될 때 국적을 취득할 수 있다. 민법 21조 14항에 따르면 귀화는 행정명령에 의해 5년 이상 프랑스에 거주한 성인에게도 허용될 수 있다. 그렇지만 혼인이나 부모와의 관계에 근거해 이루어지는 국적 취득은 무조건적인 권리가 아니라 최종적으로는 행정당국의 결정에 좌우되는 가능성일 뿐이다. 2012년 1월 1일부터는 모든 국적 취득의 경우 일정 정도 이상의 불어 수준이 요구된다. 신청자는 학생처럼 구두로 면접을 치르게 되었다(Rouchard, 2012).

4. 마그레브 출신 이민의 사례

프랑스에 거주하는 이민집단 중 본 저술이 초점을 두는 이민문제와 관련해 중요한 집단은 마그레브 출신 이민자들(*immigrés maghrébins*)이다. 프랑스 이주민하면 떠오르는 이미지, 즉 아랍 출신의 무슬림들이 바로 이들인 것이다. 이들의 이주 경험은 최근 프랑스 이주민 사회의 현실이 어떻게 형성된 것인지 그 역사적 기원을 잘 보여준다. 이들은 다음과 같은 일련의 과정을 거쳐 프랑스 사회에 영구 정착하게 되었다. 식민화와 같은 근대 이후 프랑스와의 역사적 관계, 알제리 독립 이후 알제리인들의 대량 이민, 2차 대전 종전 후 정부 간 협약에 따른 노동이민의 유입, 프랑스의 경제위기, 이민 금지조치 이후에 대규모로 진행된 가족합류이민, 이민문제의 등장. 몇 가지 단계로 구분해 마그레브 출신 이민의 역사를 살펴보자.

1) 알제리 출신 이민의 팽창과 알제리 전쟁

① 1945-1954년: 알제리 이민의 팽창기

이 시기 프랑스는 전후 경제개발계획이 시도되면서 국가가 본격적인 이민정책을 추진하던 시기였다. 외국인의 입국 및 체류 조건에 관한 '1945년 11월 2일 법'을 통해 노동부 산하에 외국인 노동자의 수급을 전담하는 이민국(*ONI*)이 설치되었다. 당시 국가가 천명한 목표 중 하나는 외국인들의 출신지역을 다변화하는 것이었다. 실제 당시 프랑스로 이주해 온 사람들의 과반수 이상이 이탈리아인이었을 만큼 특정 지역에 편중되어 있었다. 1946-1949년 기간에 이민청(*ONI*)을 통해 입국한 사람의 67%가 이탈리아에서 온 노동자들이었다. 이들은 당시만해도 지금의 마그레브인들과 유사한 차별을 겪었지만 지금은 프랑스 이민문제와 관련해 전혀 언급되지 않는다. 이 점은 민족 간의 관계, 특정 민족에 대한 인식이 시대에 따라 달라짐을 보여준다. 현재의 민족 간

갈등을 인종과 같은 사이비 생물학적인 요인이나 불구대천의 원수와 같은 초역사적인 증오로 설명하는 것은 지나친 것이다. 한편 아직 알제리가 프랑스의 한 '도'(*département*)였던 시절이라 알제리 출신 이민자들을 통제할 수는 없었다. 특히 알제리인에게 조건없이 프랑스 시민권을 부여한 '1947년 9월 20일 법'으로 인해 이제 알제리인들의 프랑스 입국 및 출국에는 어떤 통제도 없게 되었다. 이로 인해 알제리 출신자들의 프랑스 거주가 늘어났다. 예를 들어 외국인 및 알제리인 등 프랑스 토박이가 아닌 사람들 중 알제리인의 비중이 1946년 1.3%에서 1954년 12%로 증가하였다. 이러한 알제리인의 비율은 이탈리아인, 스페인인, 포르투갈인 다음으로 많은 것이었다. 당시만 해도 모로코인의 비중은 0.9%(1946년)과 0.6%(1954년), 튀니지인의 비중은 0.1%(1946년)과 0.3%(1954년)에 불과했다(Costa-Lascoux, 1989: 17).

표 1-3. 프랑스 거주 전체 외국인(알제리인 포함) 중 마그레브 출신자의 비율

국적	1946		1954		1962	
	수	비율(%)	수	비율(%)	수	비율(%)
알제리	22,114	1.3	211,675	12.0	350,484	16.2
모로코	16,458	0.9	10,734	0.6	33,320	1.5
튀니지	1,916	0.1	4,800	0.3	26,569	1.2
계	40,488	2.3	227,209	12.9	410,373	18.9

출처: Costa-Lascoux, J., 1989, *De l'immigré au citoyen*, Documentation Française: 90

② 1954-1962년: 알제리 이민의 둔화와 모로코, 튀니지 이민의 증가

알제리 전쟁(1954-1962년) 기간 동안 알제리인들의 프랑스 이주의 증가세는 연평균 6.5% 정도로 둔화되었다. 이와 달리 모로코인과 튀니

지인의 이주는 급증하게 된다. 전자의 경우 같은 시기 연평균 15.2%, 후자의 경우는 23.9%의 증가율을 보였다. 그렇지만 알제리 전쟁이 끝난 1962년 당시 프랑스에 거주하는 전체 외국인 중 알제리인의 비율은 16.2%로 여전히 두 이웃나라 출신자들을 크게 앞서고 있었다.

2) 마그레브 이민에 대한 통제: 1962-1974년

1962년부터 프랑스와 마그레브 간의 인력 교류에 있어서 '집중적인' 형태라는 새로운 방식이 도입된다. 1962년부터 1974년까지의 시기는 마그레브 출신 노동자의 수급과 관련된 다섯 개의 협약이 체결되었다. 이 시기는 다음과 같이 세 개의 시기로 세분화할 수 있다.

① 1962-1964년: 이행기

이 시기는 알제리 전쟁 종결에 따른 에비앙 조약(1962년 3월 19일) 체결에서 1964년 4월 10일 알제리-프랑스 인력교류 협약이 체결되기까지의 기간이다. 그 사이에 1963년 7월 27일 모로코와 프랑스, 1963년 10월 15일에는 튀니지와 프랑스 간의 인력교류 협약이 체결되었다. 역설적이게도 이 시기에는 130년 간의 오랜 프랑스의 지배로부터 갓 벗어난 알제리인의 프랑스 이주가 크게 증가하였다. 1962년에서 1964년까지 3년 동안 총 119,494명의 알제리인이 프랑스로 이주하였다. 그러나 이미 알제리 전쟁 말기에 프랑스로 이주하는 알제리인의 수가 크게 늘어났었기 때문에 증가율은 1962년에서 1964년까지 20%(1963년 13%, 1964년 6.2%) 정도에 그쳤다. 이에 반해 같은 시기 모로코인의 증가율은 56%, 튀니지인의 증가율은 35.7%였다. 참고로 당시만 해도 저발전과 독재의 굴레에 갇혀 있던 포르투갈 출신 이주민들의 증가율이 122%로 가장 높은 증가세를 보였다. 즉 인근 유럽 지역에서의 이주가 20세기 후반에도 지속되었던 것이다. 다만 가톨릭 신자가 대다수인 포르투갈인들은 프랑스에서 경제적으로, 문화적으로 큰 문제 없이 적응할 수 있었다. 이러한 경험으로 인해 포르투갈인들은 북아프리카 출신자들과 대조적으로 성공적으로 프랑스 사회에 통합된 모범적인 사례로 간주되었다.

표 1-4. 프랑스 거주 마그레브 출신 이민자 수의 변화(1962-1968년)

국적	1962	1963	1964	1965	1966	1967	1968
알제리	425,000	480,000	510,000	512,000	515,000	530,000	562,000
모로코	49,653	60,745	77,347	87,383	102,193	112,479	119,521
튀니지	34,443	39,517	46,749	52,159	62,903	70,274	73,261
계	509,096	580,262	634,096	651,542	680,096	712,753	754,782

출처: Khader, B., 1990, *L'immigration maghrébine en Europe: un bilan*, Univ. Catholique de Loubain: 8-9.

② 1964-1968년: 노동력 협약의 시기

네카슈-그랑발 협약(*L'Accord Nekkache-Grandval*)이라는 이름의 프랑스-알제리 인력교류 협약은 1963년 프랑스가 모로코, 튀니지와 맺은 유사한 협약과 달리 최초로 '쿼터제(*contingentement*)'라는 용어가 사용되었다는 특징을 가진다. 이 용어의 도입으로 인해 이제 '쿼터제에 입각해 입국한 사람들(*contingents*)'의 수는 일방적으로, 그리고 일 년에 네 번 시장의 수요에 따라 프랑스가 결정하게 된 것이다. 이러한 조치의 효과는 즉시 나타났다. 알제리 출신자의 수는 1965년 0.4%, 1966년 0.6% 증가에 그쳤다. 인원수로는 각각 2,000명과 3,000명의 증가에 그친 것이다. 이러한 알제리 이민자 수의 정체는 모로코인의 증가세와 대조되는 것이었다. 후자는 1965년 13%, 1966년 17%를 기록했다. 알제리 이민의 경우 1967년과 1968년 다소 증가세가 회복되었다. 각각 15,000명과 32,000명이 증가한 것이다. 결과적으로 보면 1962-1968년의 기간 동안 프랑스 거주 알제리인 수의 증가율은 35.2%로서 이전 시기, 즉 1954-1962년의 65.6%에 비해 약화되었다. 이러한 수적 변화의 결과 알제리 출신자들은 이제 증가세가 둔화되고 젊은 이민자의 비중이 적은 '오래된'(*ancienne*) 이민의 범주에 포함되게 된다. 반대로 1962-1968년의 시기에 모로코인은 153%, 튀니지인은 130%의 증가율을 나타냄으로써 '젊은'(jeune) 이민으로 간주되었다.

③ 1968-1974년

68혁명 이후 프랑스 정부는 이민자들의 상황이 폭발 일보직전임을 인지하게 된다. 마침 이주 분야에서 활동하는 사회단체들이 이주민들이 프랑스 사회에 통합되는 데 겪는 어려움과 해당 관청의 부당한 관행 등을 폭로하게 된다. 1968년 12월 17일에 체결된 프랑스-알제리 인력교류 협약의 내용은 이러한 사회적 배경과 무관하지 않았다. 알제리인들의 입국을 분기별로 정했던 최초의 프랑스-알제리 협약과 달리 새로운 협약은 1년마다 프랑스에 올 수 있는 알제리 노동자의 수를 정하고 이들은 3년 동안 프랑스 체류가 보장되었다. 이 협약 1조에 이 점이 언급되어 있다. "프랑스에 입국하는 알제리 노동자의 수는 양국의 동의로 1년에 35,000명이고 이들에게 3년 간의 체류를 보장한다." 이 협약을 계기로 알제리 이민은 순풍에 돛을 단 격이 되었다. 비록 모로코와 튀니지, 그리고 포르투갈에서 오는 이민자의 증가세를 따라잡진 못했지만 이전 시기에 비해 증가율이 높아졌다. 이상과 같은 추세를 보인 마그레브 출신자의 수는 이민 금지 조치를 발표한 1974년에 총 1,335,957명에 달했다.

표 1-5. 프랑스 거주 마그레브 출신 이민자 수의 변화(1968-1974년)

국적	1968	1969	1970	1971	1972	1973	1974
알제리	562,000	608,463	697,316	754,452	798.690	845,694	871,223
모로코	119,521	143,397	170,835	194,296	218,146	269,680	302,255
튀니지	73,261	89,181	96,821	106,848	119,546	148,805	162,479
계	754,782	841,041	964,972	1,055,596	1,136,382	1,264,179	1,335,957

출처: Khader, B., 1990, *L'immigration maghrébine en Europe: un bilan*, Univ. Catholique de Loubain: 9.

3) 1974년 국경 봉쇄

1970년대 초 경제위기에 직면한 유럽 국가들은 외국인 노동자의 수급정책을 재고하게 된다. 프랑스 역시 예외가 아니었다. 1974년 7월 발레리 지스카르 데스탱(V. Giscard d'Estaing) 대통령은 이민의 종식을 선언하게 된다. 이 조치로 인해 마그레브 출신자의 수는 1980년대까지 소폭 상승하는 데 그쳤고 상승분의 대부분은 본국에서 합류한 가족들이었다. 1982년의 경우 마그레브 출신자의 수는 총 1,510,941명이었고 그중 알제리인은 805,363명, 모로코인은 492,669명, 튀니지인은 212,909명이었다. 이 수치는 당시 프랑스 거주 외국인의 33.9%에 해당하는 것이었다. 1986년에는 마그레브 출신자의 수가 총 1,539,000명이었고 그중 알제리인이 프랑스 국적을 가진 알제리인 290,000명을 포함해 820,000명, 모로코인은 516,000명, 튀니지인은 202,600명이었다. 당시 전체 외국인의 수는 3,752,200명이었고 마그레브 출신자는 이 중 41%를 차지했다.

이상의 논의를 종합해 보면 1945년에서 1987년까지 프랑스의 마그레브 출신 이민 현상은 다른 지역 출신 이민과 마찬가지로 점진적인 증가, 급속한 증가, 정체의 과정을 거쳤다. 1980년대 이후 마그레브 이민은 마지막 단계를 경험하고 있는 것이다. 한 가지 더 강조해야 할 사실은 이민문제가 부상하게 된 1980년대부터 지금까지 이민문제에서 가장 중요하게 다루어진 마그레브 출신자의 수는 오래전 프랑스 국적을 취득한 사람, 프랑스에서 출생한 사람을 포함하더라도 전체 인구의 3%에도 미치지 못했다. 즉 일반적인 인식과 달리 프랑스의 정체성에 위협을 가할 정도로 수가 많은 집단인 것은 아니다.

5. 프랑스의 이민자 통합모델

프랑스는 이민의 나라임과 동시에 이민정책의 전형을 보여준 나라로 알려져 왔다. 프랑스의 공화주의적 통합모델은 공화주의의 또 다른 원조이며 '용광로(melting pot) 모델'을 표방해 온 미국보다도 이주민의 출신 지역이 큰 흔적을 남기지 않는 특징을 나타냈다. 미국과 달리 이탈리아계 프랑스인, 폴란드계 프랑스인과 같은 표현은 낯선 것이다.

물론 바로 위에서 살펴본 마그레브 출신이나 사하라 이남 아프리카 출신 이민과 같은 비서구 이주민들에게는 이 통합모델이 잘 작동하지 않았다. 근대사회의 구성원리, 특히 어떻게 극히 이질적이고 산재해 있는 개인들이 동질성을 느끼고 전체 속에서 삶의 의미를 발견하는지, 또는 어떻게 그렇게 만들 수 있을까 하는 문제는 사회학이 태동한 계기이자 핵심주제였다. 따라서 그간에 얻어진 사회학의 주요 성과들에는 근대사회의 통합 기제에 대한 설명이 들어 있다. '유기적 연대', '합리성', '이데올로기적 국가장치', '미시권력', '시민종교', '아비투스' 등의 개념은 종교적, 형이상학적 원리에 기반을 둔 정적이고 공동체적 성격의 전근대사회와 다른 조건에서 작동하는 사회통합 원리를 함축하고 있다. 사회학적인 의미에서 통합은 두 차원을 갖는다. 첫째, 개인적인 차원의, 개인적인 과정으로서의 통합, 둘째, 집단적인 현상으로서의 통합, 그리고 후자, 즉 집단적인 차원의 통합은 일반적으로 개인 차원의 통합을 용이하게 한다.

통합 또는 사회통합 개념은 계급이나 민족, 지역 등 다양한 영역에서 논의되지만 이민 현상에 대한 논의에서도 중요한 비중을 차지하고 있다. 서구사회에서 이민문제는 이미 오래전부터 사회통합이라는 관점에서 접근되어 왔다. 이민 현상의 경우 통합은 종족적 소수집단의 사회경제적 통합과 함께 이들과 종족적 다수집단 간의 공존이라는 두 가지 측면을 포함한다. 이주민들과 주류사회의 관계 형성 과정 전체를 의미하는 것이다. 한편 어느 국가인가를 막론하고 통합을 언급하는 담론이 이민 현상에 관한 정치 담론에서 큰 비중을 차지하고 있다. 이때 통합에 관한 정치 담론은 정치 도구로서의 기능을 수행한다. 예를 들어 과거 국가가 이루어 낸 통합의 역사를 신화화함으로써 현재 통합에서 제기되는 갈등의 현실을 은폐하는 정치적 효과를 지닌다(Sayad, 1999). 즉 통합에 관한 논의가 통합에 어려움을 겪는 집단의 문제를 해결하기보다 주류의 '좋은' 전통에 부합하지 못하는 '열등한' 집단의 문제를 부각시키는 식으로 왜곡되는 것이다.

한국 사회에서도 '사회통합'이 정부정책과 학계의 논의의 화두가 되었다. 이혜경(2007)에 따르면 그동안 우리의 이민정책은 경제적인 측면에 초점을 맞춘 '노동시장정책' 또는 '외국인력 활용정책'에 머물러 있었다. 그러나 이러한 이민정책의 제1단계를 넘어서서, 우리도 이민정책의 제2단계인 '사회통합' 정책을 모색하게 된 것이다. '여성결혼이민자 가족의 사회통합 지원대책', '혼혈인 및 이주자 지원방안', '외국인정책 기본방향 및 추진체계', '재한외국인 처우기본법' 등 2006년에 발표된 일련의 법안들이 이러한 변화를 잘 보여준다. 출입국정책과 사회통합정책의 구분, 독자적인 사회통합정책의 필요성은 이주노동자나 결혼이민자들의 현실에서 그 근거를 찾을 수 있다. 결혼이주의 경우 불법적인 결혼과정에 대해서는 보편적인 법의 엄격한 적용을, 그리고 결혼이주자들에 대해서는 온전한 사회성원으로 고려하는 것이 필요한 것이다.

프랑스는 최근 한국 사회에서 논의되고 있는 이주민들의 사회통합 문제와 관련해 풍부한 경험을 가지고 있다. 위에서 살펴본 것처럼 남유럽이나 동유럽으로부터 이민이 본격적으로 유입되기 시작한 것은 불과 1세기 남짓이지만 대혁명의 나라 프랑스는 모든 인간이 신분, 종족, 지역과 같은 '부분적인' 소속감을 넘어 프랑스 및 프랑스 민족이라는 '전체'에서 하나가 된다는 관념을 주창해 왔다. 이때 '프랑스 민족'은 프랑스의 가장 오래된 조상에 해당하는 갈리아인과 같은 특정 종족이 중심이 되는 '종족적' 공동체가 아니라 프랑스 대혁명이 표방한 자유, 평등, 박애, 그리고 민주주의와 정교분리와 같은 '보편적인' 가치를 수용하는 모든 개인들의 자발적인 '정치적' 공동체로 여겨졌다. 물론 현실에서는 동일한 역사, 문화, 언어, 종교를 가진 '종족적' 민족관이 공존하고 있었다. 이러한 이중성이 지닌 모순은 식민지 정복 및 통치과정에서 잘 드러났다. 즉 본국에서와 달리 식민지에서 프랑스는 프랑스 대혁명이 상징하는 보편적인 가치의 전도사로서, 그리고 인류전체의 교화라는 사명을 지닌 위대한 가톨릭 국가이자 선택받은 제일 위대한 민족(*une Grande nation*)으로서 행동했던 것이다(Toinet, 1994: 82-83).

프랑스 사회통합 모델은 영국, 미국, 네덜란드, 독일 모두 어느 정도는 출신 지역의 특수성을 용인하는 것과 달리 이주민의 완전한 문화적 동화에 기초한 것이어서 '공화주의 모델'로 불리어 왔다. 고대 그리스 도시국가들과 로마제국의 경험에서 비롯되어 부침을 거듭해 온 '공화주의' 개념이 함축하고 있는 내용은 다음과 같다. 첫째, 국가의 이해나 공공의 이해를 우선시한다. 둘째, 사회를 구성하는 부분들의 이해는 전체의 이해에 종속되어야 한다. 셋째, 법, 제도 및 기관이 중요함을 강조하며, 이 세속적이고 공적인 장치들이 올바르게 작동하는 것을 사회의 유지 및 발전의 관건으로 간주한다. 그러므로 이 개념과 대척점에 있는 내용으로는 군주제, 정치의 사적 소유, 개인이나 집단의 개별적인 이해, 종교세력의 권위를 국가보다 우위에 놓고, 종교이념을 세속적인 정치이념이나 사회원리보다 우선시하는 태도, 다원주의, 계급적 이해 및 행위 등이다. 당시 이 이념이 지녔던 의의는 전반적으로 군주 개인 또는 군주와 귀족들에 의해 지배되던 시대에, 이 지배체제가 군주나 귀족들 자신의 이해에 크게 좌우되는 문제점을 비판하며, 군주, 귀족, 시민이 모두 한 사회의 권위와 경영의 주체가 되는 정치체제를 주창했다는 점이다. 즉 원조 공화주의에는 군주제, 귀족들의 지배, 시민들이 정치에 참여하는 민주주의가 공존하고 있다.

이 이념은 르네상스 시대 북부 이탈리아 도시국가 등에서 부활하게 된다. 마키아벨리는 공화국의 안정적 유지의 핵심요소로 수동적인 충성이 아니라 정치 참여를 동반한 애국심, 공적 이해를 사적 이해보다 우선시 하는 것을 강조했다. 이때 애국심이 의미했던 것은 당시 현실정치에 큰 영향력을 지녔던 종교, 즉 로마 가톨릭교회와 성직자들보다 세속적 정치권력인 국가에 대한 충성을 우선시해야 한다는 것이었다. 공화주의는 계몽주의 시대에 군주와 신민 간의 관계, 군주주권이나 국민주권 등에 관한 근대 정치사상 논의들에 밀려 쇠퇴하였다가 18세기 말 근대혁명(프랑스 대혁명, 미국혁명)을 계기로 다시 부활했다. 그러다가 개인(주의)을 강조했던 당시 자유주의자들의 헤게모니 하에 다시 쇠퇴하였다. 자유주의만이 공화주의의 적은 아니었다. 19세기 프랑스 파시즘도 프랑스 대혁명과 계몽사상에 토대를 둔 공화주의 전통에 대한 저항으로 태동한 사회운동이자 이념이었다. 즉 드레퓌스 사건에서 선명하게 드러난 공화주의 대 반공화주의의 대결이 프랑스 파시즘이 대두한 주된 배경이었다. 1898년 에밀 졸라의 '나는 고발한다'와 그의 호소에 호응하여 '인권연맹'(*Ligue des Droits de l'Homme*)이 결성된 지 불과 몇 달 후에 성립된 '프랑스행동위원회'(*Comité d'action française*)는 한편으로는 의회주의와 개인주의를 비판하고, 다른 한편으로는 프랑스 혁명 이전과 같이 내적으로는 사회질서가 잘 유지되고 대외적으로는 강한 프랑스의 회복을 주창하였다(Carsten, 1967: 11-17).

특히 20세기에 들어서 군주제가 사실상 사라짐에 따라 군주제의 대척점이라는 측면이 중요했던 공화주의의 존재의미가 크게 상실되었다. 또한 정치나 이데올로기 영역에서 주류의 위치를 차지했던 자유주의자들이 공적 이해와 전체를 강조하는 공화주의를 멀리함에 따라 이 이념의 비중이 크게 약화되었다. 그러다가 2000년을 전후해 공화주의가 다시 각광을 받게 되는데 이것의 현실적 배경은 첫째, 세계화에 따른 국민국가의 상대화(세계주의, 민족주의, 지방주의의 경합), 즉 한 사회의 모든 집단에 통치력이 미치는 주권의 위기, 둘째, 양극화와 배제의 문제를 배경으로 한 사회통합의 위기와 사회집단 간 균열, 셋째, 서유럽을 포함한 전 지구적 차원의 종교열이다. 이러한 배경에서 이슬람과 같은 소수집단 종교의 부상, 가톨릭교회의 사회적 영향력 강화, 학교 등 공적 영역에서의 종교의 재도입과 같은 양상이 나타나게 되고, 정교분리주의가 핵심요소 중 하나인 공화주의가 이 현상에 대한 대응을 기치로 부상하였다.

공화주의 전통의 본산지인 프랑스에서의 논의는 주로 유럽통합, 이민문제, 극우주의와 연관되어 진행되었다. 최근 프랑스 공화주의는 한편으로는 초민족적인 '유럽주의'의 부상에 대한 방어적 현상으로, 다른 한편으로는 다문화주의에 대한 견제의 모습을 띠고 있다. 이민문제와 연관된 후자에 국한해 보면, '공화주의 진영'이라 부를만한 일군의 지식인들은 특히 미국식 게토와 소수자 우대조치를 비판하였다(Bonelli et Sainati, op.cit.). 다문화주의에 대해서는 사회집단 간 균열을 초래할 위험성이 있고, 이주민들이 직면한 양극화와 배제의 문제를 문화적 차이를 강조함으로써 은폐한다고 비판한다. 또한 다문화주의는 각 사회집단에는 그 집단 고유의 삶의 방식이 있으므로 동질적인 국민을 상정하는 정치가 점점 더 다원화되는 현실에 적합하지 않다는 논리로 국민국가 또는 복지국가의 약화와 사회적 균열을 정당화한다고 비판한다.

대표적인 공화주의자 중 한 사람인 따기에프는 다문화주의가 시민사회의 '재종족화', 즉 시민적 측면보다 종족적 측면이 점점 더 중시되는 현상을 초래해, 사회를 구성하는 개별 집단들이 서로 상이한 문화에 의해 규정되고 이 고유문화를 강조하는 공동체주의자들에 맡겨지는 경향을 우려하며, 이런 식으로 사회가 무수한 정체성들로 파편화될 수 있다는 점을 강조한다(Taguieff, 2003). 그러나 프랑스 사회 역시 이제 이주민 문제를 주로 문화적 차이, 특히 종교적 차이를 중심으로 논의하는 경향을 보이게 된다. 그리고 9·11테러는 이 경향에 결정적인 힘을 실어주었다. 이 사건을 계기로 모든 사건, 모든 현상에 종족적, 종교적 요인이 언급되었고 미디어를 통해 마그레브 출신자들은 이슬람주의자 내지 잠재적 테러리스트라는 이미지가 고착화되었다.[4]

4 토드는 최근 프랑스의 공화주의 진영을 세 부류로 구분한 바 있다. 첫째, 보편주의적인 동화주의자, 둘째, 공적 영역에서의 문화적 특수성 표현에 대해 그것이 정치적 권리로 이어지거나 분쟁의 원천이 되지 않는 조건에서 허용하는, "관용"의 흐름, 셋째, 보다 적극적인 차이의 인정을 주창하는 흐름(Todd, 1994).

6. 유럽의 이민정책

유럽의 경험을 보면 1970년대 초에 시작된 불황을 배경으로 이민의 원칙적 금지 등 급진적인 이주민 축소정책이 시도되었지만 그 결과를 보면 이민자 수는 감소하지 않았고 그보다는 이민문제가 중요한 정치적 쟁점이 되는 '이민문제의 정치화' 현상이 나타났다. 즉 급진적인 정책이 그것이 겨냥했던 노동시장에는 거의 영향을 미치지 못하는 결과를 보인 것이다. 스타커는 유럽 이민정책의 경향을 시대별로 구분한 바 있다. 1950, 1960년대는 자유주의적, 개방적 경향, 1970년대 이후에는 억압적 경향, 1990년대부터는 노동력 확보와 인구문제 해결을 위해 기존 정책을 수정하는 경향이 주도했다는 것이다(Stalker, 2002).

이 최근의 양상을 전형적으로 보여주는 사례가 바로 독일일 것이다. 1세기 이상 독일에서는 외국인이 독일 사회에 대한 잠재적인 위협요소로 간주되어 왔다. 유대인이 이러한 위협을 상징하는 전형적인 존재였다. 이러한 인식으로부터 이민을 수용하지 않는 정책이 지속되어 온 것이다. 최근 이러한 상황에 변화가 나타난 것에는 인구학적 요인이 크게 작용하였다고 볼 수 있다. 즉 인구학적, 경제적 이유로 독일 사회가 이민을 필요로 하게 된 것이다. 이민자 수에 있어서 매년 30만 명의 흑자를 기록하더라도 독일 사회의 매우 낮은 출산율로 인해 2050년에는 독일 인구가 2000년대 초반 8,200만에서 7,500만으로 줄어들 것으로 추정되었던 것이다. 그리고 이러한 인구의 감소는 경제적인 문제를 야기할 것으로 간주되었다. 즉 낮은 출산율과 생산가능인구의 감소가 독일의 연금재정을 압박하고 연평균 경제성장률에 1% 정도의 감소효과를 가질 것으로 전망되었다. 이러한 맥락에서 이제 불가피해진 이민 유입이 독일인들에게 피할 수 없는 과제가 되었으며 2005년 1월에 발효된 새로운 이민법은 독일 이민법이 경찰법(police law)에서 젊고 전문성을 갖춘 노동력의 수요를 만족시키는 근대적이고 개방적인 이민법으로의 패러다임 전환의 시발점이 되었다(Schmid-Drüner, 2006: 191-2).

이러한 맥락에서 독일은 이민을 인정하지 않는 나라에서 이민 국가로 전환되었음을 선언하게 된다. 그런데 인구문제 등 독일 사회 내적 요인과 함께 변화의 또 다른 배경이 되었던 것은 탈냉전 이후 동유럽 및 중동 등 인근 지역으로부터 난민 등 이주민이 급증한 것이었다. 최근의 경우 독일에서 난민에 관한 사안이 중요한 사회문제로 부각된 것은 시리아 내전으로 발생한 난민의 유입이 결정된 2013년 중순이었지만, 독일은 이미 2000년대 초반에 400만 건에 달하는 난민지위 신청 건수를 기록하고 있었다. 동유럽 사회주의권 붕괴와 그 부산물인 유고 내전, 그리고 9·11테러에 뒤이은 아프가니스탄과 이라크의 전쟁 상황이 대량난민 현상을 유발했던 것이다. 그렇지만 시리아 내전으로 독일에 들어오고 있는 난민의 수가 2000년대 초반 이라크나 아프가니스탄 출신 난민들에 비해 급격히 많아지면서 독일 사회에서 난민이 문제가 되고 있다는 인식이 강화되었던 것이다. 최근 난민 반대 시위나 망명 신청자 수용시설에 대한 공격이 급증한 데서 알 수 있듯이 독일에서 이민문제는 중요한 사회적 이슈가 되었다.[5]

---

5 시리아 난민문제가 세계적인 이슈였던 2015년 독일에서는 상반기까지 방화 등 망명 신청자 수용시설에 대한 공격 행위가 모두 202차례 일어났고 이 수치는

이러한 맥락에서 메르켈 총리가 앞장서서 인도주의적 차원에서 적극적인 난민수용 정책을 폈다. 하지만 이러한 정책에 대해 비판의 목소리도 커지면서 70%가 넘게 유지되어 오던 메르켈 총리의 지지율이 50% 밑으로 하락하기도 하였다. 시리아 난민의 급증으로 독일 내 난민에 대한 여론이 다양한 입장으로 나뉘게 되었고 각 정당마다 난민에 대한 정책도 다르게 제시되었다. 지방선거에서는 난민 수용에 적극적인 반대의사를 표명한 극우정당인 대안당(AfD)이 예상보다 높은 득표율을 기록하는 등 관련 정책에 대한 대중의 관심도 역시 높아졌다. 또한 난민 수용에 소요되는 비용에 관한 사항을 비롯하여 난민이 대상이 되거나 난민이 일으키는 범죄적 행위를 근거로 한 사회통합 논의 등 난민과 관련된 이슈가 여러 영역에서 중요한 사안이 되었다. 노동정책에 있어서도 유입된 난민을 어떻게 신속히 독일의 노동시장에 편입할 수 있을지, 과연 이들이 독일의 저임금 노동시장에 혼란만 가중시키는 것이 아니라 부족한 독일의 노동력을 보충할 수 있는 인적 자원으로 활용될 수 있는지 등 다양한 측면에서 관심과 논쟁이 이어졌다(이승현, 2016). 이렇듯 시리아 난민의 급증은 관대한 난민정책을 보여주던 독일 정부의 대응에 변화를 요구했고 여론 역시 난민에 부정적인 정서가 강화되었지만 다른 유럽 국가들에 비하면 상대적으로 포용적인 노선을 견지해왔다.

독일이 유럽 국가 중에서 난민에 대해서 관대한 정책을 펼치고 있는 이유는 다양하지만, 역사적 배경과 경제적 배경이 크게 작용하였다고 볼 수 있다. 먼저 제2차 세계대전 중 나치 정권하에서 박해를 피해

2014년 전체의 198건을 넘어선 것이었다(『연합뉴스』 2015년 8월 23일자).

많은 독일인이 타국으로 망명했던 역사적 경험으로부터 독일은 정치적 박해로부터 보호가 필요한 자를 보호할 책임을 스스로에게 부과해 왔다. 이에 따라서 1949년 독일연방 기본법 제16조에 "정치적으로 박해받는 자는 비호권을 향유한다"라고 하여 비호권을 개인의 권리로 인정하는 진보적 조항을 두었다(임태근, 1999). 이와 함께 보다 현실적인 이유로 독일의 노동력 부족을 해결할 수 있는 하나의 방안으로서의 난민의 역할을 기대하고 있는 것이 사실이다(이승현, 2016). 이러한 추세가 지속되면서 2015년 현재 독일의 이주민 수와 비율은 유럽에서 압도적으로 선두를 차지하고 있다.[6] 아래의 언론기사는 이민국가로서의 독일의 변화를 잘 보여주고 있다.

> "독일에 거주하는 이민자 수가 지난해 사상최대치를 경신했다. 3일 녹일연방통계청에 따르면 작년 독일 내 이민자 수는 전년 대비 39만 명 늘어난 1,090만 명으루 사상 최고치를 기록했다고 월스트리트저널(WSJ) 등 외신들이 보도했다. 독일의 이민자수는 2011년에 비해서는 무려 100만 명이 늘었다. 이 중 62만 명은 유럽연합(EU) 소속 다른 국가 출신이었다. 이민자들 중에는 독일의 경제력을 감안해 일자리를 찾아서 온 경우가 가장 많았다. 독일의 노동시장은 유로존(유로화 사용 19개국) 내에서 가장 활기가 넘치고, 숙련노동자가 부족해 임금은 빠르게 상승하고 있다. '독일에

6 2016년 '유로 2016' 대회 결승전이 치러지던 7월 8일 파리에서 필자는 프랑스와 결승 티켓을 놓고 다투게 될 독일 축구팀 구성이 온통 독일 토박이로 짜졌던 독일 통일 이전에 비해 민족적으로 보다 다양해졌음을 알 수 있었다. 외질, 칸, 보아탱 등 터키, 가나, 알바니아 출신이거나 부모가 이 지역 출신인 선수들이 많았다. 이는 최근 들어 개방적인 외국인 정책을 펴온 독일 사회의 변화를 잘 보여주는 사례일 것이다.

서 새로운 출발'을 시작하려는 꿈은 고등교육을 받은 젊은 층을 끌어들이면서 2011년 이후 꾸준한 이민자수 증가세를 불러왔다. (...) 작년 독일 주민 중 외국 출신은 1,640만 명으로, 5명 중 1명 꼴이었다. 이 중 56%는 독일 시민권을 보유했다. 반면에, 작년 외국 출신을 제외한 순수 독일 인구는 6,450만 명으로 2011년에 비해 89만 명 감소했다. 독일은 경제협력개발기구(OECD) 통계 기준 2012년 미국에 이어 세계 곳곳에서 인구를 끌어들이는 세계 2위 이민국가가 됐다. (...) 독일은 전쟁과 종교적 박해, 가난을 피해 도망쳐 온 난민도 기록적인 규모로 받아들이고 있다. 올 들어 지난달까지 독일에 망명을 신청한 난민은 모두 25만 8천 명으로 연말에는 50만 명에 달할 것으로 전망되고 있다. 이는 작년 20만 명의 2배를 넘어서는 규모다. 독일에 망명신청을 한 난민 수는 헝가리의 2배, 프랑스와 이탈리아의 3배로 EU에서 가장 많다."(『연합뉴스』 2015년 8월 4일자, "독일 작년 이민자수 사상최대–주민 5명 중 1명 외국 출신")

독일뿐 아니라 유럽의 다른 국가들 역시 1990년대를 전후해 노동이민의 재개와 같은 적극적인 이민정책으로 선회했는데 그 주된 배경은 독일의 경우와 마찬가지로 인구문제였다. 그러나 이후 완만한 경제회복 추세나 난민의 증가와 같은 요인들이 결부되면서 외국인의 유입에 우호적인 입장과 부정적인 입장이 첨예하게 대립하는 양상이 전개되었다. 즉 1970년대 이전 개방적인 이민정책으로의 회귀를 주장하는 공격적인 담론과 이민족들이 대거 유럽인화하면서 유럽인의 인종적 이질성이 심화되는 것에 대한 우려로 국경폐쇄를 주장하는 방어적인 담론이 경쟁하고 있는 형국이 나타난 것이다(Wihtol de Wenden, 2002). 그 결과 한편에서는 노동이민이 재개되었지만 다른 한편에서는 이민에 대한 통제가 강화되는 등 최근 유럽의 이민정책은 복합적인 양상을 띠고 있다. 이 상반되는 두 경향 간의 각축의 산물로, 이민에 대한 규제 강화를 이끄는 핵심 동력으로서 '선별적인 이민'이 유럽 등 선진국의 이민정책에서 점점 더 중요한 구성요소가 되고 있다. 선별주의적 이민정책(Selective Immigration Policy)은 특히 캐나다, 호주, 뉴질랜드 등 영미권 국가들에서 뚜렷하게 나타났다(Hatton and Williamson, 2005: 379-382). 이 나라들은 모두 학력, 기술, 연령 등에 따라 잠재적인 이민자들의 순위를 매겨 놓은 제도를 채택하고 있으며 실제 이루어지는 이주민 유입의 상당부분이 이 체계에 입각해 이루어지고 있다. 예를 들어 호주의 경우 이민 허가를 심사하는 항목 중 많은 배점이 부여된 항목들에는 기술, 연령, 영어구사능력, 경력, 호주사회가 필요로 하는 직종이 있다. 이 중에서 숙련기술이 있는 경우 매우 큰 점수가 부여된다. 이러한 호주의 점수체계는 이주민의 고용가능성(employability)을 최대화하고 반대로 이주민이 호주 복지체계에 줄 재정적 부담은 최소화하는 것을 목표로 설계된 것이다. 한편 1970, 1980년대부터 선별이민을 추진해 온 위의 나라들의 경우 이민의 절반 정도가 (숙련)노동이민(employment-based immigrants)인데 이는 가족합류이민에 초점을 둔 미국이나 서유럽의 이민정책과 대조를 이루는 것이다.

그런데 최근에는 서유럽 역시 선별적이고 노동이민을 활성화하는 정책이 채택되고 있다. 특히 역시 영미권 사회인 영국은 유럽에서 선별이민 정책의 선두주자였다. 2003년 워킹홀리데이 프로그램과 수요부문별 이민 할당 제도 등을 통해 노동시장 유연화를 추구했으며 유럽연합 소속 국가 출신 생산기능직 노동자와 세계 각지의 전문기술인력 유치를 지속적으로 추진해왔다(송종호, 90-125). 이탈리아, 스페인에서도 직종별 쿼터제가 도입되었다. 이러한 맥락에서 위에서 언급한 것처럼 유럽 대륙에서는 기존 전통과 배치되는 선별주의적 이민정책에 대한 논란이 뜨거웠는데 반대 진영에서는 선별주의적 경향이 신자유주의적 노동시장 유연화가 이민 영역에 적용된 것에 다름 아니며 이민 영역에서 국익 담론이 노골화되는 양상을 초래했다고 비판하였다.

보론 1: 시리아 난민사태와 국민국가 체제의 상대화

최근 전 세계의 이목을 집중시키고 있는 시리아 난민문제에 대한 국제사회의 논의는 받아들여야 하는지, 아니면 거부해야 하는지에 집중되어 있다. 시리아 난민을 받아들이는 것은 무엇이 문제이며 대량으로 받아들일 경우 어떤 결과를 낳을 것인가? 이 질문에 대해 난민 수용에 부정적인 진영은 일자리 경쟁으로 인한 자국민의 피해나 테러 위험 증대, 재정부담 등을 거론하고 일부에서는 무슬림 유입에 대한 반감을 드러내기도 한다. 난민 수용의 당위성을 논하는 측에서는 인권보장의 책무, 난민 노동력 활용이 경제에 기여하는 측면 등을 논거로 내세우며 난민의 배경이 된 중동정세에 유럽과 미국이 어느 정도 책임이 있다는 점도 거론한다.

이러한 찬반 입장과 함께 난민문제의 근본적인 해결방안으로 난민이 발생하는 지역의 전쟁을 종식시키고 경제적 어려움을 해결하는 방안이 거론되기도 한다. 최근 사례를 보면 대량 난민의 배경에 전쟁이 존재한다는 것은 명백하다. 이번 사태의 주된 배경 역시 '이슬람국가(IS)'[7]의 등장으로 시리아 및 이라크의 상황이 더욱 악화된 것에서 찾을 수 있다. 최근 세계의 이목을 집중시켰던 IS에 이어 시리아 난민문제가 부상한 것에서도 둘 사이의 연관성을 확인할 수 있다. 따라서 전쟁의 종식과 정치적 안정이 난민 발생을 막는 방법이겠지만 안타깝게도 역사는 한번 발생한 지역분쟁이나 정치적 불안정은 쉽게 해결되지 않는다는 것을 보여준다. 폭력의 정도가 갈수록 심해지는 팔레스타인 분쟁은 말할 것도 없고 1978년 내전으로 시작된 아프가니스탄 분쟁도 북부동맹, 탈레반, 알카에다, 파키스탄, 미국 등 자신들의 정치적 목적을 달성하기 위해 전쟁을 불사하는 세력들에 의해 장기화되었다. 시

7 이 단체에 대해서는 이 책 121-122쪽의 〈자료 8-1: 이슬람국가(IS)〉를 참조하시오.

리아에 인접한 국가들 역시 유사한 경로를 밟아왔다. 1975년 내전으로 시작된 레바논 분쟁 역시 10여 년의 동족상잔, 시리아와 이스라엘의 정치군사적 개입, 그리고 다시 2006년 이스라엘이 야기한 제2차 레바논 전쟁으로 이어졌다. 탈냉전 시대 초강대국 미국의 헤게모니를 과시했던 1991년 걸프전 이후 경제봉쇄조치로 질식되고, 이후 2003년 미국의 침공과 점령을 계기로 10여년 간 내전 상태에 있는 이라크 역시 전쟁은 또 다른 전쟁이나 정치적 불안정을 낳는다는 점을 비극적으로 보여주고 있다.

한편 시리아 난민사태는 국가 간 경계가 엄격한 현재의 국민국가 체제에 대한 근본적인 문제제기를 함축하고 있다. "그들은 더 나은 삶을 원했을 뿐." 이는 터키 해변에서 익사체로 발견된 세 살짜리 소년 쿠르디의 고모가 난민이 받아들여지지 않는 현실을 원망하며 한 말이다. 그러나 이 호소가 무력하고 순진하게 들리는 것은 바로 국가 간 장벽과 이에 대한 강한 믿음 때문일 것이다. "공짜로 뭐 해달라는 게 아냐. 그저 안전하게 머물렀으면."[8] 한국 거주 시리아 난민이 이 사태와 관련된 집회에서 한 이 말이 현실성이 떨어지게 들리는 것도 특히 한국의 현실과 한국인들의 의식 속에 강하게 자리하고 있는 국가라는 틀 때문일 것이다. 1990년대 중반 많은 사람들이 기아로 사망한 북한의 경우도 중국이나 한국과의 국경이 지금처럼 견고하지 않았다면 그 정도로 큰 희생을 치르지는 않았을 것이다.

지브롤터 해협, 지중해, 아드리아해, 미국과 멕시코의 국경 등 유럽과 아프리카, 중남미와 북미에 위치한 중심부와 주변부의 경계선에서는 일상적으로 난민 또는 난민이 아닌 일반적인 이주민들의 불법 이주가 시도되고 있다. 일부는 진입에 성공하고 일부는 목숨을 잃는다. 이곳에서 벌어지는 비극은 현 세계의 과도한 불평등 구조와 함께 국민국가 체제가 지닌 불합리성을 매일 증언해 주고 있다. 현대 세계 경제를 지배하고 있는 초국적 자본에게 국경은 무력하기 그지없다. 자국 산업의

---

8 『한겨레』 2015년 9월 7일자.

보호, 자국 주권의 보호, 자국민의 보호 등 최소한의 국가의 역할마저 자유시장 경제를 침해한다며 공격당하고 있다. 이와 비교해 볼 때 생존을 다투는 사람들의 이주의 자유는 극도로 미약한 것이다.

물론 현실에서 이러한 불합리한 장벽이 무력화된 사례는 많이 있다. 여러 차례의 이민의 물결로 형성된 미국뿐 아니라 유럽 역시 난민 등 국제이주민 수용의 오랜 역사를 가지고 있다. 프랑스의 경우 인도차이나반도 국가들의 공산화 직후 12만 명의 난민을 받았고 알제리의 독립 이후 1백만 명이 넘는 알제리 거주 프랑스인들이 귀환했다. 스페인 내전에 패배한 수십 만의 공화파 난민, 사회주의권 붕괴 이후 동유럽으로부터 수많은 이주민을 받았으며 2차 대전 직전에는 나치 정권의 박해를 피해 온 유대인들의 난민을 받아들인 바 있다. 독일 역시 1990년대 유고 내전 당시 매년 수십 만 명의 난민을 받아들인 경험이 있다. 그 이전에도 2차 대전 종전 이후 수백 만 명의 '손님노동자들'(guestworkers)이 독일 경제 재건에 기여한 바가 있다. 이 수백 만 명의 난민과 이주노동자들은 시간이 지나면서 유럽 사회에 통합되었고 유럽의 경제발전에 크게 기여하였다고 평가된다. 지금도 유럽 국가들은 매년 시리아가 속해 있는 중동이나 북아프리카 등지로부터 수십만 명의 이주민을 받아들이고 있다. 이에 비하면, 그리고 400만에 이르는 시리아 난민의 수를 생각하면 최근 유럽연합 회원국 전체가 받기로 한 12만 명은 그리 많은 수가 아니다.

심지어 레바논이나 터키 등 현재 시리아 난민을 대량으로 받아들인 국가의 경우 한국에 비해 경제수준이나 정치수준은 떨어져도 자국민이 아닌 이들 난민들에게 자국민에 버금가는 사회서비스를 제공하고 있다. 전 세계에서 시리아 난민에 가장 관대한 나라는 인접국인 터키, 레바논, 요르단 세 나라이다. 이들 국가가 수용한 시리아 난민의 수가 370만 명에 이른다. 200만 명을 수용한 터키의 경우, 이미 시리아 내전 발발 초기부터 시리아 쪽 국경을 개방했다. 물론 장기간 체류할 수 있는 난민으로 인정된 것이 아니라 일시적인 체류만 허용된 것이지만 터키인들과 유사하게 의료 및 교육 서비스가 제공된다. 수조 원의 경비를 들여 25개의 난민촌을 운영하고 있기도 하다. 물론 예상할 수 있듯이 난민의 대량 유입은 터키인들의 반발을 불러일으키고 있다. 전체 인구의 1/4에 해당하는 100만 명 이상의 시리아 난민이 거주하는 레바논 역시 난민들에게 레바논 국민에 버금가는 사회서비스가 제공되고 있다.

시리아 난민사태는 한국의 이주민 문제를 다시 보는 계기가 되고 있다. 한국은 난민이나 국제이주민의 수가 늘어나는 것을 우려하기보다는 독일처럼 외국 사람이 와서 살기에 좋은 매력적인 사회가 되는 데에 관심을 가져야 할 것이다. 현실은 거꾸로 한국 국민조차 인간을 소진시키는 버거운 한국 사회를 등지려 한다. 공정무역이 자선이 아니라 선진국 국민들이 부당한 혜택을 받고 있는 불공정한 무역질서를 시정하려는 것이듯이, 난민의 수용 역시 관용이 아니라 대부분 강대국의 개입에 의해 야기된 고통에 대한 최소한의 보상을 의미한다. 역으로 난민 지위에 대한 요구는 구걸이 아니라 정당한 권리를 행사하는 것이다. 한국 역시 유럽, 미국 정도는 아니지만 현 세계경제에서 부당한 혜택을 받고 있는 측면이 있고 다른 지역의 전쟁에 개입해 결과적으로 난민을 야기하는 데 관여한 경험이 있다. 지금도 한국에 체류하는 외국인들의 대부분은 우리가 그들을 돕는 측면보다는 그들이 한국의 결혼시장 문제, 노동시장 문제를 해결해 주는 측면이 강하다. 이 지점에서 난민 수용은 우리에게 배부른 선택이 아니라 책무로 다가온다. 정작 경계해야 할 대상은 국경을 넘나드는 자본이지 장기적으로 한 사회를 풍요롭게 해주는 이주민들이 아니다. 난민, 이주노동자, 유학생 등 이주민이 한 사회에 미치는 긍정적인 효과는 과거 미국이, 그리고 이제는 유럽 최고의 외국인 비율을 자랑하는 독일의 사례에서 확인할 수 있다.

출처: 엄한진, 2015b, "시리아 난민 사태와 국민국가 체제의 상대화", 모심과살림연구소 웹진.

2장
이민문제의 형성

2장

이민문제의 형성

20세기가 끝나갈 무렵부터 프랑스 사회는 이주민과 관련된 몇 가지 극적인 사건들을 통해 국제사회의 주목을 끌게 된다. 이 사건들은 우연히 발생한 것이 아니라 프랑스가 자랑해온 공화주의 통합모델의 위기를 드러내주는 것이었다. 이 위기는 프랑스뿐 아니라 유럽 등 중심부 국가들이 공히 겪었던 장기불황의 부산물이었다. 통합의 어려움은 미국에서나 볼 수 있었던 게토화 현상을 낳았고 간헐적으로 폭동과 테러가 이 위기의 심각성을 보여주었다. 그리고 그 중심에는 마그레브 출신 이주민들이 있었다.

1. 이민문제 부상의 배경

이민문제가 형성되는 것은 이민자들의 체류가 장기적이고 영구적

이 되면서 주류 사회에의 통합의 문제가 제기되면서부터이다. 일반적으로 이민문제는 먼저 공적 부문에서 이주 분야를 담당하는 기관이나 부서로부터 제기된다. 그리고는 다양한 주체들에 의한 정치적 압력을 통해 국민들의 관심을 끄는 이슈가 된다. 여기에는 선거 전략의 일환으로 이민 현상을 적극적으로 활용하는 정당, 노조원의 이해를 대변해 많은 경우 외국인 노동자 유입에 반대하는 노조, 풍부하고 순종적인 노동력이 필요해 이민에 호의적일 수밖에 없는 업종의 기업주, 인권과 평등을 언급하며 개입하는 사회단체, 도덕적인 요구를 내세우는 종교단체, 비판적인 지식인, 선거를 의식해 정치권이 무시할 수 없는 일반 시민들이 참여한다. 그리고 결정적으로는 이 복합적이고 이질성이 큰 논의구도에 극우파의 목소리가 큰 영향력을 발휘한다(Schor, 2004: 9).

이민 현상이 타자에 국한된 문제가 아니라 주류사회 자신의 사회문제로 부상하게 되는 최초의 계기는 불황기에 생활수준의 하락을 겪는 서민들이 이민자들을 경쟁자로 인식하여 이들과의 경쟁에 두려움을 느끼게 되는 것이다. 이러한 대중적 정서에 민족주의 담론이 가미되면 그간 일부에 국한되었고 금기시되어 온 외국인혐오증(제노포비아, xenophobia)이 대중적으로 확산되는 현상이 나타난다. 예를 들어 프랑스에서 이민문제가 중요한 사회적 이슈로 부각되었던 1930년대나 1980년대의 경우 외국인들에 대한 두려움이 이민문제에 관한 논의의 가장 중요한 테마였다.

이민문제가 이러한 양상을 띠게 되는 것은 민족주의의 경우도 그러하듯이 당초 어려운 경제상황이나 불평등의 심화에서 비롯되는 사회의 동요가 민족문제, 정체성의 문제로 변형되기 때문이다. 이렇게 해서 만들어지는 외국인에 대한 반감은 특정 조건이 갖추어졌을 때보다 체계화된 논리로 무장한 인종주의로 전환하게 된다. 이 인종주의는 법, 정치, 교육, 의료 등 공적 영역에서의 제도적 인종주의와 직장과 주거지, 거리 등에서 나타나는 일상적 인종주의, 그리고 이 인종주의의 전위대 역할을 하는 경찰의 인종주의, 극우세력의 폭력 등 다양한 형태를 띠게 된다. 이러한 과정은 물론 일방적인 것은 아니다. 인종주의의 대상이 된 이민집단과 이들을 옹호하는 세력은 자유, 평등, 형제애와 같은 보편주의적 가치를 내세우거나, 아니면 차이, 정체성, 다양성과 같은 특수주의적, 다원주의적 가치를 주창하면서 인종주의에 반대하는 실천에 나서게 된다.

극우세력이 그 지적 빈곤과 폭력성에도 불구하고 경제위기의 국면에서 강력한 대안세력으로 부상할 수 있는 비결은 동일한 주장을 능숙하게 매번 다시 반복하며 더 나아가 이 반복되는 논리를 새로운 상황에 적용시키는 능력, 그리고 일반 사람들이 다소 혼란스러워 하는 것, 또는 공개적으로 말하지 못하는 것들을 누구나 이해할 수 있는 극도로 단순화된 방식으로 명쾌하게 주장하는 데에 있다. 극우세력은 이러한 능력을 통해 사회가 위기에 처할 때 저항의 지도자로 부상한다. 모든 불안을 결집시켜 모든 기성정치인들을 비판하고 사회문제의 구체적인 개선이나 기술적인 해결이 아니라 '근본적인' 해결을 주창하며 '체계'에 대한 총체적인 공격에 나서고 외국인 혐오증을 중요한 사회적 이슈로 만든다. 이러한 분위기가 조성되면 대부분의 다른 정당들도 극우 담론을 중심으로 자리매김하는 기회주의적 경향을 보이게 된다(Ibid.: 224). 프랑스 정치인 로베르 바댕테(R. Badinter)는 1996년 2월 상원에서 행한 연설에서 이 현상을 〈사고의 르팽화〉라고 표현했다(Ibid.: 225).

일반적으로 극우의 정치적 성공은 의회민주주의가 나쁜 것이기는 하지만 다른 체제보다는 낫다는 식의 미온적인 논리로 더 이상 사람들을 잡아놓을 수 없을 때 일어난다. 20세기 말 극우현상의 부상도 이러한 상황이 조성되면서 일어난 것이었다. 1930년대 유럽처럼 1980년대 이후 극우현상이 부상한 지역, 예를 들어 유럽, 일본에서도 경제위기와 정치위기, 그리고 이데올로기적 위기가 나타났다. 그리고 반세기 전처럼 극우의 지지기반은 이 위기의 한가운데에 있던 사회집단들이었다. 사회의 배제된 자들, 온전한 구성원으로 인정받지 못하는 사람들, 무시당하는 사람들은 그들을 불러주는, 그들의 이름으로 말하는, 그리고 새로운, 단지 새롭다는 이유만으로 믿고 싶은 세력에 표를 주고 '자발적'으로 가담했다(엄한진, 2014: 68).

유럽의 예를 보면 1980년대에 들어서면서 이민문제가 부상하였고 빈곤화 현상과 함께 핵심적인 사회문제가 되었다. 역사적 차원에서 보면 1930년대에 이어 반세기 뒤 비슷한 맥락에서 이민문제가 다시 대두된 것이다. 다른 점이 있다면 파시즘과 전쟁으로 귀결된 1930년대의 이민문제와 달리 1980년대에 대두된 이민문제는 1990년대, 2000년대로 장기화, 심화되고 있다는 것이다. 이러한 이민문제 부상의 배경이 된 이민집단의 최근 현실은 빈곤과 배제, 인종주의와 '게토화', 즉 특정 민족 출신자들끼리 함께 거주하는 공간적 집중으로 요약될 수 있다. 주요 이민국가들에서 1980년대 이래 장기불황과 포스트포드주의로의 이행이 대량실업과 비정규직화, 즉 빈곤과 배제를 낳았고 특히 소수민족 집단이 여성과 함께 큰 타격을 받았다. 이러한 현실을 배경으로 나타나고 있는 인종주의는 통합모델의 유형과는 거의 무관하게 선진국들에서 일반적인 경향이 되었다.

유럽에서 이민에 관한 논의는 특히 이민 2세 문제를 중심으로 전개되었다. 불법체류자 문제도 시기에 따라서는 중요한 이슈가 되지만 미국에서만큼 중요한 사안은 아니라고 할 수 있다. 독일의 터키인들, 프랑스와 벨기에의 북아프리카 아랍인들, 영국의 카리브해 지역 출신과 남아시아인 2세들이 그들이다. 이민문제는 가까운 타자에 집중되는 경향이 있다. 실제 차별과 불평등은 먼 타자나 최근에 이주해 온 이주민들에서 더 심하지만, 인종주의와 이민문제에서 관심의 대상이 되는 집단은 가까운 타자인 경우가 대부분이다. 유럽 전반의 상황과 유사하게 프랑스에서도 1930년대에 이어 반세기 뒤 비슷한 맥락에서 이민문제가 다시 대두된 것이다. 차이가 있다면 표적이 된 이민집단이 마그레브 출신자들로 바뀌었다는 점이다. 1930년대와 1980년대는 공히 세계적인 경기침체의 영향을 받았던 시기였다. 실업률은 상승(1935년 실업률 16%, 실업자 수 200만 명, 1987년에는 각각 11.3%, 260만 명)했고 이러한 사회문제에 대한 대응 역시 유사했다.

2. 이민문제의 정치화

이주민들의 사회통합에 관한 논의가 등장한 것은 프랑스 사회 이민의 역사에서 극히 최근의 일이다. 그 계기는 전후 경제 재건에 일시적으로 동원했던 외국인 노동자들이 1974년 당시 지스카르 데스탱 대통령의 새로운 노동이민 금지조치로 인해 이민지인 프랑스 사회에 정착하게 되었기 때문이다. 이러한 조치에 따라 가족합류이민만이 허용되어 이 형태가 이후 합법적인 이민의 가장 큰 부분을 차지하게 된다. 그는 또한 프랑스를 떠나는 사람들에게 귀국비용을 지급한다고 제안하기도 했다. 이를 배경으로 1970년대 중반 이후 이민이라는 주제가 프랑스의 정치, 법, 언론의 논의에 등장하였고 특히 1980년대 초반 이민문제가 사회적 이슈로 부상하게 된다. 1973년 이민중단조치 이후 나타난 이민에 대한 통제는 출입국, 국적 등에 관한 기존 법에 변화를 요구했고 이 법률상의 변화가 이민문제를 정치적인 사안이 되게 만든 계기로 작용한 것이다(Barats, 2001: 147-179). 그 연장선상에서 1980, 1990년대에는 1930년대 이래 처음으로 '이민'이라는 주제가 매우 극단적인 방식으로 정치적 협상의 자원으로 이용되는 현상이 나타났다(Bernard, 2002: 13).

1980년대 초반이라는 시기는 마침 1950, 1960년대에 독신으로 이민 온 노동자들의 자녀들이 상당수 20대가 될 때였다. 이러한 상황에서 한편으로는 이주민들의 영구정착에 필요한 다양한 영역에서의 통합정책이 요구되었고, 다른 한편으로는 특히 비유럽 출신 이민자들과의 공존에 부정적인 주류사회 성원들의 우려를 고려하는 정책이 필요했다. 그러나 동일한 시기에 나타난 실업문제와 복지의 축소는 종족적 소수와 다수 간의 공존을 어렵게 하는 요인으로 작용했다. 복지국가의 축소와 분권화의 심화라는 1980년대 이후 프랑스의 양상은 이민 분야에도 영향을 미쳤던 것이다. 즉 이민정책이 점차 국가에서 지자체로 이관되고 복지가 축소됨으로써 다른 어떤 사회집단보다도 이민자들이 경제적인 어려움과 불안정한 고용상황을 심각하게 겪게 되었다.

1984년에는 고용 상태와 무관하게 부여되는 10년 유효기간의 체류증이 탄생했고 이와 동시에 본국으로의 귀향 이후 정착을 지원하는 제도가 도입되었다. 프랑수아 미테랑(F. Mitterand)이 집권하면서 이민에 우호적인 사회적 분위기가 조성되면서 이주민들은 '프랑스 거주 마그레브 출신 노동자 협회'(1982년)를 창설하는 등 조직화하기 시작했다. 1983년 국민전선(*Front national, FN*)이 드러(Dreux)에서 첫 기초단체장을 배출한 가운데 1984년 '아랍 출신 이주민들의 행진'(*la marche des Beurs*)이 이주 배경 청년들이 토박이 프랑스인들과 동등한 권리를 누릴 수 있기를 요구했다. 이 행진은 미테랑 정권의 등장에 힘입어 대두된 반인종주의 운동 협의체인 '아랍계 프랑스인들의 운동'(*le mouvement des Beurs*)이 주도한 것이었다. 프랑스 최초의 본격적인 소수민족 사회운동이었던 이 운동은 '공화주의적 평등에 기초한 통합'이라는 전망을 제시하였다.

이주민들의 조직화 현상은 극우세력에 의한 이민문제의 정치도구화 현상을 동반했다. 극우세력 주도로 경제적, 사회적 차원의 문제를 이민자들의 존재와 연계시키고, 이를 빌미로 억압적인 이민정책이 나타나고, 이것이 다시 인종주의적 태도를 야기하는 악순환이 이어졌다. 이민문제가 중요한 정치적 사안이 되면서 1980년대 중반부터 통합에 대한 논의가 이민 분야 학계 및 정부 위원회를 중심으로 본격화되었고 1990년대에 들어서는 '프랑스 통합모델의 위기'라는 표현이 일반화되었다. 공화주의 모델이라고 불리는 프랑스 이주민 통합모델의 위기가 의미했던 바는 다음과 같다. 공화주의 모델이 등장한 1880년대에서 1900년대 초반 프랑스 사회는 모든 소수민족을 당시 산업화, 도시화, 병역의무, 정교분리적인 공교육체제와 같은 기제를 통해 주류사회에 동화시킬 여력이 있었다. 그러나 1세기 전과 달리 이 모든 측면에서 사회의 이주민 통합 역량이 약화됨에 따라 통합모델은 위기에 봉착하게 된다.[1] 이 모델은 영미모델과 비교해 볼 때 상대적으로 강한 문화적 동화와 약한 사회경제적 참여가 특징인데 이 미약한 사회경제적 참여가 여성, 미조직 노동자와 마찬가지로 경제위기의 시기에 문제로 부각된 것이다.

1986년 우파가 의회를 장악함에 따라 내무장관에 임명된 샤를 파스쿠아(C. Pasqua)는 체류증 발급을 어렵게 하고 불법체류 외국인의 추방을 수월하게 하는 식으로 '외국인의 입국 및 체류에 관한 법'의 개정을 추진했다. '파스쿠아 법'이라고 불리어진 이 새로운 법에 근거해 실행된 101명의 아프리카 말리 출신 이주민들의 추방은 시민사회의 격렬한 저항을 야기하게 된다. 당시의 상황을 보면 1986년 우파가 총선에서 승리하고 사회당 출신 대통령과 동거하는 유례없는 상황 속에서 1986년 9월 9일 내무장관 샤를 파스쿠아가 제출한 법안에 대한 의회표결이 진행되었다. 이민정책은 당시 새로이 구성된 우파 정부가 중시한 분야 중 하나였다. 또한 국민전선이 반이민 담론을 통해 관심을 끌고 있었고 이민 이슈가 언론을 장악하다시피 하였다. 이렇게 이민이 1980년대 후반 프랑스 사회의 핵심적인 이슈가 된 상황에서 치러진 표결에

1 제라우이(Zehraoui, 1993)는 90년대 초 이민문제, 프랑스 통합모델 위기론의 배경으로 다음의 요소들을 지적하였다. 첫째, 경제위기와 그에 뒤이은 포스트포드주의 체제로의 사회경제적 변화. 둘째, 교육체계의 문제. 셋째, 기존 남성노동자와 합류하게 된 가족이민과 이민 2세의 부상. 넷째, 도시구조의 변화와 도시공간 재구성의 여파.

서 파스쿠아 법안이 간발의 차로 통과되었다. 이 법안의 주요 내용은 미등록 상황에 있는 외국인의 추방을 용이하게 하는 것이었다. 미테랑 대통령의 집권과 함께 1981년 10월 29일에 도입된 이민에 우호적인 법안 이전으로 복귀한 것이다.

1989년 '파스쿠아 법'이 보다 완화된 형태로 개정되고 1990년 좌파인 사회당 정부가 들어서면서 수상직에 임명된 미셸 로카르(M. Rocard, 1988년 5월–1991년 5월 수상 재임)가 이민에 호의적인 입장을 표명하게 된다. 이와 함께 사회당 정부는 자문기관으로 '사회통합위원회'(*Haut conseil à l'intégration*)를 창설하게 된다. 1996년 여름에도 불법체류자들의 합법화를 주장하는 시위가 공공건물의 점거로 이어질 만큼 격렬하게 전개되었다. 이에 대해 당시 우파인 알랭 쥐페(A. Juppé, 1995년 5월–1997년 6월 수상 재임) 정부는 그해 8월 파리의 생 베르나르 성당에서 점거 농성을 하던 300명의 말리와 세네갈 출신 이민자들을 추방하는 식으로 대응했다.

그러나 다른 한편으로 1989년 프랑스에서는 처음으로, 그리고 예상치 못하게 히잡 사건과 정교분리주의에 대한 뜨거운 논쟁이 전개되었다. 이 논쟁은 전통적으로 외국인에 관용적이었던 사람들 중 일부도 정교분리주의 원리를 근거로 등을 돌리게 되는 계기가 되었다. 사건의 전말은 이렇다. 1989년 9월 18일 프랑스 우아즈(*Oise*) 지방 크레이 중학교에서 여학생 세 명이 수업시간에 히잡을 착용했다는 이유로 퇴학당하는 사건이 발생하였다. 사건 발생 초기에 학부모들에게 보낸 편지에서 학교장은 히잡이 학교의 정상적인 운영을 저해하는 종교적 표현이라고 설명했다. 그에 따르면 "우리의 목표는 자신의 종교나 문화를 과도하게 외적으로 드러내는 것을 제한하는 것이다. 나는 그들에게 우리 학교의 정교분리적 성격을 존중하라는 메시지를 전달하고자 한다." 그러나 히잡 착용 여학생의 부모는 이를 받아들이지 않았고 결국 이 학생들은 퇴학을 당하게 된다. 일부 시민단체나 정당들은 이 조치를 인종주의적인 것이라고 비난하였다. 결국 세 여학생은 부모와 학교 측의 타협으로 1989년 10월 9일 다시 학교를 다닐 수 있게 되었다. 그러나 이들은 학교 내에서는 히잡 착용을 하지 않게 되었다.

이 사건 자체는 종결되었지만 히잡 문제는 이후 지속적인 사회적 이슈가 되었다. 이 사안에 대해 프랑스 사회는 정교분리주의 및 여성해방을 강조하는 진영과 신앙의 자유 및 반인종주의를 강조하는 진영으로 나뉘었다. 이 사안이 다시 뜨거운 쟁점이 된 것은 2003년이었다. 2003년 2월 미국이 이라크를 침략하면서 무슬림 이주민들의 통합문제가 다시 불거진 것이다. 보다 직접적인 계기는 2003년 4월 19일 당시 내무장관이었던 니콜라 사르코지(N. Sarkozy)가 프랑스이슬람단체연합(UOIF) 연례회의에 참석해 앞으로 신분증 사진 촬영시 히잡을 벗고 찍는 것을 의무화해야 한다고 한 발언이었다. 이렇게 공공영역에서 이슬람을 드러내는 것을 용납하지 않으려는 사회 분위기 속에서 2004년 3월 15일 〈국공립 초중등학교에서의 공화주의 원리의 적용에 관한 법〉이 도입되었다. 이 법안은 교육법에 국공립학교에서 노골적인 종교적 표현, 즉 그것의 착용이 즉각적으로 그가 속한 종교를 식별할 수 있게 하는 상징물이나 의복의 착용을 금지하는 조항을 신설하는 것이었다. 무슬림들의 히잡, 유대인들의 키파(kippa) 또는 명백히 지나치게 큰 규모의 십자가와 같은 상징물들은 국공립 학교 내에서는 존재할 수 없고,

다만 특정 종교가 잘 드러나지 않는 상징에 한해서 착용이 허용된 것이다(엄한진, 2011).

당시 히잡 사건을 계기로 국가는 국적과 시민권에 관한 규정의 수정에 착수하게 된다. 국적법 개정에 관한 논의는 특히 이주민의 선거권 확대라는 쟁점을 중심으로 두 진영으로 나뉘어 전개되었다. 먼저 이주민의 선거권 확대를 주장하는 진영은 국적과 시민권의 연관성을 약화시키려 하였다. 이들은 외국인들에게 시민으로서의 동등한 권리를 부여하는 것이 통합을 증진시키기 위해 필수적인 방안이라는 생각을 가지고 있었다. 그중 일부는 프랑스인과 외국인 간의 시민적 권리의 완전한 평등을 주장하기도 했다. 즉 에티엔 발리바르(E. Balibar)나 다니엘 로샤크(D. Lochak)와 같은 인사는 민족을 일정기간 이상 거주한 모든 사람들로 대체하자는 급진적인 주장을 폈다. 물론 이러한 구상은 여론의 반대로 진전을 보이지 못했다. 이들에 맞서 프랑스의 민족적 통합성을 강화하려는 진영이 논쟁에 뛰어들었다. 이들은 '속지주의'의 기계적인 적용을 비판하면서 프랑스에서 난 이주민의 자녀들이 16세가 되어 국적을 취득하게 될 때 이들이 프랑스 사회의 구성원으로 살아갈 준비가 되어있는지를 결정하는 평가과정을 도입하자고 주장했다.

3. 이민문제 부상의 사회적 배경

1) 노동이민의 정주화와 '새로운 이민'의 등장

20세기 후반 프랑스 등 이민 선진국에서 이민문제가 부상한 것은 통합의 위기를 의미하는 것이었다. 예를 들어 1930년대 이전의 경우에는 한두 세대 만에 제도(학교, 군대, 노동운동, 교회)의 역할로, 그리고 온전한 통합에 필요한 조건의 형성에 필요한 시간이 지남에 따라 대부분 통합에 성공하였다.[2] 이 시기에 프랑스에서 젊은 시절을 보낸 이주민들은 반 세기가 지난 현재 이주민이라는 딱지를 떼고 토박이와 다름없는 프랑스인으로 간주되고 있다. 그러나 '영광의 30년'(*Les Trente Glorieuses*, 1945-1975)이라 불리는 2차 대전 종전 이후의 재건과 눈부신 성장의 시기를 지나면서 기존의 통합 기제가 제 역할을 하지 못하게 되었다. 즉 군역도 사라지고 공산당이나 노조는 힘을 잃고 교회도 영향력이 약화되었고 학교도 이방인들을 공화주의의 틀에 통합시키자는 메시지가 약해졌다. 통합의 제도와 담론이 약해지면서 실제 통합에도 위기가 찾아왔다(Schor, op.cit.: 230).

2 박단은 이러한 프랑스의 전통적인 통합기제를 다음과 같이 설명한다. "그 외에도 프랑스에는 이민자들을 프랑스 사회로 원활하게 통합시킬 수 있는 몇 가지 기구가 존재하였다. 예를 들면, 의무교육 기관인 초등학교를 들 수 있는데, 이주해 온 아이들이 프랑스인들과 접촉할 수 있는 거의 유일한 장소가 이곳이다. 학교에서 이주자들은 프랑스의 역사와 문화를 배우고 프랑스인으로 동화되어갈 수 있다. 자식들과 달리, 부모들은 외국인들에게도 가입이 허용된 정당이나 노조에 가입함으로써 프랑스인들과 좀 더 밀접한 유대관계를 가질 수 있었으며, 이를 통해 프랑스인들과의 접촉을 늘려갈 수 있었다. 그렇지만 이들에게 가장 중요한 통합 수단은 역시 가톨릭 교회였다. 앞에서 언급한 대로 이 당시 대다수 이민은 가톨릭 문화권 출신들이었기 때문에 교회는 이들을 자연스럽게 동화시킬 수 있는 좋은 수단이 되었다. 교리문답 교육 등은 특히 2세대의 경우 학교에서의 통합 역할을 보완해줄 수 있는 좋은 기회였다. 또 2세대의 경우 군복무를 통해서도 프랑스의 가치를 배울 수 있는 좋은 경험을 하게 된다. 특히 군대에서는 프랑스 각지 사람들과 어울릴 기회를 갖게 됨으로써 프랑스의 문화를 몸소 체험하는 것이 가능하였다. 마지막으로 들 수 있는 사례가 스포츠와 여가활동이다. 이러한 활동은 정기적으로 프랑스인과 이국인을 모이게 하고, 문화의 혼합, 수용에 크게 기여할 수 있었다."(박단, 2013: 103)

기존 통합기제의 약화와 함께 이민문제가 제기된 또 다른 배경이 된 것은 기존 이민에 비해 종족적, 문화적 이질성이 큰 '새로운 이민'의 부상이었다. 앞서 언급한 바와 같이 프랑스 전체 인구 중 외국인이 차지하는 비율은 6% 전후, 즉 300만 명 수준에서 수십 년 동안 큰 변화가 없었다. 즉 일반적인 인식과 달리 외국인이 차지하는 비중이 최근 급격한 신장세를 보인 것은 아니며 유럽에서도 독일과 북유럽 일부 국가들에 국한된 현상이다. 외국인의 비율과 함께 많이 언급되는 외국인의 출산율 역시 비유럽 이민자들의 본국, 즉 아프리카와 아시아 국가들의 출산율 저하 경향이 뚜렷하며 특히 중심부 국가로 이주한 이후의 출산율은 본국에서보다도 훨씬 낮아서 일반적으로 우려하는 정도의 높은 출산율을 보이는 것은 아니다. 즉 인구학적인 측면에서의 '녹색 위협', 즉 유럽에서 비유럽 이민의 상당수를 차지하고 있는 무슬림들의 수적 증가가 토박이의 비율과 전통적인 문화를 위협할 것이라는 담론 역시 과장되고 정치적으로 활용된 측면이 강한 것이다. 그렇다고 과거에 비해 전혀 달라진 것이 없는 것은 아니다. 즉 출신국가 구성에 변화가 나타난 것이다. 1970년대 이후 민주화와 경제성장을 경험한 이탈리아, 스페인 등 남유럽으로부터의 이민이 줄어드는 변화가 있었고 그것이 상대적으로 마그레브 출신 이민자들의 존재가 더욱 두드러지게 하는 효과를 가져왔다. 출신지역을 유럽연합과 그 이외의 지역으로 구분해 볼 때 유럽연합에 속하지 않은 유럽국가(주로 동유럽국가)를 포함해 유럽 이외 지역 출신자들의 비율이 늘고 있는 경향을 보이는데 이것은 최근에 늘어난 인도, 중국, 동유럽 출신 이민에 기인한 것이다. 프랑스 사회에서 아직 이 '새로운 이민'의 문제가 본격적으로 부각되고 있지 않지만 마치 1950, 1960년대 당시로서는 '새로운 이민'이었던 마그레브 출신자들이 한 세대 후 이민문제의 주역이 되었듯이 시간이 흐름에 따라 이들의 문제도 본격화될 것이다.

2) 반이민 현상의 대중화

전후 노동이민의 정주화와 가족합류이민, 그리고 새로운 이민의 등장이 낳은 이민문제의 가장 중요한 양상은 바로 반이민정서의 확산이었다. 1990년대 초반까지만 해도 반이민정서는 극우파와 불우한 백인 하층민의 전유물이었다.[3] 이들은 실업, 치안 등 모든 프랑스 사회문제의 원인으로 이주민들을 지목했다. "300만 실업 = 300만 이민"이라는 왜곡되고 극도로 단순화된 도식을 토대로 한 이 증오가 구체화되었고 이 '논리 이전의 논리'가 '반미', '반유럽연합'과 함께 30년 이상 극우파의 호황을 견인해 왔다. 비합리의 극치인 인종주의가 수많은 반증에도 불구하고 그것을 비웃듯 건재하듯이 극우파의 이민 담론 역시 프랑스가 자랑하는 합리성과 박애주의를 비웃듯 거듭 새로운 추종자들을

3 프랑스 극우주의의 역사는 20세기 초에 시작된다. 소위 '프랑스 파시즘의 탄생'(Sternhell, 1978) 이후 1939년까지 극우파는 프랑스의 주요 정치세력이었고 전후 나치협력자 재판에서 다수가 투옥되었지만 1953년 일반사면으로 석방된 이후 극우언론을 창설하거나 국민전선에 가입하는 방식으로 정치활동을 재개하게 된다. 이러한 맥락에서 구 프랑스 나치친위대원들(Waffen SS)은 나치단체들을 부활시킨다. 그렇지만 나치 청산작업으로 인해 큰 타격을 입었고 드골주의가 민족주의를 상징하고 경제성장의 국면에서 좌파가 사회운동을 독점하던 1980년대 초까지 극우는 정치적으로 미미한 존재였다. 그러다가 1980년대 국민전선(FN)은 광범위한 대중적 지지를 받는 극우정당으로 부상하게 된다. 1984년경 미디어에 모습을 드러내기 시작했고 1986년에는 35명의 하원의원을 당선시켰으며 1989년 지방선거에서의 성과를 바탕으로 세력이 확고해졌다. 광범위한 불만세력을 결집한 국민전선은 생산직 노동자들의 지지를 가장 많이 받는 정당이 되기에 이른다.

만들어 내고 있다. 20세기 후반 유럽 극우주의의 부상을 되돌아 보면, 1980년대 최초의 부상은 정치의 위기가 그 배경이었고, 1990년대 두 번째 부상은 바로 이민문제를 계기로 한 것이었다(Betz, 2004: 54–55). 그런데 최근에는 모든 정치세력이 이 길에 합류하고 나섰다. 즉 소위 '이민문제'의 정치도구화에 적극적으로 나선 것이다. 2002년 선거에서 우파 후보 자크 시라크(J. Chirac)는 '폭력'과 '치안'이라는 테마로 유권자들을 사로잡았고, 놀라운 것은 사회당 역시 이 점에서 크게 다르지 않았다는 사실이다. 유권자들의 표가 생명인 정치인들은 그들의 치안 담론이 대다수 국민들에게 매력적인 것임을 잘 알고 있는 것이다.[4]

이렇게 1990년대부터 정치권에서 반이민 분위기가 형성되는 상황에서 일관되게 이민문제를 가장 역점을 두는 사안으로 부각시켜 온 프랑스의 대표적인 극우 정치인 르펭은 2005년 대도시 교외지역의 소요사태[5]가 발생하자 위기의식을 더 강하게 느끼는 백인, 심지어 비백인 서민들까지도 자신들에 대한 지지도가 높아질 것이라고 고무되었었다. 당시 르펭은 외곽에 위치한 소외지역의 문제는 '사회문제'(*la question sociale*)가 아니라 지나치게 많은 비백인 이민이 초래한 문제이며 해결책은 비백인 외국인들의 추방이라는 논리를 폈다. 그에게 정치적 성공

4 세계화 시대 반이민주의는 세계화와 그에 따른 민족의 위기에 대한 저항의 의미를 가진다(Schor, op.cit.: 228). 즉 프랑스인들이 프랑스적 정체성이라는 복합적이고 부분적으로는 주관적인 관념에 의존하는 것은 무엇보다도 프랑스인들의 두려움이 얼마나 깊은지를 보여주는 것이다. 여기에서 두려움이란 일상생활, 관습, 문화, 혈통, 자주성 등이 변질될 것이라는 두려움이다. 두려움은 치안문제에 대한 관심과 요구로 이어지고 경찰에 대한 무한한 신뢰, 법이나 프랑스 풍습을 어기는 이주민들에 대한 비난과 같은 양상을 초래했다.

5 이 책의 3장 참조.

을 안겨다 준 이 논리는 도시 빈곤지역의 문제를 '사회적인(social)' 문제가 아닌 종교문제, 인종문제, 인구문제, 치안문제로 끌고 가는 것이었다. 그런데 좌우를 막론하고 대다수의 정치세력이 이 논리를 적극적으로 거부하지 않았다. 정치권의 이러한 분위기는 프랑스 정치의 한 축을 담당해 온 평등이라는 가치가 설득력을 잃고, 그래서 좌파는 주도권을 잃고 보수화하고 우파는 급진화하는 정치적 변화의 산물인 것이다. 프랑스 정치논의의 축이 '평등'에서 '정체성', '민족', '인종 및 문화의 혼합(*métissage*)', '권위' 등으로 옮겨가고 있는 것에서도 이러한 시대 사조를 읽을 수 있다.

4. 마그레브 출신 이주민들의 사례

프랑스에서 이민문제는 이미 알제리 독립전쟁(1954-1962년) 종전 직후인 1963년부터 제기되었다. 알제리의 독립 이후 프랑스 등 유럽 국가들과 알제리 간의 우호적인 관계의 복구가 예상했던 것보다 어려워짐에 따라 프랑스 정부는 당시 대량이주 양상을 보인 알제리인들의 입국을 규제할 필요성을 느꼈다. 즉 에비앙 조약이 보장한 프랑스와 알제리 간의 자유왕래 원칙을 파기하고 양국의 협의에 따라 알제리인의 입국을 규제하는 방향으로 전환하게 된다. 우여곡절 끝에 1964년 4월이 되면 프랑스가 원했던 이 방식이 채택된다(Harbi, 1985: 94).

그러나 이민문제가 프랑스의 비중있는 사회적 이슈로 제기된 것은 이민 금지조치와 경제위기 이후의 일이었다. 이민문제는 마그레브 출신자 등 이주민들의 열악한 상황에서 기인된 것만은 아니었다. 이와 함께 경제위기에 직면한 프랑스인들이 이민에 적대적인 태도를 보인 것도 중요한 원인으로 작용했다. 프랑스 최대의 극우정당인 민족전선(*Front National*)의 부상과 인종주의 성격의 증오범죄의 등장이라는 이민 문제의 두 가지 양상은 마그레브 출신 청년 이주민들이 주도한 사회운동의 두 가지 주된 목표와 연관성이 있는 것이다. 그것은 이주민의 사회통합을 용이하게 하는 것과 인종주의 범죄 및 정부의 차별정책을 고발하는 것이었다. 이와 같은 두 가지 측면을 마그레브 출신 이주민의 예를 통해 살펴보자.

국경폐쇄 조치는 마그레브 출신자들의 프랑스 체류 양상에 변화를 가져 왔다. 이들의 체류기간이 길어졌고 가족합류이민이 증가했다. 후자는 마그레브 출신 이주민들의 평균연령을 낮추고 여성의 비율이 높아지는 효과를 가져왔다. 그 논리적 결과로 경제활동참가율이 낮아졌다. 마그레브 출신 이주의 여성화와 이주민의 경제활동참가율 저하는 전통적으로 남성 중심의, 그리고 높은 경제활동참가율을 보인 이민집단의 특징이 사라지고 이들 역시 일반 프랑스인들과 유사한 특성을 보이게 만들었다. 즉 여성의 경제활동 참가는 늘어나고 반면에 전체 경제활동참가율은 낮아지는 양상이 나타난 것이다.

프랑스에서 외국인의 경제활동참가율은 1946–1982년의 기간 동안 60%에서 42.3%로 대폭 낮아졌다. 그런데 이 하락세는 마그레브 출신 이민자들의 경우 다른 지역 출신 외국인들보다 더 두드러졌다. 알제리 이주민들의 경우 그 비율은 40%, 모로코 이주민은 38.9%, 튀니지 이주민은 40.2%였다. 이는 프랑스인의 43.4%보다도 낮은 것이었다(Khader, 1990: 21). 그리고 전체 외국인 실업자 중 1/3이 알제리인이었다. 당시 알제리 이주민의 실업률은 21.9%로 전체 외국인의 실업률 14%보다 높았다. 이는 양호한 양상을 보인 포르투갈인의 실업율 7.7%와 대조를 이루는 것이었다. 여성의 경우 구직자의 25%가 알제리 여성이었고 대도시의 경우 마그레브 청년 2명 중 1명은 실업자였다.

1950, 1960년대만 해도 젊고 경제활동참가율이 높은 것이 특징이었던 마그레브 출신자들은 프랑스 토박이들보다 의료보험, 실업보험, 연금 등 사회보장체계에 더 큰 기여를 했다. 즉 이들은 혜택을 받는 것보다 더 많은 세금을 냈던 것이다. 그런데 이제 가족합류이민, 경제활동참가율 저하, 생산가능인구 비율의 저하, 실업의 증가 등으로 양상이 달라지게 된 것이다. 이러한 변화가 이민문제 부상과 연관해 중요한 것은 마그레브 출신자들의 경제활동 약화와 높은 실업률이 이들의 프랑스 거주에 대한 정당성을 크게 약화시켰다는 것이다. 전후 경제성장이 이루어지던 시기 프랑스 사회의 발전에 기여하는 노동력으로 인식되어 온 이민자들이 이제 불안정한 고용상황으로 인해 무능력하고 복지에 의존하는 부정적인 존재라는 이미지를 가지게 된 것이다. 고용과 관련되어 악화된 이미지를 더 나쁘게 한 것은 청년들에 대한 부정적인 시각이었다. 물론 실제로는 위험하다고 여겨진 이들이 부당한 폭력의 대상이 되는 경우가 많았다.

언론에 자주 등장하는 이민 2-3세 청년들의 집단행동은 경찰 등 공권력으로부터 동료들이 당한 폭력에 의해 촉발되는 경우가 많다. 이 청년들은 자신의 동네에서 발생한 인종주의 범죄나 경찰의 폭력에 대한 기억을 자신들의 어려운 처지를 사회에 알리는 수단으로 활용한다.

1983년 이민집단에 속한 청년들의 거리행진 직전에는 리용에서 발생한 외히드 아쉬쉬(W. Hachichi), 아흐메드 부텔자(A. Boutelja), 모하메드 아비두(M. Abidou)의 사망사건, 낭떼르(Nanterre)에서의 압델비 게미아(A. Ghémiah),샤트네 말라브리(Chatenay-Malabry)에서의 나세르 므라이디(N. Mraidi)의 사망사건이 있었다. 1986년 학생들의 시위사건과 '압델(Abdel)에게 정의를'이라는 이름의 위원회 설립의 배경에는 파리의 말리크 우쎄킨(M. Oussekine), 라 호셸(La Rochelle)의 파리드 엘 오리비(F. El Orabi), 펑탱(Pantin)의 압델 베냐이아(A. Benyahia)의 죽음이 있었다. 가장 잘 알려져 있는 1990년 10월 보정블랭(Vaulx-en Velin) 폭동 이전에는 토마스 클로디오(T. Claudio)의 죽음이 있었다. 사르트루빌(Sartrouville)의 폭동 이전에는 경찰이 자멜 셰투(D. Chettouh)를 죽인 사건이 있었다. 그리고 1991년 6월 발 푸레(Val Fourré) 지역에서 발생한 폭동은 경찰에 의한 유세프 카이프(Y. Khaif)와 아이사 이이치(A. Ihich)의 살해사건이 있었다(Allouche, 1992: 7). 이주민이 경찰의 폭력에 희생되는 현상은 그 이후에도 사라지지 않았다. 언론에 보도된 사건만 집계한 한 인터넷 자료에 따르면 2005년 이후 경찰폭력에 의한 사망자의 수는 2005년 6명, 2006년 10명, 2007년 19명, 2008년 11명, 2009년 6명, 2010년 9명, 2011년 10명, 2012년 14명이었다.[6]

인종주의 범죄는 크게 경찰에 의한 치안 차원의 범죄와 민간인에 의한 인종주의적 행동으로 나누어 볼 수 있다. 경찰은 어떤 범죄의 혐의자가 유색인종일 경우 쉽게 진압봉 등 무력을 사용한다. 이와 관련

6 http://www.urgence-notre-police-assassine.fr/123663553, 2017년 9월 10일 검색

해 비비오르카는 경찰을 대상으로 한 인터뷰를 통해 프랑스의 경우 경찰 분야의 활동방식 자체에 인종주의가 내재해 있다고 진단한 바 있다(Wieviorka, 1992: 262). 미국은 경찰 분야에 존재하는 제도화된 인종주의를 극명하게 보여주었다. 미국의 흑백 갈등을 폭발시키는 주된 요인은 경찰폭력이며 이는 경찰 조직 내부에 존재하는 구조적인 인종주의가 주된 원인이다. 강한 인종차별적인 문화가 존재하며 경찰의 훈련과정에서 인종주의가 계승되는 경향이 있는 것이다. 예를 들어 1960년대까지 미국에서 경찰은 백인만이 채용되었다. 당시 '검은 표범'과 같은 극단주의 흑인단체가 등장하게 된 배경 중의 하나도 백인이 경찰을 독점하는 상황에 대한 반발이었다(엄한진, 2017). 한편 민간인에 의한 인종주의 사건은 크게 인종주의적 행위와 인종주의적 위협이라는 두 가지 유형으로 나눌 수 있다. 인종주의적 행위는 폭탄테러, 폭행, 방화, 강도, 사람을 겨냥한 총격 등을 포함한다. 인종주의적 위협은 비방의 낙서 또는 유인물 배포, 모독, 경미한 절도 등을 포함한다(Commission nationale consultative des droits de l'homme, 1992: 7).

5. 2000년대의 변화: 통합인가 통제인가?

2000년대 들어 '통합' 개념이 1980년대와는 다른 맥락에서 강조되게 된다. 유럽 차원에서는 이민문제에 있어서 유럽연합(EU)의 비중이 커지게 된다. 유럽은 1985년 솅겐조약(Schengen Convention) 체결을 계기로 회원국 간의 경계는 허물고 EU 전체의 국경통제에 공동대응하거나 이민정책을 공동으로 개발하는 등 공동대응을 강화시켜 왔다. 이민문제에 대한 유럽국가들의 초국적 대응은 송출국과의 협력, EU 국가간 협력의 형태를 띤다(Stalker, 2002). 예를 들어 유럽연합은 2003년 가족합류이민에 관한 권고안을 채택하고 회원국의 이민정책이 보다 통일성을 가지도록 했다. 2003년 1월 27일 유럽연합집행위원회(European Commission)의 '2003/9/CE' 권고안은 망명신청자와 관련된 최소한의 공통의 규범을 제시하였다.

프랑스 자체적으로도 이주민에 대한 통제를 강화하는 일련의 제도적 변화가 나타난다. 2002년 대통령에 선출된 자크 시라크가 도입한 '이주민 유입 및 통합 정책'(*politique d'accueil et d'intégration des migrants*)은 선별적이고 억압적인 이민정책의 시작을 알리는 신호탄이었다. 이 정책에 입각해 이제 프랑스의 신규 이민이나 국적 취득 희망자는 프랑스 정부가 요구하는 일련의 새로운 조건을 충족시켜야 했다(Blum Le Coat et Eberhard, 2014b: 55). 그런데 소위 '공화국의 가치'를 존중해야 한다는 이 요구조건들은 언어구사 능력을 과도하게 요구하고 종교적인 신조를 포함해 양심의 자유를 침해하는 측면이 있다. 특히 양성평등, 정교분리주의 등을 강조하는 것은 무슬림 이주민들을 염두에 둔 것이었다. 이 두 요소는 국내외 무슬림 사회에 대한 압력의 핵심적인 무기로 작용하고 있다(Ibid.: 56). 이러한 맥락에서 '통합'은 국제 이주민이 서서히 주류사회에 적응하는 것보다 입국과 함께 입증해 보여야 하는 작위적이고 정치적 성격이 강한 장치가 된 것이다. 2003년 11월 26일 개정된 '이민의 조절, 외국인들의 체류 및 국적 관련 법'(*la loi relative à la maîtrise de l'immigration, au séjour des étrangers en France et à la nationalité*) 역시 '통합'이라는 기준을 체류증 발급의 조건으로 설정하고 불법이민에 대한 단속을 강화하는 내용을 담고 있었다. 이렇게 이민정책이 강경해짐에 따라 특히 출입국이나 보호감호 상황에 있는 외국인들의 기본적인 권리 보장이 어려워졌다. 게다가 소위 '불법이민'의 상당 부분은 불법입국에 의한 것이 아니라 더욱 어려워진 불법체류자의 합법화 절차, 그리고 보다 엄격해진 체류증 갱신제도에 따른 것이었다. 한편 프랑스뿐 아니라 유럽 전체에서 개별 국가 차원의 이민정책이 강경해짐에 따라 유럽연합은 2003년 '가족합류이민에 대한 지침서(*directive sur le regroupement familial*)'를 채택하는 등 이러한 추세를 막아보려는 시도를 하게 된다.

프랑스에서 이러한 강경노선의 주역은 니콜라 사르코지(N. Sarkozy)였다. 2000년대 초 이민문제의 정치화는 사르코지 개인의 작품이라고 해도 과언이 아닐 정도다. 그는 내무장관 취임 초기부터 미등록 외국인의 추방을 이민정책의 최우선 과제로 설정하였다. 2010년까지 달성해야 할 강제추방 수치가 제시되었고 이제 프랑스는 1980년대 레이건 행정부 시절부터 미국에서 시작되었던 치안의 강화와 중형주의가 본격적으로 도입된다(바캉, 2010). 같은 시기 '사르코지 법'(2006)과 '옥트퍼(Hortefeux)' 법(2007)으로 본격화된 소위 '선택된(choisie)', '유용한(utile)' 이민 정책이 이러한 강압조치와 짝을 이루게 된다.

한편 2006년 7월 당시 내무장관이었던 사르코지 주도하에 채택된, 소위 신이민법 또는 '사르코지 법'이라고 불리는 '이민 및 통합에 관한 법'에서는 이러한 경향이 더욱 강화되었다. 체류 자격에 대한 규제의 강화가 핵심 내용이었던 이 법의 주요 개정사항은 가족합류이민

(regroupment familial)의 조건 강화[7], 10년짜리 주민증(*Carte de Résident*) 취득 요건 강화 등이었다. 까다로운 입국조건을 요구하고, 결혼이나 입양 등으로 체류증을 받거나 프랑스 국적을 받을 경우에 필요한 조건을 까다롭게 하거나 소요시간이 더 길어지게 하는 식으로 이민을 어렵게 하는 조치들이 도입되었다.[8] 이 개정 법률은 통제의 강화를 의미하는 규정의 도입과 더불어 1974년 이후 중단된 외국노동력 수입의 재개를 선언한다. 이러한 개방적인 변화가 프랑스에 국한된 것은 아니다. 장기적인 차원에서 유럽 이민정책의 변화 추세를 보면 1950, 60년대는 자유주의적, 개방적 경향을 보이다가, 1970년대 이후에는 억압적 경향이 강화되었다. 그러다가 최근에는 노동력 확보와 인구문제 해결을 위해 기존 정책을 수정해 노동이민을 재개하는 경향이 나타나고 있는 것

7 합법적으로 체류하고 있는 외국인이 고국에 있는 가족의 합류를 신청할 수 있는 최소기간을 12개월에서 19개월로 연장하였다. 1984년부터 시행되어 온 10년짜리 체류증의 경우에도 그동안은 프랑스에 10년 이상 합법적으로 체류한 외국인에게 또는 프랑스 국적을 가진 배우자에게 자동적으로 발급하였는데 이제 소득과 프랑스에서 경제적으로 자립할 수 있는 능력 등을 고려하는 조건부 발급으로 변하였다.

8 박단이 소개하는 소위 '사르코지 시대'의 이민과 대선, 이민과 정치, 이민과 보수정치의 관계를 살펴보자. 그에 따르면 무슬림이민자에 대해 적대적 입장을 보인 사르코지의 집권을 전후해 프랑스의 '민족정체성'에 대한 논의, 그리고 '민족-안보(*national-sécuritaire*) 담론이 부상하였고 이것이 사르코지가 대선에서 승리하는 데 결정적인 기여를 하였다(박단, 2013: 24-25; 36). 사르코지는 이민자 통합이 위기에 처하게 된 원인 중 하나가 바로 프랑스적 정체성에 대한 교육이 미흡했기 때문이라고 생각하였다(Ibid.: 42). 민족전선과 매우 유사한 어법으로 이민자와 민족정체성의 문제를 동일선상에 놓음으로써 이민문제를 선거에서 쟁점화하려고 노력하였다. 그리하여 사르코지는 집권 전부터 프랑스인의 정체성과 이민문제를 결부시켰고, 그럼으로써 정부의 한 부처를 이민문제와 민족정체성 문제에 할당하기도 한 것이다(Ibid.: 45). 당선 이후 그가 추진한 대표적인 이민정책에는 '이민통합, 민족정체성 및 연대개발부'의 설립과 '선택적 이민정책' 그리고 '민족정책성 대토론회' 등을 들 수 있다(Ibid.: 46).

이다(Stalker, 2002). '사르코지 법'이나 후에 총리가 된 도미니크 드 빌팽(D. De Villepin)이 입안한 법이 그 효과를 발휘하기 시작하여 가족합류 이민이나 난민신청이 줄어들기 시작했다. 이러한 흐름의 연장선상에서 2007년 대통령에 당선된 이후 사르코지는 '이민통합, 민족정체성 및 연대개발부'(*Ministère de l'immigration, de l'intégration, de l'identité nationale et du développement solidaire*)를 창설한다. 이에 대한 불만의 표시로 8명의 교수들이 이민 관련 기구에서 사임하기도 하였으며 점점 더 억압적이 되는 정책이 시민들의 분노를 야기했다.

그렇다고 이민정책이 더 개방적이 된 것이라고 말하기는 어렵다. 프랑스의 경우 노동이민의 재개는 관광, 건설, 무역 등 몇몇 직종과 농업 부문에서의 계절노동에 국한된 것이었다. 이와 함께 '능력과 재능'(*Compétence et talents*)이라는 이름이 붙은 체류증이 신설된다. 이 '신 체류증'(*une nouvelle carte de séjour*) 제도는 자국이나 프랑스의 발전에 기여할 수 있는 재능이나 자격을 구비한 외국인에게 유효기간 3년의 체류증을 발급하며 재연장이 가능하게 하는 것이다. 이 법의 제정과정에서 주창된 '선택된 이민'이라는 개념은 많은 시민단체로부터 비난을 받게 된다. 또한 이민을 받아들이는 데 있어서 '불어구사능력'이라는 조건이 강화된다. 이러한 최근 경향은 1990년대 초 국적법 개정 논의 당시 프랑스의 국민적 통합성을 강화시키려는 진영의 입장과 궤를 같이 하는 것이다. 당시 이들은 국적 취득과 관련해 속지주의의 자동적 적용을 비판하며[9] 프랑스에서 난 이민의 자식들에게 16세가 되면 통합가능

9 1993년 7월 22일 법 개정에 따라 프랑스에서 외국인 부모 사이에 태어난 자는 16세에서 21세 사이에 '프랑스 국민이 될 의지'를 표명하는 '의지선언'을 요구받

한지 판단하는 선별 절차를 추가하려고 시도했다. 참고로 현재 프랑스의 국적법을 보면 자동적으로 프랑스인이 되는 경우는 부모 중 최소한 한 사람이 프랑스인인 경우(혈통주의 적용), 부모가 없이 프랑스에서 태어난 아이(출생지주의 적용), 부모가 둘 다 외국인이지만 그중 최소한 한 사람이 프랑스에서 태어난 가정의 아이[10] 등이다. 국적취득이 가능한 사례를 보면 프랑스인과 결혼한 후 1년이 지난 배우자, 외국인 부모 사이에서 프랑스에서 나고 11세에서 18세까지 최소한 5년간 프랑스에 거주한 아이, 프랑스에 거주한 지 5년이 지난 모든 성인 외국인은 일정 조건 하에 국적취득을 신청할 수 있다(Bernard, op.cit.: 298–9).

물론 담론과 현실의 괴리가 고려되어야 한다. 일본의 '바람직한 외국인' 담론의 예가 이러한 측면을 잘 보여준다. "우리나라가 환영하는 외국인은 전문기술직 노동자와 고급인력'이라는 직업차별적 편견에 입각한 도입 기준과 달리 실제로 일본 사회의 이주노동자는 공장, 건설현장, 식당 등에서 일하고 있다."(이주노동자와 연대하는 전일본 네트워크, 2007: 26) 프랑스의 경우도 '유용한 이민', '선택된 이민'이라는 개념은

았다. 그러나 1993년 국적법의 경우 여러 부작용과 현실 적용의 문제 등등의 비판이 제기되어, 이 법의 완전한 적용을 받는 첫 세대인 1976년생 청년들이 자신의 태도를 결정하게 되는 최종 시한(경우에 따라 1997년 말 또는 1999년 말에 절차가 완료됨)이 되기 전에 폐기되었다. 1998년 5월 16일에 새로이 개정된 법률안은 "프랑스에서 이주민 또는 외국인 부모 사이에 태어난 자는 18세에 프랑스에 일상적으로 거주하고 있을 경우, 혹은 11세 이후 연속적으로 5년째 거주하고 있을 경우 (자동적으로, 별도의 선서 절차 없이) 프랑스인"이라고 규정함으로써 프랑스에서 출생한 아이는 자동적으로 국적을 취득하는 1973년 국적법의 원칙으로 복원시킴으로써 속지주의를 강화시키게 된다.

10 이 규정은 1962년까지 프랑스의 한 주였던 알제리에서 태어난 부모의 경우 등 프랑스 식민지배 하에서 태어난 부모의 아이들의 경우에 해당된다.

현실에서의 실현 여부와 무관하게 경제불황기 국민의 반이민 정서를 만족시키는 정치적 수사의 측면이 더 강하다.

사야드(Sayad, 1999)는 '통합' 담론의 일반적인 특징을 다음과 같이 얘기한다.

첫째, 과거 통합의 역사들의 신화화.

둘째, 현재 통합에서의 갈등 은폐.

셋째, 통합은 정치권의 의지의 산물이라고 여김, 즉 국가기구의 합리적 행위의 결과로 간주.

넷째, 통합에 대한 정치 담론은 현실에 대한 진정한 행위라기보다 막연한 정치의지의 표현.

그는 이러한 일반적 인식을 비판하면서 다음과 같은 통합논의의 원칙을 제시한다.

첫째, 주류사회와의 관계 형성 과정 전체 차원에서 "통합"을 보아야 한다.

둘째, 특정집단을 겨냥하는 직접적 대응보다 구체적인 세부사항 차원에서, 그리고 특정 이주민에 국한되지 않는, 또는 이주민으로서가 아니라 시민, 노동자로 간주하는 대응방식이 필요하다.

셋째, 통합은 다른 목적으로 행해진 정책과 행위들의 축적 결과로 나타나는 2차적 산물이다. 직접적으로 통합을 언급하는 담론의 부상은 역설적으로 통합의 현실적인 한계를 반영하는 것이며 당사자인 이주민들과 주류사회에게 "통합이 완전히 이루어지는 건 불가능하다"라는 신호로 작용한다.

프랑스가 최근 경험하고 있는 일련의 법률적, 정책적 변화에서 우리는 최근 프랑스 집권정당이 얘기하는 통합(integration)이 사회적 약자에 대한 포용과 지원의 차원보다는 구조기능주의적 일탈론 및 사회문제론 차원의 통합, 달리 말해 타자에 대한 통제에 가까운 것임을 알 수 있다. 지식인과 시민사회단체의 정부정책 비판은 바로 이러한 측면을 문제시하는 것이다.

6. 은폐된 인종주의

다음 장에서 살펴볼 2005년 11월 프랑스 대도시 교외지역에서 발생한 폭력사태에 대한 대응방식은 프랑스 사회의 공화주의적 특성을 잘 보여준다. 한국에서는 이 사건을 "무슬림청년들" 또는 "이민자들의" "폭동"으로 표현하였다. 그러나 비단 우리만이 아니고 전 세계가 이 사태에 부여한 의미와 달리 이 사태는 엄밀한 의미의 폭동이 아니고, 더욱이나 '외국인', 즉 프랑스 사회를 위협하는 외부인이나 외국인에 의한 것이 아니었다. 대부분은 프랑스 국적자들이었고 실제로 이들은 프랑스에서 나고 자란, 1998년 프랑스의 월드컵 우승을 누구보다 기뻐했던, 부모의 고향에는 가보지도 못했고 조상들의 문화에 대해 아는 바가 거의 없는 온전한 프랑스 청년들이었다. 프랑스 언론에서는 주로 "대도시 교외지역의 위기(*crise de banlieues*)", "대도시 교외지역 분노의 폭발(*révolte des banlieues*)", "사회적 소요(*troubles sociaux*)" 등 보다 완곡한 표현으로, 그리고 보다 현실에 부합하는 표현을 사용하였다. 그런데 이 프랑스적 수사에서 우리는 보다 객관적 현실을 반영하고 있는 점과 더불어 프랑스 통합모델[11]의 특수성의 일단을 볼 수 있다. 그것은 종족(*ethnie*)이라는 요인, 종족적 차이 및 차별(*discrimination raciale*)을 공적 영역에서 고려하거나, 거론하는 것을 금기시하는 것이다.

영국, 네덜란드가 지나칠 정도로 '소수민족(ethnic minority)' 문제를 중시하고 인종차별에 대한 다양한 대응을 모색해 온 반면, 프랑스의 정치적, 법적 전통은 종족적 차원을 고려하지 않는 것이다. 프랑스에서 이들의 문제는 출신 국가와 무관한 개인으로서의 이주민들(*les immigrés*)의 문제, 즉 '이민문제(*la question de l'immigration*)'로 불리어 왔다. 행정, 의료영역에서의 통계자료에 인종이나 종교 변수를 넣지 않는 관행도 이런 프랑스적 전통에서 기인하는 것이다. 이러한 구조에서 종족 간 차

11 모든 개념은 그것이 태동한 특정 시대의 맥락을 담고 있다. 그리고 각 개념에는 그에 고유한 역사가 있다. 최근까지 순차적으로 프랑스의 이주민 통합모델로 제시되어 온 다음 네 가지 개념들도 예외가 아니다. 첫째, 적응(*adaptation*)은 산업사회의 노동, 기계, 시간, 리듬에 대한 적응을 함축하고 있는 개념이다. 둘째, 동화(*assimilation*)는 식민지 시대의 상황을 반영하고 있다. 셋째, 편입(*insertion professionnelle*)은 소수민족의 문제를 보편적인 틀에서 고려한다는 것을 함축하는 개념이다. 이 모델에 따르면 주류사회와의 관계의 문제를 기술적인 문제에 국한시킨다. 그리고 프랑스에서 이민문제가 본격화되면서 헤게모니를 장악한 통합(*intégration*) 개념은 다음의 점에서 '동화'와 차이가 있다. 통합 개념은 사회에 온전하게 편입되지만 개인이나 집단의 정체성 전체를 부정, 포기하는 것은 아니라는 점에서 동화와 차이가 있는 것이다(Sayad, 1977).

이와 그 저변에 있는 차별기제는 아무것도 아닌 것처럼 취급되는 것이다. 그리고 이 '은폐'의 문화는 차별의 존재, 즉 차별의 희생자를 지정하기가 불가능하며 따라서 그에 대응도 원천적으로 어렵게 하는 효과를 지닌다(Mouvements, 1999: 5-8).

그러나 이러한 보편주의적인 프랑스 모델은 점차 말뿐이게 되었다. 먼저 프랑스 사회에도 다른 다민족사회들이 그러하듯 공적 담론과 달리 현실에서 인종주의는 명백히 존재한다. 교육, 고용, 공무원, 주택, 의료, 문화 등에서 아랍세계나 아프리카 출신 프랑스 국적자 또는 외국인에 대한 구조화된 차별이 존재하며 토착 프랑스인들에 의한 일상적인 차별이 존재한다. 먼저 일상적 차원에서 존재하는 인종주의를 살펴보자. 일상적 인종주의가 노골화된 것은 사실 그리 오래된 것은 아닌데 이렇게 된 현실적인 배경을 보면 그것은 특히 1980, 1990년대에 당초 이민자들의 임시거주공간으로 기획된 대도시 교외지역의 주거지구(*cité de transit*)에 그들 역시 경제적으로 어려워진 백인 하층민이 유입됨으로써 종족 간 공존의 상황이 형성된데 따른 것이었다. 즉 아버지 세대보다도 열악한 상황에 처한 이민 2세, 3세들은 이러한 도시공간의 재편성 과정을 통해 그들의 거주지역에 갇혀 부유하는 집단이 되었고 결국 일자리가 없어 동네를 방황하는 이들과의 공존이 거북스러운 백인들의 인종주의나 경찰의 과도한 통제를 겪게 된 것이다.

아버지 세대는 1960, 1970년대 푸조(Peugeot) 등 프랑스 기업이 자국 식민지였던 알제리, 모로코, 튀니지 등의 농촌지역에서 선발해 온 사람들로서, 프랑스에서 그들이 겪은 어려움은 식민지에서의 차별과 별반 다르지 않았지만, 그래도 그들에겐 적어도 일자리는 있었다. 이에 반해 아들 세대에게는 아버지 세대가 가진 유일한 것이었던 일이 없어졌다. 그러나 동시에 이들은 아버지처럼 착취를 감내하려 하지 않았다. 프랑스에서 나고 자란 그들의 경험이 단지 종족적인 차이에 근거를 둔 차별대우를 받아들이지 못하게 한 것이다. 그리고 이 두 가지 양상은 동전의 양면이었다. 아버지처럼 희생당하고 싶지 않고, 게다가 그들이 나고 자란, 현실적으로 그들의 유일한 조국인 프랑스를 위해 희생하고 싶어도 조국은 이들의 참여를 원치 않았던 것이다. 그리고 이민 후예들에게 성장과정은 곧 배제와 좌절의 연속이었다. 초등학교 시절부터, 가정을 포함해 모든 사회제도와 적대 관계에 놓이게 되고, 낙후된 지역에서 열악한 교육조건, 어려운 가정상황, 전망의 부재 등을 경험한 것이다. 2004년의 경우 20대 전체의 실업률은 12%인 데 반해 낙후된 교외지역 20대 실업률은 33%였고 이 지역들에 사는 비유럽 이민자들은 일반 백인들보다 일자리 구할 가능성이 17.2배나 낮다고 한다(Bonelli, 2005b). 이러한 조건에서 학교를 나온 후 그들에게 주어지는 불규칙적인 노동생활, 불안정한 주거상황 등은 거리가 유일한 그들의 세계이고, 아파트 주변에 한데 모여 시간을 때우는 것이 이들의 전형적인 일상의 모습이게끔 만들었다. 기본적으로 일할, 쉴, 그리고 놀 공간을 갖지 못한 이들에게 거리라는 공간의 점유는 이 사회에서 자신들의 자리를 갖고 싶어하는 최소한의 욕구의 표현이다. 그것은 결코 남을 배척하는 공격적인 것이 아니다. 그런데 이 절실함, 이를 표현하는 외침들, 시끄러운 소리들로밖에 나타나지 못하는 이 정당한 목소리가 이웃의 백인 주민들에게는 떨쳐버려야 할 더러운 것, 위협적인 것으로 여겨졌다. 이들은 이렇게 주변 사람들에게 위험하고 불편한 존재들이 되었다. 이렇게 일상에서의 인종주의가 형성되었다.

이 밖에도 이들은 비백인의 외모를 가진 탓에 클럽에서 입장이 거부된다거나, 경찰에 의해 예비범죄자 취급을 받는 등의 차별을 받는다. 한 예를 들면 이민 2세들 중 어렵사리 새로 취업하게 된 사람들은 그것이 좋은 일자리가 아니라 하더라도 그간 누리지 못한 소비사회를 향유하고 싶어 어울리지 않는 고급차를 구매한다. 물론 대부분 중고차를 싼값으로 구입한 것인데, 경찰은 그것을 알면서도 이들이 고급차를 운전하면 장물로 의심하는 것이다. 일상에서의 인종주의의 주체는 이렇게 주류에 속한 일반 시민들이며 시끄러운 이주민이나 이주 배경 청소년들과 실랑이를 벌이는 창구의 직원이며 동네의 경찰들인 것이다.

프랑스의 통합모델이 위기에 처했다는 징표로 중요한 점은 인종주의적 차별이 일상생활이나 기업 등 사적영역에 국한된 것이 아니며, 일치와 평등을 주요 미덕으로 하는 공화주의 프랑스의 공적 영역에서도 영미권 만큼은 아니지만 광범위하게 존재해 왔다는 점이다. 2005년 교외지역 소요사태에서 거의 유일하게 자크 시라크와 니콜라 사르코지에 맞섰던 평등부 장관 아주즈 베각(A. Begag)이 입각 전 내무부에 제출한 보고서에 따르면 마그레브 출신 장교의 수는 300명 정도, 고위 공무원의 수는 10여 명에 불과했다(Begag, 2004: 23). 프랑스 경찰에도 백인만 있다. 몇몇 비백인의 존재 역시 인종차별이 없음을 보여주는 알리바이일 뿐이다. 이 소수 통합된 비백인의 존재는 소수의 비백인 연예계, 스포츠계 스타들의 존재처럼 차별로 통합에 어려움을 겪고 있는 대다수와 대조되고 다수를 저평가하고 문제집단화하는 역할을 할 뿐이다(Maschino, 2003). 교육에 있어서도 사실 그 동안에는 학교에서의 차별이나 소수민족의 낮은 학업성취도 문제에 대한 문제제기가 있었지만 이를 인종적 차원의 문제가 아니라 사회경제적 차이로만 설명해 왔다. 즉 소수민족이라서가 아니라 빈곤층 출신이라서 그런 것이라고 간주했던 것이다. 공화주의적이고 정교분리주의적인 프랑스의 학교에서 인종에 따른 차별은 있을 수 없는 것이라고 말해온 것이다. 그리고 이러한 인식, 즉 프랑스 사회학자 부르디외가 잘 지적했듯이 교육이 계층상승의 기능을 수행한다는 인식, "통합기능을 수행하는 학교"라는 이미지가 프랑스 통합모델에 대한 본격적인 논의를 가로막는 기능을 해 왔다(Bourdieu, 1970). 공적 영역에서 차별이 존재하는 것은 또한 많은 부분 공공기관 종사자들이 프랑스 공공정책이 금과옥조처럼 여기는 평등의 원리와 출신 종족에 따라 다르게 나타나는 주민의 다양한 상황을 조화시키는 데 어려움을 겪기 때문이기도 하다. 즉 사회경제적 차이, 문화적 특수성, 각 집단 고유의 다양한 요구들을 적절히 정책에 반영하는 데 구조적인 어려움을 겪는 것이다. 노동세계와 노동운동 역시 출신 종족에 따른 차이와 차별의 거론을 금기시해 왔다. 단지 프랑스인과 외국인 신분의 노동자 간의 차이와 차별만 논의해 왔던 것이다. 즉 이주 배경을 가진 프랑스 국적자들이 겪는 차별의 문제는 은폐되어 온 것이다. 차별의 존재를 은폐하게 되는 프랑스 통합모델의 구조는 결과적으로 차별을 낳는 기제로 기능하고 있으며, 이 공적 영역에서의 차별의 광범위한 존재는 프랑스식 통합원리가 제도적 차원에서 한계에 직면해 있음을 보여준다.

7. 게토화와 공화주의 모델의 위기

프랑스 이주민 통합모델, 즉 '공화주의의 위기'란 공화주의의 보편주의적인 미덕 대신에 현실에서의 인종적 불평등을 은폐하는 공화주의의 부정적 측면이 부각되고, 공화주의의 본질과는 대척점에 있는 영미식의 게토화가 심화되는 양상을 가리킨다. 프랑스가 표방하는 가치와 이념의 이중성도 지적해야 할 것이다. 프랑스는 1789년 혁명 이후 지금까지 '단일하고 분리될 수 없는 공화국'이라는 이념을 통해 보편주의적 통합정책을 추구해 왔다. 하지만 자유, 평등, 박애로 대표되는 개방적이고 관용적인 평등한 시민권을 전제로 하는 공화주의 이념은 오직 프랑스인의 것일 뿐 메트로폴리탄의 이주자와 식민지의 피식민지인에게는 동일하게 적용되지 않았다. '동화되기 어렵거나, 동화되려고 하지 않는 사람들' 또는 '인종적 특성으로 인해 동화될 수 있는 능력이 모자란 열등한 인종'은 공화국 시민으로서의 자격에 심각한 결함을 안고 있는 존재가 될 수밖에 없었기 때문에 프랑스 공화주의가 내세우는 동화주의는 차별과 배제의 원리가 되기도 하였다. 전통적인 프랑스 공화주의 원리에서 문화적, 종교적 정체성을 유지하려는 사회적 소수자인 유대인과 무슬림 이민자, 그리고 식민지 원주민은 '내부의 외국인'들로 간주되었다. 이렇게 프랑스 통합모델은 이중성, 위계적 성격의 위험성을 내포하고 있었던 것이다.

앞에서 살펴본 대로 프랑스 사회는 19세기 후반부터 주변국들과 비교해 인구증가율이 현저히 낮았다. 이러한 배경에서 제3공화국[12] 시

12 제3공화국은 1870년부터 1940년까지 존재한 공화주의 체제를 가리킨다. 이 체제는 프랑스 대혁명 이후 장기간 존속한 프랑스 최초의 근대적인 정치체제였다.

절에는 외국인 이주노동자가 노동시장의 필수불가결한 존재가 되었다. 그런데 바로 이 시기에 국민과 외국인의 시민적 지위의 격차는 오히려 확고해졌다. 당시 프랑스가 표방한 통합은 이민자를 공화국 시민으로 만드는 것을 추구하기보다 외국인을 차별하는 방식, 즉 이주민의 시민권을 제한하고 자국민과 분리하는 기능을 하였다. 더불어 귀화한 '프랑스인'들의 사회통합에 대한 국가의 별다른 정책은 존재하지 않았고 이들에 대한 차별이 사회문제로 제기되지도 않았다.

프랑스 공화주의 모델의 위기는 프랑스인들이 영미식 소수민족 통합모델을 비판하는 가장 중요한 근거인 게토화가 프랑스에서도 상당한 정도로 나타난다는 데서도 명백히 알 수 있다. 달리 말하자면 프랑스 통합모델의 위기는 적극적 통합 또는 동화라는 공식 담론과 다원주의 및 게토화라는 현실의 모순적 공존이라는 양상으로 나타나고 있는 것이다. 물론 이러한 경향은 한편으로는 게토화 현상이 이민정책의 성격과 거의 무관하게 이제 선진국에 일반적인 경향이 되었다는 전 지구적 맥락 속에서 설명되어야 한다. 사실 이민·인종문제에 대한 공화주의적 대응은 사회경제적 조건이 좋을 때에는 주류사회 편입의 효과적인 수단으로 작용한다. 19세기 이래 프랑스에 존재해 온 역사상의 공화주의는 의무교육, 보편선거 등 제도적 장치를 통해 동질화와 적극적 통합을 추구했고, 이를 통해 폴란드, 스페인, 포르투갈, 아르메니아 등 유럽 출신 이주민들은 어렵지 않게 사회경제적, 문화적으로 통합되었고, 이들에게 2세 문제는 심각한 사회문제로 제기되지 않았었다. 게다가 앞에

제3공화국은 교육, 정교분리, 노동자들의 집회 및 결사와 파업의 권리에 관한 법이 제정되는 등 강한 민주주의적 정체성으로 특징지어지는 시기였다.

서 비판적으로 언급한 공적 영역에서의 종족 및 인종 범주의 부재가 당시만 해도 게토화와 인종주의 세력의 발흥을 봉쇄하는데 기여했다고 평가된다. 왜냐하면 현재 프랑스의 극우파와 같은 인종주의 세력의 힘은 사회집단 간 관계에 대한 논의가 인종적 요인을 중심으로 전개될 때 가능해지는 것이다. 그러나 1980년대, 특히 1990년대 이후 프랑스의 현실은 이러한 공화주의적 통합의 장점을 얘기하기 힘든 모습이다.

물론 간과해서는 안되는 점은 프랑스에서의 게토화 현상이 프랑스 사회 내에서 매우 조심스럽게 얘기되는 만큼이나 실제 영미권과는 그 양상이 상당히 다르다는 점이다(Lévy & Zauberman, 1999). 첫째, 많은 교외지역이 한두 민족 출신자들에 의해 거의 독점되기보다는 십여 개의 민족이 공존하는 양상을 띠며, 거의 대부분의 경우 토착 프랑스인들이 주민의 다수를 이룬다. 둘째, 이주민들이 많이 거주하는 이 외곽지역이 미국의 경우처럼 국가와 지자체에 의해 방치되어 있지는 않으며, 셋째, 결과적으로 특정 소수민족의 비율이 높은 게토화 양상을 띠기는 해도 그 원인이 소수민족의 집중 때문이기보다는 빈곤지역 거주로 인한 지위하락을 피하기 위한 백인 중산층의 이주에 크게 기인하기 때문이다. 즉 프랑스의 게토화는 영미사회와 비교해볼 때 종족적이기보다는 계급적 현상이다. 프랑스의 게토화는 토착 프랑스인들 사이에서도 나타나는 서로 다른 계층 간의 공존 기피의 산물인 측면이 큰 것이다. 이데올로기적인 면에서도 이주민 사회의 재이슬람화 열기에도 불구하고 여전히 문화적 동화와 사회경제적 편입을 위한 개인적 시도가 문제해결의 주된 방식인 것이다(Sayad, 1999). 종합해 보면 대도시 교외지역은 주민의 민족적 구성이나 이데올로기적인 면에서나 여전히 다원적이라고 볼 수 있다.

자료 2-1: 게토

미국의 게토(Ghetto), 프랑스의 방리유(banlieue, 대도시 교외지역), 이탈리아의 꾸아띠에리 뻬리페리시(quartieri periferici, 주변지역), 스웨덴의 프로블레몸로드(problemområde, 우범지역), 브라질의 파벨라(favela), 아르헨티나의 빌라 미제리아(villa miseria, 비참한 동네), 베네수엘라의 란초(rancho). 이 용어들은 도시에 거주하는 주변인들의 상황을 보다 명확히 인식하기 위한 도구들이다. 한 국가에 존재하는 위계서열의 맨 아래에 위치해 있는 낙인찍힌 지역, 상황이 악화되고 있는 지역을 가리키는 것이다. 이러한 용어로 지칭되는 지역은 언론과 정부의 지대한 관심을 받게 된다. 그런데 이 관심은 과도하게 부정적인 함의를 내포하고 있는 경우가 대부분이다. 이 지역들은 지역 내부와 외부에서 '법이 존재하지 않는 곳', '접근이 금지된 동네', '원시적인 동네'로, 그리고 위험하고 피해야 할 약탈의 공간, 폭력, 악, 사회해체의 온상으로 인식된다. 외부에서 부여하는 이러한 부정적인 이미지가 전혀 근거 없는 것은 아니지만 이러한 낙인이 현실을 낙인에 더욱 부합하게 만드는 효과도 적지 않다. 주로 언론에 의해 유포되는 이러한 부정적인 이미지는 또한 해당 지역의 다양한 상황을 반영하지 않는 지극히 단순한 성격을 띤다(Wacquant, 2007: 5).

게토에 대한 바캉의 저서는 바로 이러한 언론이나 소위 '전문가'들의 현실과 동떨어진(exotic) 인식을 극복하고자 미국과 프랑스의 해당 지역들에 대한 경험적인 연구를 바탕으로 쓰여진 것이다. 이러한 작업을 통해 그는 도시의 한계지역들이 모두 같은 모습을 하고 있는 것은 아니며, 피상적으로 보면 이해할 수 없는 이 지역의 현실이 이 지역이 속한 특정 사회의 특정 시기에 존재하는 계급관계, 국가, 공간구조 등을 고려해 살펴보면 전혀 놀라울 것이 없다는 점을 입증한다. 이러한 새로운 접근방식은 물론 기존의 단순한 표상과 달리 매우 복합적이고 지역에 따라 차별화된 이미지를 도출하는 역할을 하는 것이기도 하다(Ibid.: 5-6).

바캉은 20세기 중반에 존재한 공동체적 게토(ghetto communautaire)에서 20세기 말 등장하는 초게토(hyperghetto)로의 이행 현상에 대해서도 설명한다. 전자는 특히 미국의 경우에 전형적으로 나타나는데 계층적으로 다양한 흑인들이 견고한 공동체를 형성하고 그 내부에 다양한 기관들이 발달하는 특징을 지녔다. 이와 달리 후자는 게토에 속하는 사람들 간의 결속력이 약하고 인종적으로뿐만이 아니라 계급적으로도 주류사회로부터의 격리가 심한 양상을 보였다. 이러한 극단적인 고립과 배제 현상은 흑인집단이 한편으로는 노동시장으로부터, 다른 한편으로는 복지국가로부터 이중적으로 소외됨에 따라 생겨난 현상이다. 그리고 이렇게 시장과 국가가 퇴각한 뒤 그 자리를 메운 것은 바로 게토 곳곳을 통제하는 경찰기구와 사법체계였다(Ibid.: 7).

3장
정치적 산물로서의 이민문제

3장

정치적 산물로서의 이민문제[1]

이 장에서 우리는 2005년 10월, 11월에 걸쳐 일어났던 프랑스 대도시 교외지역 폭력사태의 전개과정과 대선에서 이민문제가 다루어지는 방식을 검토함으로써 이민문제의 정치화 양상을 확인하고자 한다. 여기에서 '이민문제의 정치화'란 현실의 핵심적인 문제들을 은폐하는 수단으로 이민문제가 이용되는 것, 그리고 정치화의 주된 양상인 '치안 담론'(security discourse) 부상에 이주민들이 희생양으로 이용되는 양상을 가리킨다.

1. 프랑스 대도시 교외지역 소요사태

2005년 당시 세계를 놀라게 했던 프랑스 소요사태는 독일 등 이웃

1 이 장의 1, 2, 3절은 엄한진(2007)의 일부 내용을 수정한 것임.

나라로 확산될 것이라는 당시의 일반적인 예상과 달리 3주 간의 홍역을 치른 후 빠르게 수습되었고 외부의 관심도 잦아들었다. 이렇게 미국의 카트리나 사태[2]에 이어 또 한 번 세계에 대한 우리의 무지를 부끄럽게 하였고 우리의 이주노동자 문제를 진지하게 생각하게 했던 잠깐의 경험도 지나갔다.[3] 그러나 어쩌면 우리로 하여금 프랑스를 다시 보게 한 소란했던 1막은 2005년 11월 8일 시라크 대통령에 의한 비상사태 선포와 함께 막이 오른 조용한 2막의 전주곡 또는 알리바이였는지 모른다. '공화국'과 '치안'이라는 이름의 2막은 이제 관객들이 떠난 후에 보다 근본적인 차원에서 프랑스 사회의 새로운 모습을 그려갈 것이다. "공공질서의 회복이 무엇보다도 중요하다. 질서 회복에는 시간이 걸릴 것이다. 오랜 노력을 필요로 한다"(『Le Monde』 2005년 11월 9일자)는 대통령의 말처럼 이 과정은 장기간에 걸쳐 심도 있게 프랑스 사회를 변화시켜 갈 것이다. 아래에서는 "프랑스 소요사태는 어떻게 가능했는가?"라는 질문을 제기하며 이에 대해 국가의 전략과 이주민 사회운동의 동학 속에서 그 답을 찾아본다.

이런 식의 물음은 프랑스 소요사태의 발생이 일반적으로 생각하는

2 2005년 8월 29일, 초대형 허리케인 카트리나로 미국 루이지애나 주 뉴올리언스는 완전히 초토화되어 이재민 110만 명, 확인된 사망 · 실종자만 2,500명에 이르고 1000억이 넘는 재산피해를 가져온 미국 역사상 최악의 자연 재해였다.

3 2005년 8월과 11월에 발생한 미국의 카트리나 사태와 후술할 프랑스의 소요사태는 두 사회에 대한 한국인들의 인식이 지닌 한계를 드러내주는 역할을 하였다. 그간 한국인들은 이 두 나라가 여러 면에서 앞서 있고 합리적이지만 그와 동시에 자본주의 사회임을 간과하고 있었다. 그리고 다민족사회라는 조건에서 자본주의의 모순이 인종적으로 표현됨을 잊고 있었다. 프랑스나 미국의 주류사회가 던져준 단일하고 잘 통합된 이미지에 만족하고 있었던 것이다.

것과 달리 극에 달한 프랑스 이민문제의 당연한 귀결이거나 이민집단이 주도한 적극적인 집합행동의 산물이 아니라 사회적으로 '구성'된 것이라는 시각을 내포하고 있다. 먼저 프랑스 소요사태의 전개과정을 되짚어 보면서 필자의 이러한 견해가 무엇에서 비롯된 것인지 살펴보자.

2005년 프랑스 교외지역 소요 사태의 발단은 2005년 10월 27일 경찰의 검문을 피해 달아나던 세 명의 청소년들이 잠시 피신해 있던 변압기 설치구역에서 감전사고를 당했고 그중 15살, 17살 두 명이 목숨을 잃은 사건이었다. 이 사건을 계기로 2005년 10월 말에서 11월 중순까지 3주간 지속된 소요사태는 3명 사망[4], 10,000대 가량의 차량파손, 4,700여 명의 구금, 400여 명의 실형 구형[5](『Le Monde』 2005년 11월 17일자)이라는 수치와 함께 1968년 혁명 이래 프랑스에서 발생한 가장 심각한 양상의 집합행동으로 기록되었다.

그러나 소요사태의 시발점이 된 사망사건 자체만을 보면 1980년대 프랑스에 이민문제, 특히 이민 2세, 3세의 통합문제가 제기된 이래 지속적으로 있어 온 유형의 사건이었다. 프랑스 이민문제의 핵심이 아랍계 이민 후예들의 통합문제라는 점에서 볼 때 10대 후반에서 20대 초반에 이르는 아랍계 청년들이 갈등의 중심에 선 것도 그리 놀라운 것은 아니었다. 이 청소년 또는 청년들은 고국에 있는 또래들이 이슬람주의와 팔레스타인 인티파다(Intifada)의 주역이듯이 유럽의 이민문제와 이주민 사회운동의 주역들인 것이다. 너무 익숙한 문제가 익숙한 양상으로 표출

4 이 사태의 발단이 된 소년 2명의 죽음 이외에 시위과정에서 1명의 희생자가 추가로 발생했다.

5 공식집계는 경찰 126명 부상, 2,888명 체포, 8,973대 차량방화였다.

이었기 때문에 사태 발생 초기만 하더라도 프랑스인들은 외부세계의 반응과 달리 그리 놀라지 않았다. 당시 소요가 일어난 지역들의 비참한 현실은 익히 알려져 온 사실이었고, 우리에겐 낯선 차량방화 역시 프랑스에서는 평상시에도 하루 평균 수십 건이 보고되는 일상적인 현상이었다.

외부세계에 이 사태를 알린 심각한 차량방화 현상은 이주 배경 청소년 사망사건에 대한 정부의 모욕적인 언사, 즉 위로부터의 자극 이후에 등장한 것이었다. 그리고 한 번 폭발한 자연발생적인 분노는 다른 경우와 달리 쉽게 사그라지지 않았고 다른 지역으로 확산되어 갔다. 여기에서 우리가 주목해야 할 점은 이 어려운 국면에서도 폭력의 악순환을 막으려는, 폭력으로 인해 돌이킬 수 없는 억압의 빌미를 정치인들과 그들의 백인 지지자들에게 제공하지 않고 합리적인 문제 해결의 좁은 길을 놓치지 않으려는 이주 배경 프랑스인들의 침묵시위(2005년 11월 5일)와 놀라우리만큼 침착한 시위현장에서의 대응방식이다.

그러나 사태를 완화시키려는 이주민들의 노력에도 불구하고, '질서회복'만을 반복하는 무성의한 시라크 대통령의 발언이나 드 빌팽 수상의 뜬 구름 잡는 대책으로 인해 폭력적인 양상이 더 심해졌다. 이 기간 동안 이 문제를 가장 직접적으로 관장하고 있던 사르코지 내무장관은 두 소년의 사망사건에 경찰이 책임이 없다거나 청소년들의 폭력이 자연발생적이거나 감정적인 것이 아니라 치밀하게 조직된 범죄라는 등 자극적인 발언을 계속했다. 그리고 드디어 그들이 부추긴 폭력 상황을 근거로 '국가비상사태' 선포라는, 비백인들에 대한 '인종전쟁'의 선전포고를 하였다. 1955년, 즉 식민지 시대에 있었던 알제리 전쟁(1954-1962) 상황에서 생겨난 예외적인 법적 장치인 이 조치에 따르면 야간 통행금지를 실시할 수 있고, 검문, 가택연금, 집회제한, 가택수색 등을 매우 용이하게 할 수 있으며 언론통제도 가능하다(『Le Monde』 2005년 11월 8일자).

부나(Bouna)와 지에드(Zyed)라는 이름의 두 청년이 겪은 황당한 죽음에 대한 분노는 사건 다음날인 10월 28일 사르코지 장관의 발언으로 인해 증폭되었다. 사고 지역을 방문한 자리에서 그는 다음과 같이 사건을 설명했다. "몇 명의 청년들이 절도를 시도하던 중에 마침 경찰이 현장에 도착했고 청년들은 뛰어 도망가기 시작했다. 이들 중 경찰에 쫓기지 않았던 세 명이 변압기를 둘러싸고 있던 3미터 높이의 담을 넘어 도주하였고 이들 중 두 명이 감전되어 사망하였다." 이렇게 사르코지는 절도라는 범죄를 시도하였던 청년의 책임을 강조했다. 게다가 이 절도의 시도는 명백한 것이 아니었다. 사르코지는 이후 절도가 아니라 공사장 창고를 훼손했다고 다른 설명을 제시한다. 그는 또 다른 보다 명백한 거짓말을 하였는데, 그의 말과 달리 당시 세 명의 청년은 경찰의 추격을 받아 도주하고 있었던 것이다. 이런 식으로 그는 경찰의 책임을 부정했다. 10월 30일에는 다시 한 번 경찰에 책임이 없음을 강조하고 역으로 당시 확산되고 있던 분노한 주민들의 저항에 대해 폭력에 대해 조금도 관용을 베풀지 않겠다는 '불관용' 방침을 천명한다(Mauger, 2006: 29-30).

이러한 정부의 대응방식에 대해 당시 『르몽드』는 드 빌팽 총리나 사르코지 장관이 '그들'과 '우리'를 명확하게 구분하는 식으로 대응했다고 평가했다. 즉 불량배, 범죄자, 쓰레기(racaille)가 '그들'이며, 정직한 시민들이 '우리'라는 것이다. 또한 당시 경찰의 강경한 대응은 빈곤하고 이주민의 비율이 높은 교외지역을 자기들끼리의 연대의식으로 묶인

'그들'로부터 다시 되찾기 위한 것이라고 당시 상황을 설명했다는 것이다(『Le Monde』 2005년 11월 1일자). 이러한 정부의 태도에 대해 좌파 신문 『리베라시옹』은 교외지역의 빈곤문제나 치안문제를 해결하는데 별 성과가 없었던 정부가 일부 주민이 그곳의 문제를 야기하고 심화시키는 역할을 한다는 점을 강조하기 위해 두 청년의 죽음에 대해 무리한 해석과 대응방안을 내놓았다고 평가하였다(『Libération』 2005년 10월 31일자, Mauger(2006: 30-31에서 재인용)).

예상보다 빨리 수습되었지만 이 사건은 이민문제에 대한 논의에서 인종이 계급이나 지역과 같은 전통적인 요인과 경합을 벌이게 되고 다문화주의, 상호문화주의, 문화간 대화 등의 담론이 이주민 통합모델에서 공화주의가 차지하고 있던 헤게모니를 약화시키는 식의 변화를 초래했다. 이 사건의 또 다른 결과는 위로부터 부추겨진 폭력은 이제 이를 빌미로 한 강력한 통제에 자리를 물려준 것이다. 그리고 억압과 침묵의 시간이 이제 전과자들이 된 낙후된 교외지역 빈민층의 청년들을 기다리고 있었다.

2. 프랑스 소요사태에 대한 일반적 인식

1980년대 초반, 경찰과 아랍계 청년들 간의 대결양상이 이어져 왔다. 같은 시대 한국에서는 학생과 노동자들이 같은 민족이자 또래인 경찰에 맞섰다면, 프랑스에서는 소수민족 청년들이 대부분 백인 청년으로 구성된 경찰과의 대결에 내몰렸던 것이다. 상당부분 이주민이거나 이주 배경을 가진 주민들이 많이 거주하는 대도시 교외지역의 거리에서는 항상 경찰과 청소년들 사이에 사소한 마찰이 있었다. 특히 마약밀매나 테러에 대한 대응을 명분으로 신분증 제시를 요구하면서 시작되는 폭력과 사망사건이 지속적으로 있어 왔다. 2005년 사건에서도 다른 경우에서처럼 사건 직후 분노한 친지들과 동네 청년들이 경찰과 대치하는 장면이 연출되었다. 그리고 장례식이 거행되었다. 아래에서 살펴볼 이 사건에 특유한 양상이 아니었으면 여느 때처럼 이 비극적인 사건은 남아 있는 사람들의 가슴속에 기억되고 집합행동의 자원으로 되살려질 뿐이었을 것이다.

그렇다면 왜 이 사건은 과거와 다른 특별한 양상을 띠게 되었는가? 사실 외부세계에서 이 소요사태에 대해 언급했던 내용들은 대부분 상당기간 지속되어 온 요인들이며 그것은 빈곤과 배제, 인종주의, 그리고 게토화로 요약될 수 있을 것이다. 1980년대 이래 장기불황과 포스트포드주의로의 이행이 대량실업과 비정규직화, 즉 빈곤과 배제를 낳았고 특히 소수민족집단이 여성과 함께 큰 타격을 받았던 것이다. 비유럽계 이주민 사회는 30%에 달하는 실업률과 취업전쟁, 제자리를 맴도는 비정규직의 경험, 그리고 교육, 주택, 의료, 문화 등 모든 영역에서의 차별을 겪어 왔다. 이민문제가 사회적으로 부상하던 시기 이민 출신자들이 많이 거주하는 낙후된 동네 또는 교육취약지구(quartiers prioritaires)의 고용상황을 보여주는 〈표 3-1〉은 이민문제의 사회경제적 배경을 잘 보여준다. 1990년에 실시된 인구센서스[6] 결과에 근거해 작성된 이

6 INSEE, 1992, *INSEE Premire: Recencement de la population de 1990*, No.234, décembre 1992.

표에서 우리는 경제활동참가율에서는 프랑스인 전체의 비율과 교육취약지구 거주자의 비율에 큰 차이가 없지만 실업률의 경우에는 약 2배가량 취약지구에서 높게 나타남을 알 수 있다. 또한 프랑스 전반에 걸쳐 특히 청년실업률이 높지만 취약지구에서는 이 수치가 더 높게 나타나 이민문제의 핵심이라고 할 수 있는 이민 2세, 3세 청년들의 상황을 짐작할 수 있다.

표 3-1. 교육취약지구(quartiers prioritaires)의 고용현황

(%)

	낙후지역 (quartiers prioritaires)	프랑스 본토 전체 (France métropolitaine)
경제활동참가율	57.7	55.3
여성(15–54세)	56.4	58.8
남성(20–24세)	71.2	67.6
여성(20–24세)	62.7	59.9
실업률	19.7	10.8
남성(20–24세)	24.1	14.8
여성(20–24세)	34.0	25.3
2년 이상 실업 경험자	30.7	28.2
거주 지역(commune) 근무자	55.4	47.7

출처: Jean Menanteau, 1994, *Les banlieues*, Le Monde Editions, Marabout: 112.

1999년의 경우에도 이러한 양상은 지속되었다. 먼저 성별로는 남성 이주민(19.7%)이나 여성이주민(23.1%) 모두 남성 전체(10.2%)나 여성 전체(13.6%)에 비해 공히 9.5% 만큼 높은 실업률을 보였다. 그런데 이 20%대의 실업률은 그 자체로도 프랑스 국적자보다 어려운 고용상황을 보여주지만 이민집단 내의 출신지역별 격차를 고려하면 문제는 더

더욱 심각하다. 즉 유럽연합에 속한 국가(당시 12개국) 출신 이민자들은 남녀를 불문하고 프랑스 전체 실업률을 밑도는 반면 알제리, 모로코, 그리고 사하라 이남 아프리카 출신자들의 실업률은 큰 차이 없이 남성은 30%, 여성은 40% 안팎의 비율을 보였다(INSEE, 1999). 이러한 객관적 사실을 통해 우리는 프랑스 이민문제 자체도 심각하지만 이 이민문제가 무엇보다도 아프리카 출신자들의 문제임을 알 수 있다. 그리고 이 중에서도 프랑스와 역사적으로 특별한 관계를 가지고 있고 수적으로도 많은 알제리, 튀니지, 모로코 등 북아프리카 출신 이주민들이 이민문제의 중심에 있는 것이다.

이주민 집단, 특히 비유럽 출신 이주민들의 현실은 소요사태 직후의 국가비상사태 선포와 함께 제시한 대책에서도 그 일단을 엿볼 수 있다. 대책은 무엇보다도 이 사태의 진원지였던 낙후된 지역들에 집중되었고 주요 내용은 기업 유치에 유리한 환경의 조성, 인턴 기회 확대, 연수 등을 통한 이 지역 청년들의 취업 지원, 경찰병력 증원, 지역의 민간단체에 대한 보조금 증액, 대다수의 주민들이 사는 노후한 아파트의 리모델링 지원, '교육취약지구(*Zone d'éducation prioritaire, ZEP*)'의 교원 및 교육보조인력 확충, 장학금 증액(『Le Monde』 2005년 11월 8일자) 등이었다.

물론 오래된 현상이라 하더라도 비참한 현실을 더 이상 버티기가 어려웠을 수도 있다. 실제 이들에게 암흑기였던 1990년대를 거치면서 1980년대 꿈꾸었던 주류사회에의 편입과 공존의 희망은 약해져만 갔고, 2000년대 경기회복이 이들에게 더 많은 일자리를 주었지만, 그것은 비정규직의 양산이었고 역설적이게도 노동시장에서 더 눈에 띄게 된 이들의 존재로 인해 직장에서의 차별만 강화되었다(Beaud & Pialoux, 2001: 1; 18–19). 이런 식으로 그간 유일한 대안이었던 고용증대마저 더 이상 희망으로 여겨지지 않게 되었다. 그렇다고는 해도 이들의 경제적 조건이 최근 몇 년간 급속히 악화되었고 그래서 이번 사태가 촉발되었다고 말하는 것은 너무 손쉬운 설명이다. 거꾸로 호황기에 나타나는 사회운동의 분출로 이 사태를 해석하는 것도 이번에 나타난 저항운동이 조직적인 사회운동이라기보다는 자연발생적인 집합행동이고 희망보다는 절망의 표현이라는 점에서 설득력이 떨어진다.

3. 국가의 작품으로서의 이민문제[7]

우리는 "왜 프랑스에서?" 또는 "왜 지금, 그리고 이렇게 예상치 못한 양상으로?"라는 의문의 답을 당시 정권의 극단적인 대응방식에서, 그리고 이것을 가능하게 했던 백인 주류사회와 그들을 대변하는 기성 정치인들의 사고에서 찾을 수 있다. 소요사태 자체만큼이나 그에 대한 프랑스 정부의 대응도 정말로 의아한 것이었다. 사건 발발 초기의 상황

7 공교롭게도 소요사태와 비슷한 시기에 발생한 '마호메트 만평사태'(이 책의 보론2 참조) 역시 사실 별것 아닌 것이 위로부터 매우 심각한 사안으로 만들어진, 국가의 작품이었던 게 사실이다. 다만 이 장에서 다루는 소요사태와 달랐던 점은 그 주역이 이슬람세계의 정권들이었다는 사실이다. 당시 사태의 전개과정을 되짚어 보면 이슬람권 국가들의 정부 차원의 노력이 만평 문제가 본격화되는데 핵심적인 역할을 하였고 당시 대중들은 국가로부터 주어진 해석과 논리에 따라 국가의 조장이나 방조아래 행동하였다는 사실을 알 수 있다. 당시 아랍정권들의 전략은 유럽과 이슬람이라는 두 세계 간의 대립을 만들어 민족주의적인 정서를 동원하여 내부 결속을 다지는 것이었다(엄한진, 2006: 109–111).

으로 돌아가 이 점을 밝혀 보자. 먼저 “폭력에 대해 조금의 관용도 없을 것이다”라는 내무장관 사르코지의 ‘불관용(Zero Tolerance)’ 선언은 두 청소년의 장례식이 치러진 다음 날(2005년 10월 30일), 별다른 폭력사태가 없었던 상황에서 나온 것이었다. 소요사태의 계기가 되었던 사망사건 며칠 전에도 당시 유력한 차기 대선 후보였던 그는 이주 배경 청소년들을 ‘쓰레기(racaille)’라고 불렀다(『Le Monde』 2005년 10월 30일자). 그리고 경찰은 추모인파가 모인 이슬람사원에 최루탄을 쏘며 이에 화답했다. 시라크 대통령 역시 침묵으로 사르코지를 지원했고 며칠이 지난 후에야 나온 그의 첫 발언은 사망사건에 대한 진상규명과 근본적인 문제해결이 아니라 질서회복을 천명하는 것이었다.[8]

1) 반이민정서와 인종주의의 일반화

우리는 사르코지 내무장관만이 예외적으로 과격한 인물이 아님을 알아야 한다. 인종차별적이고 권위주의적인 사르코지의 행동은 이 사태 이전부터 대다수의 좌·우파 국회의원, 그리고 수상 및 대통령 모두의 지지를 받아왔다. 더 나아가 그의 인종차별적 폭언은 여론의 지지로 가능한 것이었다. 극우파 지도자 장 마리 르팽(J.-M. Le Pen)의 경우도

8 2005년 프랑스 소요사태 직후 한국의 TV에는 시라크 대통령의 국가비상사태 선포 이후 처음으로 야간 미성년자 통행금지를 실시한 지방 도시 랭스의 아무도 다니지 않는 거리에 서서 특파원이 전쟁 분위기를 한껏 풍겼다. 참고로 그가 서 있던 랭시는 원래 이주민들과 관련된 갈등이 없었고 프랑스인들의 일상생활 패턴에 따라 미성년자뿐 아니라 성인들도 야간에 거리에 나오는 일이 거의 없는 조용한 시골 소도시였다.

그렇듯이 프랑스 국민들이(여기에는 심지어 주류 백인뿐 아니라 일부 아랍 출신 프랑스인들까지 포함됨) 사르코지와 현 정치인들을 실수로 선택한 것이 아님을 잊지 말아야 한다. 그리고 정부의 호전적인 대응이 가능했던 것은 적반하장 격으로 실업과 주거문제의 가장 심각한 피해자인 이들을 도리어 실업문제의 원인으로, 주거조건 악화의 주범으로 낙인찍어 온, 그리고 프랑스의 강력한 동화정책으로 또는 프랑스에서 태어나 프랑스가 모국인 이들을 이질적인 '무슬림'으로만 보려하는 주류 백인 사회의 암묵적 지지가 있었기 때문이다.[9]

그 예로 사태가 수습된 직후인 11월 중순 여론조사기관 『입소스』(Ipsos)와 유력 일간지 『르 뿌앙』(Le Point)이 공동조사한 정치인 월간 지지도 조사의 결과는 프랑스 국민들의 정서가 어떤 것인지를, 그리고 정치인들이 이 정서를 제대로 파악하고 행동했음을 보여준다. 사르코지 내무장관은 11% 상승한 68%의 지지도를 기록해 이 사태의 가장 큰 수혜자였고, 그 다음으로 이 사태의 또 다른 주역이었던 드 빌팽 수상이 7%, 시라크가 6% 상승하였다(『Le Monde』 2005년 11월 17일자). 즉 프랑

9 이민문제에 대한 최근 프랑스인들의 부정적인 인식의 한 배경에는 사회인구학적 요인이 있다. 2000년에서 2050년 사이에 현재 인구를 유지하기 위해 필요한 이민의 수를 보면 프랑스는 550만 명, 즉 한 해에 11만 명의 신규 유입이 필요하다. 그래도 이것은 2,520만 명, 즉 해마다 50만 명의 새로운 이민이 필요한 독일이나 1,960만 명, 즉 한 해에 40만 명의 신규 유입을 필요로 하는 이탈리아보다는 크게 적은 숫자이다. 이 차이는 물론 다른 두 나라에 비해 월등히 높은 프랑스의 출산율에서 기인한다(Weil, 2005: 25). 이러한 상황은 19세기 말 유럽에서 유독 프랑스만이 겪었던 인구정체 문제를 해결하기 위해 이민자들을 적극적으로 받아들였던 시절과 극단적인 대조를 이루는 것이다. 여기에서 우리는 1990년대 중반부터 내전과 경제적 어려움을 겪고 있던 동유럽으로부터 오는 정치망명자나 전쟁난민들을 대거 받아들인 '관용적인' 독일과 이민자들에 강경한 태도를 보이고 있는 프랑스의 차이를 설명해 주는 사회인구학적 배경을 볼 수 있다.

스 국민의 다수가 자극적인 언사와 강경대응으로 이 사태를 악화시킨 사르코지의 행동에 적극적인 지지는 아니더라도 최소한 거부감을 갖지는 않았다고 볼 수 있다. 정당별로 보면 이 사태는 우파와 극우파에 이득을 안겨 주었고, 사회당은 강경책을 기다리고 있었던 국민의 정서를 헤아리지 못한 대응방식으로 인해 지지를 잃었다. 이 조사에서 사르코지와 드 빌팽은 우파지지자들뿐 아니라 사회당 지지자들의 40%의 지지, 특히 사르코지는 르팽 지지자들의 90%의 지지도 함께 얻은 것으로 나타났다. 그리고 사르코지의 차기 대선 승리 가능성은 10% 오른 61%로 조사되어 이 조사가 시행된 2003년 이래 최고치를 기록했다. 그리고 반드시 이민문제가 결정적으로 작용한 것은 아닐지라도 2007년 프랑스 대선 결과[10]는 2002년 이래 무엇보다도 강경한 이민정책과 치안정책으로 대중에게 각인된 사르코지에 대한 프랑스 국민의 지지가 여전함을 보여주었다. 결과적으로 보면 2005년 대도시 교외지역 사태는 소요가 발생했던 지역들이 겪고 있던 극심한 경제위기의 표현이었지만, 그와 동시에 2007년 대선 19개월 전에, 그리고 대선의 유력후보가 그 중심에 있었던 정치적 사건이기도 했던 것이다.

10 2007년 4월 22일에 있었던 프랑스 대선 1차 투표는 83.78%(2002년 71.6%)의 높은 투표율을 기록한 가운데 니콜라 사르코지(Nicolas Sarkozy) 31.18%, 세고렌 루아얄(Ségolène Royal) 25.87%, 프랑수아 베이루(François Bayrou) 18.57%, 장 마리 르팽(Jean-Marie Le Pen) 10.44%의 득표율을 보여 사르코지와 루아얄이 같은 해 5월 6일 치러진 결선투표에 올랐다. 그리고 그 결과는 53.1%의 득표율을 보인 사르코지의 승리였다.

2) 소수민족의 범죄인화

치안문제가 강조되는 사회분위기에 가장 큰 영향을 받았던 것은 2005년 가을 소요사태가 일어난 대도시 변두리 낙후지역, 그리고 이 지역의 소수민족 계열 청년들이었다. 1990년대 말부터 이미 대도시 교외지역은 검문과 경찰폭력이 상시적으로 일어나는 특별감시 대상지역이었고, 소요사태 이전에도 교외지역 주민들에 대한 특별한 조치가 있어 왔다. 이러한 과정을 거치면서 이제 전체 사회가 경험하고 있던 구조변동의 최대 피해자로서 사회적, 물리적 위험에 그 어느 지역보다도 노출되어 온 "위험지역"이 사회에 해악을 끼치는 "위험한 지역"으로, "위험집단(*populations en danger*)"이 "위험한 집단(*populations dangereuses*, dangerous group)"으로 바뀌게 된 것이다(Lévy & Zauberman, 1999).

물론 일반적으로 생각하듯이 대도시 교외지역의 치안문제가 심각하고 외국인 범죄율이 높다는 점을 부정할 수는 없다. 1997년의 경우 전체 인구의 6%를 차지하는 외국인의 범죄가 전체 범죄의 18%를 차지했다. 그러나 이 세 배의 수치에는 외국인만을 대상으로 하는 법률의 위반이 큰 비율을 차지한 데 따른 것으로 일반범죄의 경우 외국인 범죄자의 비율은 프랑스 국적자의 2배 정도일 뿐이었다. 게다가 효율성만을 내세워 외국인이나 소수민족 출신자들에 검문검색을 치중하는 경찰의 관행을 고려하면 범죄를 저지르는 정도가 민족별로 크게 차이가 나는 것은 아니다(Ibid.).[11] 그런데도 이주민들을 치안문제의 주범으로 인

---

11 외국인의 범죄와 관련된 논의, 특히 범죄 통계는 상당한 주의를 요하기 때문에 이에 관해서는 관련된 다양한 측면을 소개하고 있는 아래의 〈자료 3-1〉로 대신

식하게 된 것은 이들이 거주하는 지역에서 나타나는 긴장상황 때문이었다. 즉 1990년대 이후 표면화된 이민집단을 둘러싼 갈등은 위에서 언급한 게토화를 배경으로 한 것이다. 그 양상을 보면 민족에 따라 공간적으로 구분되는 게토화가 진전되는 가운데, 백인 중산층 대 비백인 빈민, 상대적으로 안정적인 지위에 있는 장년층과 상황이 어려운 청년층 사이에 갈등이 촉발되고, 주민들이 경찰 개입을 요구하게 되고, 이에 대해 특히 비백인 청년들의 항의가 이어지게 된다. 그리고 바로 이러한 과정에서 생겨나는 인종갈등 상황이 이민문제의 정치도구화를 정당화하는 근거로 동원되는 것이다.

한편 프랑스의 경우 북아프리카 아랍인이나 아랍계 프랑스인들이 소위 '위험한 집단'(dangerous group)의 전형인데[12] 정치권과 주류사회에서 이들을 보는 두 주요 개념은 테러리즘과 배타적인 공동체주의(communitarianism)이다. 이는 아랍 출신자, 이슬람, 정치적 이슬람, 국제테러리즘을 동일시하는 것을 의미한다. 1990년대 이후, 특히 프랑스 치안정책의 주요 대상인 이슬람과 이슬람 공동체의 경우를 보면, 기존

하고자 한다.

12 마그레브인들을 범죄인화하는 최근의 경향은 1974년 노동이민의 원칙적 금지 조치 이후 도입된 추방정책에서 그 전사를 찾을 수 있다. 지스카르 데스탱이 대통령으로 있던 1970년대 말 당시 유럽에서는 유일하게 프랑스는 자진귀국, 그리고 그것이 여의치 않을 때는 강제출국 조치를 단행하게 된다. 주된 표적은 북아프리카 출신, 그중에서도 알제리인들이었다. 도(département)마다 일정한 수의 쿼터를 두어 반드시 그 수만큼 체류연장을 거부한다든가, 6개월 이상 실업에 처하거나 휴가 후 직장 복귀가 늦어진 경우 체류증을 회수하는 등 추방을 목적으로 한 강경한 조치들이 취해지게 된다. 이런 식으로 국가는 한 해에 10만 명 정도의 외국인을 강제출국시키려는 목표를 세웠다. 그리고 그 대부분을 알제리, 튀니지, 모로코 등 북아프리카 출신자들로 채우려 했다(Weil, 2005: 16).

에도 국가는 이슬람 단체들에 주목하였지만 이란혁명과 중동분쟁, 특히 1991년 알제리에서 발발한 정부군과 이슬람 반군 간의 내전 이후 새로운 양상을 띠게 된다. 즉 이슬람 신자들, 그중에서도 이슬람주의 세력에 치안활동을 집중시켰다. 그리고 1995년 파리 지하철 테러사건과 2001년 9·11테러는 이러한 경향을 지지해 주는 보증수표 역할을 하게 된다. 이는 북아일랜드 문제, 바스크 문제 등 심각한 국내문제 때문에 극히 최근에야, 특히 9·11테러 이후에야 이슬람에 집중하게 된 영국, 스페인 등 주변국의 사정과 다른 것이다. 이와는 다른 맥락에서 보넬리(Bonelli, 2005)는 아랍계에 집중된, 그리고 과도한 방식으로 행해지는 불심검문 등의 형태로 일상적인 감시와 통제가 심화된 또 다른 배경을 제시한다. 즉 현재 세계가 주력하는 대테러전쟁이 얼굴이 없고, 사회적, 지리적 기반이 없는 적을 대상으로 설정함으로써, 결과적으로 일상적인 감시가 늘고, 검문이나 범죄사건의 혐의자 선택과정도 외적 특징, 그중에서도 인종적인 측면에 의존하는 정도가 커지게 되었다는 것이다.

이러한 치안문제의 부상 속에서, 열악한 조건의 대도시 교외지역은 아직까지도 소비사회의 주요 상징인 승용차를 대상으로 하는 차량 방화나 지역 청년들과 경찰의 충돌을 통해서만 국민들의 관심을 끌게 된다. 주로 10대와 20대가 저지르는 절도나 절도 미수, 부적절한 언행, 기물 훼손, 불심검문 거부 등과 같은 '작은 범죄' 또는 경범죄가 이민문제의 핵심이다. 한편 작은 범죄(*délinquence*)의 경우 프랑스에서의 발생 건수가 유사한 규모의 인구를 가진 주변국들보다 높다. 다만 2000년대 들어 국가의 단속과 처벌이 강화됨에 따라 그 수가 줄어드는 경향을 보였다. 〈표 3-2〉는 무기를 소지하거나 또는 소지하지 않은 절도 발생 건수를 국가 및 연고별로 비교한 것이다. 물론 이 통계 역시 〈자료 3-1〉에서 언급하는 다양한 측면을 고려하면서 신중하게 해석되어야만 한다.

표 3-2. 유럽 국가들의 절도 발생건수 (건수)

국가	2012년	2014년
독일	48,711	45,475
프랑스	123,814	114,093
영국	68,028	52,795
이탈리아	62,641	58,345

출처: Eurostat

그런데 이주민들의 작은 범죄에 대한 심판의 핵심은 이주민이라는 존재 자체에 대한 심판이며, 이 심판에서 범죄 자체는 부차적으로만 중요하다. 국가도 이들의 구체적인 현실에 대한 적극적인 개입이 아니라 소수민족의 존재 자체를 문제시하는 작은 범죄 위주의 접근을 선호한다[13]. 소수민족 당사자들도 적극적인 저항이 어려운 상황에서 체계적인 사회운동이 아니라 작은 범죄를 통한 저항을 선택한다(Sayad, 1999). 이러한 양상이 이주민과 주류사회 간에 존재하는 갈등 해결을 구조적으로 어렵게 하는 것이다.

13 바캉(L. Wacquant)은 미국에서 시작되어 전세계에 확산된 똘레랑스 제로 독트린을 다루면서 미국의 흑인이나 프랑스의 아프리카 출신 이민과 같은 빈민에 대한 다음과 같은 인식이 '빈곤 처벌'의 근거가 되었음을 보여주었다. "보이는 것만으로도 방해가 되고, 공공장소에서 소란은 물론, 사건사고를 일으킴으로써 항상 뭔가 불안하고, 불편하고, 불쾌하고, 짜증나게 만드는 빈민."(바캉, 2010: 50)

자료 3-1: 이민과 범죄: 우리가 아는 것, 안다고 믿는 것

우리는 체포되고 선고를 받고 수감된 외국 국적자의 수는 알고 있다. 대신에 프랑스 국적을 취득한 이주민들의 범죄에 대한 정보는 가지고 있지 않다. 이러한 맥락에서 최근 프랑스의 공영방송 프랑스 두(*France 2*)는 이민과 범죄, 특히 청소년들이 저지르는 일상의 작은 범죄(*délinquence*) 간의 관계에 대한 논의의 장을 마련하였다. 사실 어떤 공식 통계나 연구도 이 문제에 대해 명확한 정보를 제공하고 있지 않았다.

사실 오래되었다. 일반적으로 이민과 범죄 간에 어떤 밀접한 관계가 있다고 생각하는 점에 관한 논의는 예전에도 있었다. 그런데 이번에는 많은 의문점을 가지고 있는 이 양자 간의 관계를 깨트리는 한 다큐멘터리가 논의를 촉발시켰다. 2014년 11월 25일 '프랑스 두'에 방영된 "이민과 범죄: 불편한 조사"(크리스토프 니, 질 캬이에트, 존 폴 르페르 제작)는 프랑스 여러 도시들을 대상으로 해당 도시의 이주민의 비율과 범죄율 간의 상관관계를 비교하였다. 이 영상물에 따르면 "이주민들의 공식적인 범죄율이 높은 것이 반드시 실제 범죄를 저지르는 비율이 높다는 것을 의미하지는 않는다". 그리고 다음과 같은 결론을 내린다. "이민과 범죄 간에는 경제적, 문화적 관계가 없으며 통계적인 관계도 아마 존재하지 않을 것이다. 그러므로 "이주민들은 다른 프랑스인들보다 더 많이 범죄를 저지르지도, 더 적게 저지르지도 않는다고 말할 수 있다." 일부 전문가들은 이 다큐멘터리에서 사용한 방법이 적절했는지에 대해 의문을 제기하였다. 그러나 무엇보다도 반발을 가져온 것은 "범죄 앞에서 우리는 모두 평등하다"와 같은 성선설에 가까운 결론이었다. 이 영상이 방영된 이후 이 결론을 반박하기 위한 수많은 사실 확인이 시도되었다.

범죄에 관한 공식적인 수치들은 이민과 범죄의 관계에 대해 무엇을 말해 주

는가? 별것 없다. 민족에 따른 통계가 금지되어 있는 프랑스에서 경찰은 단지 피의자의 국적에 관한 정보만 수집한다. 토박이인지 또는 다른 국가 출신 이주민 또는 이주민의 후예인지에 대해서는 고려하지 않는다. 2013년의 경우 외국 여권 소지자가 출입국이나 체류에 관한 법률 위반을 포함해 범죄행위로 인해 기소된 684,136명 중 20.2%에 해당하는 138,427명이었다. 외국인의 비율은 2008년 15%에서 매년 조금씩 증가했다.

표 3-3. 국적에 따른 기소자의 분포

기소자의 수	2008	2009	2010	2011	2012	2013
전체	715,491	729,470	716,946	711,480	687,735	684,136
프랑스 국적자	608,198	614,733	599,061	583,925	560,071	545,709
외국 국적자	107,293	114,737	117,885	127,555	127,664	138,427
외국인의 비율(%)	15.0	15.7	16.4	17.9	18.6	20.2

출처: état 4001 annuel, DCPJ

그런데 위의 통계는 신중하게 해석되어야 한다. 한 해에 여러 번 기소된 사람도 있는데 특히 외국인의 경우 이런 사례가 많다. 또한 기소된 사람들이 반드시 범죄자인 것은 아니다. 이것도 역시 외국인의 경우 더 흔한 현상이다. 2009년 국립과학연구소의 한 연구에 따르면 흑인이나 북아프리카 출신자의 경우 파리에서 검문을 당할 가능성이 3–15% 더 높다고 한다. 법무부의 2012년 연감을 보면, 유죄 선고를 받은 피의자 중 외국인의 비율이 13.3%로 전체 인구에서 차지하는 비율보다 높은 것으로 나타났다.

표 3-4. 유죄 선고를 받은 사람들의 특성 (2012년)

	수	%	
전체	617,221	100.0	
남성	556,143	90.1	
여성	61,078	9.9	
미성년자	51,029	8.3	
성인	566,192	91.7	100.0
18-19세	56,798	9.2	10.0
20-24세	125,866	20.4	22.2
25-39세	227,225	36.8	40.1
40세 이상	156,303	25.3	27.6
국적이 확인된 사람	601,583	97.5	100.0
프랑스 국적자	521,339	84.5	86.7
외국 국적자	80,244	13.0	13.3
국적이 확인되지 않았거나 무국적자	15,638	2.5	

이 통계의 경우에도 외국인은 일반적인 범죄보다 무면허 운전, 불법체류 상태에서의 노동, 무임승차 등 경범죄나 외국인에게 국한된 체류 관련 법 위반으로 형을 선고받는 경우가 많다. 통계청(INSEE)의 통계에서도 유사한 양상을 확인할 수 있다. 2012년의 경우 유죄판결을 받은 사람들 중 프랑스 국적자는 2.3%만이 5년 이상의 징역형을 선고받았는데 외국 국적자의 경우에는 이 비율이 2.7%로 조금 높았다.

이번에는 프랑스의 수감시설에서 외국인 수용자의 비율에 관한 두 가지 통계를 살펴보자. 2014년 7월 1일 기준으로 전체 수감자 중 외국인의 비율은 19%였다. 2010년에는 그 수치가 17.4%였고 1993년에는 무려 30.8%에 이르렀다. 사정 당국에 따르면, 1990년대부터 외국인 수감자의 비율이 줄어든 주된 이유는 출입국 및 체류와 관련된 법률 위반에 대한 처벌에서 징역형이 사라졌기 때문이다.

표 3-5. 국적에 따른 프랑스 교도소 수감자의 분포 (매년 1월 1일 기준)

연도	프랑스 국적자	외국 국적자	전체	외국 국적자의 비율(%)
1992	35,071	15,044	50,115	30.0
1993	34,835	15,507	50,342	30.8
1994	36,630	15,921	52,551	30.3
1995	38,573	15,362	53,935	28.5
1996	39,388	15,674	55,062	28.5
1997	39,149	15,120	54,269	27.9
1998	40,288	13,557	53,845	25.2
1999	40,436	12,525	52,961	23.6
2000	39,914	11,527	51,441	22.4
2001	37,603	10,234	47,837	21.4
2002	38,087	10,507	48,594	21.6
2003	43,489	11,918	55,407	21.5
2004	46,123	13,123	59,246	22.2
2005	46,455	12,742	59,197	21.5
2006	47,331	12,191	59,522	20.5
2007	48,498	11,905	60,403	19.7
2008	51,766	12,237	64,003	19.1
2009	54,146	12,032	66,178	18.2
2010	54,349	11,740	66,089	17.8
2011	55,023	11,943	66,966	17.8
2012	60,807	12,973	73,780	17.6
2013	62,977	13,821	76,798	18.0
2014	63,315	14,568	77,883	18.7

출처: Statistique trimestrielle des personnes écrouées (DAO/PMJ5)

20.2%, 13.3%, 19% 등 위에서 언급한 외국인의 비율은 전체 인구에서 외국인이 차지하는 비율에 비해 상당히 높다. 그러나 현실은 더 복잡하다. 프랑스 통계청

은 원칙적으로 외국인 중 합법적으로 체류하고 있는 사람들만 프랑스 사회에 관한 통계에 포함시키는데 범죄에 가담하는 사람들은 불법 신분의 경우가 적지 않다. 범죄 분야 통계 전문가인 시릴 리즈크(C. Rizk)는 이에 대해 다음과 같이 얘기한다. "예를 들어 성매매 조직에 연루된 사람들은 많은 경우 프랑스에 불법으로 체류하고 있다. 이들에 대해서는 통계청이 고려하지 않는다." "절도의 경우 역시 프랑스 거주민이 아니라 거처가 불분명한 사람이나 초국적 범죄조직에 의한 범죄가 많다. 이들은 통계에 포함되지 않는다. 보이지 않는 것이다."

이러한 수치의 문제 외에도 공식통계가 단지 국적 정보만을 제공한다는 것이 문제점이기도 하다. 따라서 프랑스 국적을 취득한 이주민 등 광의의 의미에서의 이주민에 대한 어떤 정보도 찾을 수 없다. 또한 이주민의 자녀들에 대한 정보 역시 제공되지 않는다. (중략)

출처: Gendron, G. et J. Deborde, "Immigration et délinquance: ce que l'on sait, ce que l'on croit savoir", 『Libération』 2014년 12월 12일자

3) 이분법적 표상을 통한 억압적 이민정책

이주민 집단을 잠재적인 범죄인으로 만들어 통제하는 데 있어서 핵심 기제 중 하나는 이분법적 표상이다. 합법적으로 입국한 이민자들도 이민유형에 따라 난민인지 노동이민인지, 고급인력인지 단순인력인지 등으로 차등대우하고, 노동자로 오는 '좋은 이민'과 누구의 배우자 등 피부양자로 오는 '나쁜 이민'을 구분하는 것에는 바로 이민집단의 통제 및 이민문제의 정치적 이용이라는 전략이 담겨 있는 것이다. 무슬림 이주민의 경우 이 이분법적 표상은 '온건한 이슬람' 대 '근본주의적 이슬람', '모범집단'과 '문제집단'이라는 구분의 양상을 띠고 있다.[14] 현재 프랑스 사회에서 '통합'이라는 개념이 지니는 의미는 "어서 우리에게 와서 함께 하자", "인종차별은 바로 고립된 당신들 스스로에 책임이 있다"는 식의 함의를 지닌다. 그리고 이러한 논리를 뒷받침하는 장치들 중의 하나가 이민자들을 모범집단과 문제집단으로 구분하는 것이다. 예를 들어 세계적인 축구스타 지네딘 지단(G. Zidane) 등 학문, 스포츠, 사업, 예술 등에서 성공한 아랍인 대 건달 또는 테러리스트로 구분한다. 이 소수의 스타들은 이들을 제외한 북아프리카 아랍계 대다수를

---

14 그러나 대표적인 마그레브 이민문제 연구자 조슬린 세자리(J. Cesari)에 따르면, 프랑스 이슬람은 이러한 주류사회의 인식과 달리 다음 세 가지가 보다 현실에 맞는 표상이다. ① 개인적인 또는 전통문화 차원의 조용한 '민중 이슬람'(*islam populaire*), ② 세속화된 이슬람, 세속적으로 해석된 이슬람, ③ 정체성 재구성 차원에서 동원된 전통적인 이슬람, 즉 재이슬람화 차원의 이슬람이 그것이다. ①의 형태는 주로 기성세대, ②, ③은 주로 2세들의 경우에 해당한다. 그 중에서도 2세들에게 이슬람은 대부분 ②의 형태이며 프랑스의 경우 세 번째 유형, 즉 '근본주의적 이슬람'이라는 표상의 근거가 되는 형태는 1990년대 이후에 나타난 현상이다(Cesari, 1995: 35-36).

모자란 존재로, 특히 이슬람주의자 내지 테러리스트로 낙인찍는 데 효과적인 대조집단의 역할을 수행한다(엄한진, 2006b: 42). 즉 이민문제가 안전문제와 결부되는 상황에서 이 소수의 선택받은 자들을 부각시키는 것이 안전 담론의 핵심적인 장치가 되는 것이다. 특히 1989년 최초의 히잡 사건 이후 "(통합에) 성공한 아랍인"이라는 전형, 그리고 이 전형을 토대로 한 논의가 부상하였다. 그리고 이러한 이분법은 정체성 논의와 연결되었다. 즉 이민집단에 대한 논의가 아랍적 정체성을 가진 이주민 대 온전한 프랑스인과 같은 정체성 문제로 변질된 것이다.

이와 함께 최근 프랑스 이민정책의 기조를 보여주는 또 다른 예로는 '선택된 이민' 중심의 이민정책, 즉 자발적으로 선택한 이민에서 선택된 이민, 기획 이민으로의 전환을 들 수 있다. 이는 한편으로는 능력을 기준으로 하는 이민정책으로 전환하여 보다 노골적으로 자국에 유용한 이민을 추구하는 것이고, 다른 한편으로는 대량이민 시대에 이민에 대한 통제력을 확보하려는 것이다. '선택된 이민' 대 '주어진 이민'(*immigration choisie ou subie*)이라는 이분법 뒤에는 이민을 질적, 양적인 면에서 조절하려는 국가의 의지가 깔려 있는 것이다. 이러한 차원의 구체적인 방안으로 제시된 것으로 사기결혼 대응책, 쿼터제 도입, 고급인력 위주의 외국인인력 정책 등이 있다. 그리고 외국인력 수급에 있어서 고급인력과 단순인력에 대해 차등적으로 대응하는 이원적인 정책을 도입했다.

4. 대선과 이민

1) 국가와 이민

위의 사례에서 볼 수 있듯이 국가와 정치가들이 이민문제에 그토록 큰 관심을 가지는 원인은 무엇일까? 정치적인 도구로 활용하기 좋다는 점 등 여러 설명이 가능하겠지만 보다 근본적인 측면에서 보면 근대가 탄생시킨 민족국가(국민국가)의 속성에서 그 배경을 찾을 수 있다. 민족은 소속감을 공유하는 사람들의 집단으로 공통의 역사, 언어, 종교, 문화 등이 그 토대가 된다. 한 민족의 구성원들은 다른 민족의 구성원들과의 관계보다 그들 사이에 훨씬 더 빈번한 접촉을 하게 되고 대부분 같은 지역에 함께 산다(Smith, 1991: 43). 국가도 특정 지역에 사는 사람들이 지켜야 하는 법과 규칙들에 토대를 둔 것이다. 그런데 근대 민주주의 국가에서 이 법과 규칙, 그리고 행정의 권한은 민중에게서 나온다. 따라서 국가에 정당성을 부여하는 것은 민중이다. 이렇게 민족과 국가 양자 모두에서 동일한 민중이 핵심주체이기 때문에 근대의 민족과 국가 두 개념 사이에는 구조적 연관성이 존재하고 대부분의 나라에서 이 두 개념은 일반적으로 동의어로 쓰여 온 것이다. 그래서 '민족국가'(Nation-State)라는 개념이 자연스럽게 받아들여진 것이다.

한편, 근대민족은 원칙적으로 정치적인 성격을 띤 것이어서 군주로부터의 해방과 시민으로서의 주권의식 등 그 이념을 받아들이는 외국인들도 기꺼이 받아들였다. 근대민족은 보편적 성격을 지닌 것이어서 구성원의 출신지를 묻지 않는다. 그런데 이 근대의 조국이 위기에 봉착할 때 외국인은 잠재적인 적이 되고 억압적인 법의 대상이 된다. 여기에서 또 다른 전통이 형성된다. 그것이 바로 민족주의이고 이렇게 탄생한 민족주의는 외국인혐오증을 주된 요소의 하나로 삼게 된다. 이 이중적인 경험은 매우 중요하다. 원칙적으로 '(근대)민족'은 시민들 간의 종족적, 종교적 차이를 고려하지 않는다. 그러나 현실에서 민족은 잠재적으로 위협적인 비민족으로 정의된 외국인에 대한 거부를 통해 견고해지는 것이다(Blanc-Chaléard, 2001: 6). 이러한 측면에서 소수민족이 겪는 문제는 보편주의적인 근대국가의 이상과 그렇지 않은 현실 사이에 존재하는 모순이 빚어낸 것이다(Entzinger, 2005). 이와 같이 외국인혐오증은 근대국가의 필수 구성요소이다. 한국인들의 외국인혐오증 역시 종족적 특수성만큼이나 강한 근대국가의 존재, 한국의 경우 전형적으로 나타나는 민족국가(국민국가)의 존재 때문이라고 해석할 수 있다.

이민문제는 국가문제와 분리불가능하다. 그것은 이민 현상, 이민집단이 근대 국민국가의 경계선에 위치하여 국민국가의 경계, 정의, 구성요소를 가장 잘 드러내 주는 현상이기 때문이다. 마찬가지로 이민 출신자에 대한 인종차별은 근대 국민국가가 영토, 국민과 비국민의 구분, 그에 기초한 차별 없이는 존재할 수 없다는 점에서 근대국가에 내재한 속성이라고 할 수 있다. 정치사회학적인 면에서 이민은 무엇보다도 국민 속에 있는 비국민의 존재인 것이다. 그런데 공화주의 성격이 강한 국가, 즉 완전히 동질적인 국가와 국민을 추구하는 나라에서 이 근대국가의 속성은 가장 명백하게 존재한다. 프랑스는 그 전형이다.

2) 대선에서의 이민

이민을 받아들인 역사가 길고 이민자의 수가 많은 선진국의 경우 이민문제는 선거에서 중요한 사안으로 다루어지는 경향이 있다. 난민 수용이나 불법체류자 대책과 같이 직접적으로 이민과 연관된 사안뿐 아니라 치안, 안보, 고용, 종교 등 이민과의 연관성에 대해 의견이 엇갈리는 사안까지 선거에 영향을 미친다. 전통적으로 선거에서 중요한 역할을 하는 민족주의 담론에 있어서도 종족적 타자로서의 이민에 관한 내용은 매우 유용한 자원으로 동원된다. 이러한 이민과 선거의 관계는 특히 대통령 선거에서 두드러진다. 이는 이민 현상이 이민 송출국과의 국가 대 국가 간 관계, 출입국, 통합 등 국가의 법이나 중앙 정부의 정책 등 전국적인 차원이 중요한 사안이라는 점과 연관성이 있을 것이다. 전국 차원의 이슈 못지않게 지역 차원의 이슈가 중요한 역할을 하는 국회의원 선거나 지방선거보다 이민 관련 이슈가 투표에 더 큰 영향을 미칠 수 있는 것이다. 초강대국이자 세계의 경찰인 미국의 대선에서는 냉전 시대 소련이나 탈냉전 시대의 이슬람 세력과 같은 외부의 악의 세력과의 투쟁과 함께 국내의 유색인 이민집단 관련 이슈가 주요 선거 이슈 중 하나로 부각되어 왔다. 한국의 경우에도 최근 들어 북한이나 일본, 중국과 같은 외부의 타자만이 아니라 국내 거주 외국인까지 선거에 활용되는 양상이 나타나고 있다. 대선과 이민의 관계에 대한 논의는 정치와 이민, 국가와 이민, 민족 및 민족주의와 이민 등의 주제와 연관성을 가지는 구체적인 영역이라고 할 수 있다. 이민은 경제적인 현상일 뿐 아니라 정치, 사회, 문화 등 사회의 제반 영역과 연관성을 가지는 현상이다. 정치적 차원에 국한해 볼 때 이민 집단의 존재는 근대 이후 국민국가, 민족주의, 인종주의를 유지시키는 주요 기제로 작용했다. 이민 집단은 정치적으로 의미 있는 대표적인 '타자'로서 지금까지도 정치와 선거에서 중요한 역할을 하고 있다.

대선에서 이민이 다루어지는 방식은 우선 당시 이민 현상의 양상을 반영한다. 이주민의 자녀가 학교 교육에 적응하지 못할 때는 이들을 위한 대책이 선거공약에 포함되고 불법체류자가 양산되는 상황에서는 이에 대한 대책을 놓고 논란이 벌어진다. 그러나 대선에서의 이민 이슈가 단순히 현실을 반영하기만 하는 것은 아니다. 현실에서는 그리 중요하지 않은 사안이 크게 부각될 수 있고 심지어 사실이 왜곡되기도 한다. 외국인 범죄와 그로 인한 치안문제, 외국인 노동자의 존재와 해당 국가의 실업문제의 연관성 등의 주제들이 특히 대선에서 실제와 다르게 또는 크게 부풀려 논의되곤 하는 것이다. 이런 측면에서 선거는 이민문제의 정치화가 진행되는 대표적인 계기가 된다.

미국의 경우 일반적으로 정치학자들은 대선에서는 주 차원의 요인보다 전국 차원의 요인이 중요하게 작용한다고 여겨진다(Powell, 2004). 그리고 이민 이슈는 유력한 전국적인 차원의 이슈 중 하나인 것이다. 다른 견해도 있다. 미국의 경우 대선에서 이민문제는 주로 공화당에 의해 선거 전략에 동원되는데 전국적인 수준에서보다는 주 수준에서 더 효과적인 선거의 수단이 되는 경향이 있다는 것이다. 특히 멕시코와의 국경을 맞대고 있는 주들에서 중요한 역할을 한다.[15] 유사한 맥락에

15 http://www.france-amerique.com/articles/2012/05/03, 2015년 1월 28일 검색

서 대선 후보들은 선거의 판도에 큰 영향을 미치는 특정 주에서의 지지율을 올리는 것이 중요할 수 있으며 이를 위해 전당대회 장소나 부통령의 선택 등의 측면에서 이민 관련 요인을 반영한다는 연구결과도 있다(Ibid.).

특히 단기적으로 이민 이슈는 자민족중심주의와 연계되어 선거에 큰 영향을 미칠 수 있다. 캠과 킨더에 따르면 2008년 미국 대선의 경우, 당시 공화당 후보였던 존 맥케인과 민주당 후보였던 버락 오바마 중 한 사람을 선택해야 하는 상황에서 전통적인 요인인 특정 정당에의 소속감, 정책 선호, 경제 상황 이외에 자민족중심주의가 중요한 요인으로 작용했다. 달리 말해 세계를 내집단과 외집단, 우리와 그들로 나누는 깊이 뿌리박혀 있는 심리적 경향이 후보자 선택에 영향을 미쳤던 것이다. 자민족중심주의의 효과는 강했고 심지어 앞서 언급한 전통적인 요인보다 더 중요한 역할을 했다는 것이다. 직전 네 번의 대선에서보다 이 요인이 중요하게 작용했던 원인으로 이들은 오바마의 두 가지 측면, 즉 그의 인종과 그가 무슬림일 것이라는 잘못된 추정을 거론했다(Kam and Kinder, 2012).

한편 이민 이슈가 선거에 미치는 영향은 시기별로 차이가 있다. 영국의 경우에는 1970년 총선이 유색인종 이민에 관한 논의가 선거에 큰 영향을 미친 대표적인 사례였다. 직전 선거였던 1964년과 1966년 총선에서는 이민 이슈가 투표에 의미 있는 영향을 미치지 않았던 것과 대조적이었다(Studlar, 1978). 프랑스에서도 1980년대 초반까지 이민문제는 대선이나 총선의 주요 의제가 아니었다. 1983년 지방선거 당시 국민전선이 드뢰(Dreux) 지역에서 최초로 기초단체장을 배출한 이후 1986년 총선이 다가오는 시기에 이민문제가 선거 이슈로 등장한 것이다(Barats, 1999: 51).

이러한 맥락에서 계급, 이념, 종교 등 투표에 영향을 미치는 전통적인 요인의 비중이 줄어들고 선거 국면에서 제기되는 이슈를 중심으로 한 '이슈 투표(issue voting)'의 중요성이 커지고 있다는 전망이 제시되었다(Dow, 1995: 306). 그리고 적어도 미국이나 프랑스에서는 이민 관련 이슈가 이러한 '이슈 투표'의 대표적인 사례가 되었다. 경제정책이나 사회적인 이슈에 대한 입장에 있어서 좌파와 우파, 또는 진보와 보수 간의 차이가 희석된 것이 민족주의 성향이 강한 우파 정당이나 극우 정당이 이민문제를 선거 논의의 중심으로 끌어들이게 된 주된 배경 중 하나였다. 물론 이러한 새로운 경향이 전통적인 경향을 압도하는 것은 아니었다. 여전히 경제정책, 복지정책 등에 대한 이념적인 차이가 중요하고 종교에 따른 투표도 여전히 강력하다. 이러한 새로운 유형의 '이슈'가 지닌 영향력이 제한적인 이유 중 하나는 예를 들어 이민 이슈의 경우 그 이슈가 모든 정당의 지지자들에게 영향을 미치는 것이 아니라 극우 정당 등 특정 정당 지지자들에게만 중요하게 작용하고 따라서 모든 후보자들을 포함시키면 이러한 비전통적인 이슈의 중요성은 크게 떨어지는 측면도 있는 것이다. 즉 모든 후보자들에게 해당되는 이념, 계급, 종교성이 여전히 후보자 선택의 가장 중요한 변수가 된다는 것이다(Lewis-Beck and Mitchell, 1993). 이런 점에서 극우 정당과 같이 이민문제에 대해 입장을 달리하는 정당이 존재하지 않는 한국의 경우 이민 이슈의 영향력이 상당 기간 제한적일 수 있다고 예상할 수 있다. 실제 아직까지는 국제이주민과 이에 관한 정치적 대응에 부정적인 입장이 제도권 정당에 반영되지 않고 시민사회에만 산발적으로 존재할 뿐이다.

'의구심에 대한 합의'는 선거에서 이민이라는 주제를 중요하게 만드는 주요 기제 중 하나이다. 그리고 이러한 합의는 특정 사회적 맥락의 산물이다. 크리스틴 바라는 '이민'이라는 주제가 정치적, 법적인 장에서 다루어지는 방식 중 하나로 '의구심에 대한 합의'를 제시했다. 그가 사례로 들고 있는 프랑스의 경우 이러한 이민문제의 구성, 즉 이민이라는 주제와 관련된 지배적인 믿음과 이미지의 형성은 1974년 7월 새로운 외국인 노동자의 입국을 금지한다는 정책의 귀결이었다. 그렇다면 어떻게 외국인들, 특히 비유럽 이주민들은 의심을 받는 존재가 되었는가? '의구심에 대한 합의'는 이민 현상을 (사회) '문제'로 간주하는 사고와 밀접히 연관되어 있다. 이러한 부정적인 사회적 합의의 부상은 이민 현상을 사회적으로 가시적이고 민감하게 만들며 이민이라는 용어를 통해 지목하는 이주노동자, 이민, 불법 이민자, 미등록노동자에 낙인을 찍는 데 기여하게 된다. 프랑스의 경우 이주민들을 의심스러운 존재로 간주하는 부정적인 사회적 합의는 1980년대부터 만들어지기 시작했다(Barats, 1999: 43-44). 그리고 이러한 사회적 합의는 전통적인 정치적, 이념적 차이를 초월하는 경향이 있다. 파트릭 베이는 1984년에 좌우를 초월해 이민문제에 대한 합의가 형성되었다고 평가한다. 그것은 프랑스로의 이민을 적정한 수준에서 통제하고 합법적인 이주민들은 프랑스 사회에 지속적으로 통합될 수 있게 하자는 것이었다(Weil, 1991).

3) 미국과 프랑스의 사례

미국의 경우 이민정책은 대통령 선거 때마다 공화당과 민주당에 대한 표심을 가르는 최대 쟁점으로 작용해왔다. 최근에는 불법체류 청소년들을 구제하는 '드림법안'(DREAM Act)이나 애리조나 주의 '이민단속법'(Senate Bill, 1070)이 보수진영과 진보진영 사이에 격렬한 논쟁을 불러일으켰다(김수경, 2015: 78). 지난 몇 차례의 대선의 사례를 통해 미국 대선에서 이민문제가 활용되는 방식을 살펴보자. 먼저 2000년 대선과 달리 조지 W. 부시 후보가 약 350만 표 차이로 여유 있게 승리를 거둔 2004년 대선에서도 이민 출신 유권자는 위력을 발휘했다. 부시가 민주당의 존 케리 후보보다 더 얻은 350만 표는 크게 두 집단으로부터 나온 것이었다. 하나는 도덕 이슈에 경도된 기독교 근본주의자들이고 다른 하나는 바로 라티노 유권자들이었다(『미주중앙일보』 2007년 3월 12일자). 그런데 이러한 평가는 신중하게 받아들여야 한다. 당시 부시가 기존 라티노 유권자들의 공화당 대선 후보 지지율을 크게 웃도는 44%의 지지를 받았다고 알려졌지만 실제로는 36% 정도에 그쳤다는 점이 뒤늦게 밝혀졌다. 따라서 보다 정확하게 얘기하자면 2004년 대선에서 부시 재선의 일등공신은 이전보다 다소 늘어난 라티노의 지지율이 아니라 경합주가 다수 분포되어 있는 중서부에 많이 거주하고 있으며 라티노들도 상당수 포함하고 있는 보수적인 복음주의 세력의 압도적인 부시 지지였다(김진웅, 2013). 2008년 미국 대선의 주요 이슈로는 증세안을 둘러싼 조세논쟁, 이라크에서의 미군철수 문제 등 외교정책, 의료보험 개혁안 등이 논의되었다.[16] 이와 함께 미국의 이민 정책과 대선 후보들의 불법이민문제 대처 방안도 중요한 이슈였다. 특히 오바마는 불법체류자를 구제하는 이민개혁안을 공약으로 내세워 라티노 유권자들의 몰표를 받았다. 동성결혼, 낙태와 함께 이민이 진보 대 보수의 이념적인 대결이 부각된 2012년 미국 대선에서 중요한 이슈로 작용하였다. 이민정책에서는 특히 1,300만 명으로 추산되고 있는 불법체류자들을 구제하는 이민개혁안 추진이 중요한 이슈였다. 2008년 대선에서처럼 불법체류자를 그대로 놔둘지 또는 합법적인 신분을 부여할 지가 쟁점이었다(『중앙일보』 2012년 10월 31일자).

2016년 대선에서도 경제 살리기와 함께 이민개혁이 뜨거운 쟁점으로 부상한 바 있다. 불법 체류자 문제와 라티노 유권자들의 표심 등이 이민 관련 주요 쟁점이 되었다(『데일리한국』 2015년 1월 2일자). 당시 언론의 주목을 받고 있던 공화당의 대선 주자 도널드 트럼프는 멕시코인 비하 발언 등 자극적인 언사와 함께 이민에 대한 부정적인 입장으로 관심을 끌었다. 예를 들어 그는 전문성 있는 외국인 노동자들을 유치하기 위한 H-1B 비자를 비판하였다. 그는 "미국 기업들이 이 제도를 이용해 외국인 노동자를 고용하고 그들에게 낮은 임금을 지급한다"며 "H-1B 비자를 선호하는 이들 때문에 실리콘밸리에는 흑인과 히스패닉, 여성 근로자만 증가할 것"이라고 말했다. 그러면서 외국인보다 내국인 고용을 강조하였다(『이데일리』 2015년 8월 19일자). 당시 민주당 대선 후보였던 버니 샌더스 역시 트럼프 못지않은 돌풍을 일으키고 있었다. 미국

16 http://korean.seoul.usembassy.gov/sp_062308a.html, 주한 미국 대사관 홈페이지. 2015년 1월 28일 검색

대선에서 스스로 사회주의자임을 밝히는 초유의 모습을 보여주었던 그는 '기업 지배 국가'로 변한 미국의 현실을 비판하는 등 진보적 의제를 부각시켰다. 트럼프와는 달리 그의 선거 공약이나 대선 행보에 있어서 이민인종 문제가 특별한 위상을 가지고 있지는 않았지만 소수자 문제의 한 부분으로 고려되었다.[17]

대선에서 이민자들의 표가 가지는 중요성도 관심거리인데 미국에서는 특히 히스패닉의 역할이 주목을 받아왔다. 2016년 대선에서도 최근 유권자 수가 더욱 늘어난 히스패닉이 중요한 역할을 하였다. 미국 언론들에 따르면 전통적으로 백인 및 공화당의 '아성'이었던 네바다콜로라도버지니아플로리다 주에서 히스패닉 유권자 수가 급증하면서 대선 지도가 변하고 있다. 오바마 대통령이 두 번의 대선 과정에서 백악관에 입성할 수 있었던 것도 이들 4개 주의 히스패닉 유권자들로부터 전폭적 지지가 있었기에 가능했다는 것이다(『연합뉴스』 2015년 5월 12일자). 2015년 8월에는 공화당의 유력한 대선주자로 꼽히던 젭 부시 전 플로리다 주지사이자 조지 W. 부시 전 대통령의 동생이 "워싱턴을 뜯어고치겠다"며 2016년 대선 출마를 공식으로 선언했는데 그에게도 이민은 중요한 주제였다. 부인이 멕시코 출신이며 그래서 본인도 스페인어에 능하였고 이민개혁을 통해 불법이민자에게 합법적 신분을 부여하는 데 적극적이어서 대선 승부의 향배를 좌우할 라티노 유권자들의 지지가 기대되었다(『연합뉴스』 2015년 6월 16일). 그러나 결과는 라티노 유권자들이 65% 대 29%로 민주당 후보인 클린턴을 압도적으로 지지함으

17 http://live.media.daum.net/issue/sanders, 2015년 1월 28일 검색

로써 전통적인 투표성향을 재확인해주었다. 즉 자신들이 지지한 후보를 당선시키지는 못했지만 상당한 영향력을 행사했던 것이다.

자료 3-2: 미국 라티노의 경험

19세기 중반 미국-스페인 전쟁 이전까지 미국 서부 대부분은 멕시코의 영토였다. 스페인인들이 영국인보다 먼저 점령해 수백 년 간 살아왔기 때문이다. 그러다가 미국이 전쟁에서 승리하면서 서서히 미국의 영토가 되기 시작한 것이다. 그렇다고 해도 심지어 2001년에 발생한 9 · 11테러 이전까지만 해도 엘 파소 등 국경지대를 통해 멕시코인들은 미국을 자유롭게 드나들 수 있었다. 낮에 일하러 미국에 왔다가 밤이 되면 다시 멕시코의 거주지로 돌아가곤 했다. 게다가 과거 멕시코 영토였다가 미국의 영토가 된 광대한 지역에 사는 사람들은 그곳이 수백 년 동안 살아온 자신의 고향인데 미국의 영토가 되면서 '라티노'라 불리는 2등 국민이 되었다. 수적으로 보면 라티노는 최근 자유왕래가 어려워지면서 미국으로 이주해 간 사람들보다 자신들의 조상이 대대로 살던 고향에 살고 있는 사람들이 더 많은 것이다. 그러다가 9 · 11테러 이후 미국 정부는 국경을 통해 테러리스트들이 들어와 미국인들을 위협한다는 식의 담론을 확산시키면서 국경지대에 담을 쌓기 시작했다. 그리고 이렇게 막힌 국경으로 멕시코 또는 다른 라틴 아메리카 출신 이주민들이 미국으로 불법적인 방법으로 이주했던 것이다. 즉 국경에 장벽이 생기면서, 자유왕래가 어려워지면서 영구이주가 필요했고 많은 경우 불법이주의 형태를 띠게 된 것이다. 그 결과 현재 1,000만 이상의 라티노 불법체류자, 이 중 500만 명이 아동으로 구성된 불법체류자들이 생겨난 것이다. 즉 다른 나라들과 마찬가지로 미국의 불법체류자 현상도 위로부터, 제도를 통해 만들어진 측면이 크다.

그런데 점차 미국에서, 특히 과거 멕시코 영토였던 지역에서 라티노의 비중이 커지고 있다. 예를 들어 캘리포니아주 거주민 중 가장 비중이 큰 집단은 라티노이다. 그리고 앞으로 이들의 수적 비중은 더 커질 것이다. 미국이 라티노의 나라가 될 수도 있는 것이다. 적어도 인구학적으로는 그럴 수 있다. 그리고 이 현상에 직면해 백인들의 두려움이 커지고 있다. 그리고 이 두려움은 행동으로 나타나고 있다. 도널드 트럼프 정권의 반이민 행보 역시 이러한 배경으로 설명될 수 있다. 그러나 젊은 라티노 집단은 미국의 고령화 현상을 막아내는 역할을 하기도 한다. 일본이나 독일과 달리 미국이 인구문제에서 큰 어려움을 겪지 않는 주된 이유 중 하나가 바로 라티노의 존재인 것이다. 백인은 노년층만 늘고 있는데 이들을 세금으로 부양할 수 있는 집단은 다름 아닌 라티노 등 비백인 이주민들인 것이다. 종교적으로도 가톨릭 교회가 점점 더 라티노의 교회가 되고 있다. 그리고 이들이 많은 교회는 이중언어로 운영된다. 1,300만 불법체류자들은 대부분 경제활동인구로 경제적으로 미국에 도움이 되는 사람들이다. 따라서 이들을 합법화, 통합해야 합당한 것이다.

아직은 미국 인구 중 소위 '백인'이 다수이며 수십 년 간 그랬듯이 공화당은 반이민 담론으로 선거에 임하고 있다. 그러나 이 전통적인 전략이 2016년 대선에서처럼 통할 수 있는 것도 이제 한두 번 정도의 대선에 그칠 가능성이 크다. 더 이상은 어려울 것이다. 다른 사회의 경우도 대부분 그렇듯이 미국의 불법체류 현상 역시 명백하게 비난받을 만한 것이라고 평가하기 어렵다. 불법체류자의 가장 큰 부분을 차지하는 라티노의 역사를 보면 간단한 문제가 아님을 알 수 있다. 이제 거의 모든 대선과 지방선거 후보들이 라티노의 표를 의식하고 있다. 앞으로는 더욱 그럴 것이다. 현재 라티노는 미국 인구의 17%를 차지하고 있다.

프랑스의 경우 이민문제가 정치적인 이슈가 되고 정치도구화된 주된 배경은 1970년대 이후 심각한 사회문제로 부상한 실업률의 상승이었다. 이는 이민문제에 대한 좌우를 초월한 정치권의 합의를 정당화하는 역할을 하였다. 1980년대 이후 본격화된 이민문제의 정치화의 특징은 당대 사회적 이슈에 이민문제를 결부시키는 것이었다. 즉 실업, 테러리즘, 이슬람, 공화국, 학교, 국민적 정체성 등의 주제를 중심으로 이민 현상이 당대의 주요 현안과 연관된 것으로 만들어진 것이다(Barats, 1999: 50). 대통령 선거에서의 이민 담론이나 대통령의 담론은 특히 이러한 정치권의 합의를 강조하는 경향이 강했다. 1988년 대선은 이민과 통합을 결부시키는 담론을 더욱 강화시키게 된다. 그 결과 대통령의 담화는 불법체류자에 대한 결연한 거부와 통합이라는 당위를 강조하게 된다(Ibid.: 46; 53).

1990년대 후반부터 프랑스 및 유럽연합 차원에서 이민자들에 대한 통제가 강화되었고 2000년대에 접어들면서 이민문제는 강한 정치화 경향을 나타낸다. 2002년은 바로 우파가 대선과 총선 모두에서 승리한 해이다. 이후 이민자들의 프랑스 사회에의 통합이라는 주제가 다시금 정치권의 논의에서 중요한 자리를 차지하게 된다. 특히 이민과 관련된 다수의 법이 도입되는 양상을 띤다. 2009년 '프랑스 이민통합국'(*Office français de l'immigration et de l'intégration, OFII*)의 창설은 이 제도화 과정의 정점을 이루게 된다.

이러한 2000년대의 시대적 맥락을 고려할 때 이슬람과 정교분리주의, 이슬람과 공화국에 관한 프랑스 사회의 논의, 프랑스 이슬람의 제도화 등 프랑스 이슬람과 연관된 현상은 단순히 소수 종교의 적응의 문제를 넘어서 '정치도구화'의 측면에서 설명될 필요가 있다. 상당부분 이슬람의 위협을 전제로 한 프랑스적 정체성에 관한 최근 프랑스 사회의 열광적인 논의는 이러한 혐의를 확증해 주는 현상이다. 유럽의 쇠퇴, 아랍 석유자본의 힘, 무슬림 인구의 증가, 이슬람주의의 공격 등을 근거로 유럽에 대한 '이슬람의 위협'(green menace) 담론이 대중적으로 확산되었다. 그리고 이에 대한 대응을 빌미로 프랑스 및 서구의 가치, 정체성, 문화, 생활양식을 지켜야 한다는 논리가 부상한 것이다(Liogier, 2014).

2012년 대선도 이전 대선과 마찬가지로 이민문제가 선거 이슈로 부각되었다. 단골 메뉴인 프랑스 무슬림 사회의 '공동체주의'(communitarianism)의 위험, 공립학교 급식에서의 할랄 제공문제, 마그레브 출신 청년의 테러사건 등 이슬람 관련 주제들이 선거 막판에 등장하였다. 그리고 이슈의 대부분은 이슬람과 연관된 것이었다. 사르코지 당시 대통령이 2007년 대선에 이어 다시 한 번 이민 논의를 주도하게 된다. 이민에 관한 그의 입장은 이민을 '문제'로 간주하는 것이었다. 물론 2012년 대선의 경우 이민이 선거의 주된 이슈가 아니며 유권자들 역시 고용이나 구매력, 치안 등 다른 주제에 훨씬 관심이 많았다. 그렇지만 특히 선거일이 임박하면서 이민문제는 단기적으로 매우 효과적인 선거 수단으로 활용되었다. 현직 대통령이었지만 여론조사 결과 승리가 불투명했던 사르코지가 먼저 이민문제를 언급하였다. 2012년 3월 3일 보르도에서 열린 정당연설회에서 "이민은 (프랑스 사회에) 하나의 기회이다, 그러나 또한 문제일 수 있다"고 한 그의 발언은 이러한 그의 입장을 압축적으로 보여주었다. 실제 그는 프랑스에 너무 많은 이민이 있고 그래서 교육, 고용, 주거 등에서 이들의 통합을 달성하기 어렵다고 진단했다. 그러면서 매년 18만 명 정도인 이주민의 신규 유입을 10만 명 수준으로 줄이겠다는 공약을 제시했다. 치안문제나 복지재정 문제의 원인으로 이민을 지목하기도 하였다. 극우정당 후보 마린 르팽(M. Le Pen)은 보다 과격하게 신규 유입 인원은 매년 1만 명 수준으로 낮추고 불법체류자들을 적극적으로 추방하겠다는 공약을 제시했다. 물론 좌파 후보들은 체류증 갱신이나 국적 취득을 용이하게 하는 등 이민에 우호적인 정책을 제시했다.[18]

한편 이주민의 선거권은 선거와 이민의 관계에 있어서 중요한 요인 중 하나이다. 이주민은 선거 논의의 대상에 그치는 것이 아니라 선거의 주체이기도 한 것이다. 프랑스의 경우 1981년 프랑수아 미테랑의 대통령 당선 이후 불법체류 외국인들의 합법화와 함께 정책 과제루 제시된 이후 선거권 문제는 프랑스에서 이민과 관련된 중요한 논의주제 중 하나였다. 물론 외국인에 선거권을 부여하는 것은 지방선거에 국한해 그것도 20년이 지나서야 실현되었다. 다른 유럽 국가들과 비교해 보면 스웨덴은 1975년, 덴마크는 1977년, 노르웨이는 1978년, 네덜란드는 1985년에 이미 외국인에 선거권을 부여하였고 이것이 매우 효과적인 통합의 수단이자 외국인들의 입장이 정치적으로 대변되는 통로로서 기능하였다. 한편 프랑스에서는 선거권이 부여되기 직전까지도 여론은 부정적이었다. 2000년 11월에 실시한 조사에 따르면 39%만이 외국인에 선거권을 부여하는 데에 찬성하였다(Louis Harris, 2001). 찬성진영의

18 http://www.franceculture.fr/print/4404010, 2015년 1월 28일 검색

논리에 따르면 선거권 부여는 오랜 기간 거주하였고 노동과 세금으로 나라에 기여해 온 외국인에 대해 국민과 동등한 권리를 부여해야 한다는 점에서 정당한 것이었다. 반면 반대 진영은 외국인에게 지방선거에 국한해 선거권을 부여하는 것은 불완전한 이등 시민권을 설정하는 것으로 이는 프랑스 대혁명 이래 시민권과 국적을 연계시켜 온 전통에 어긋나고 종족집단의 정치로비를 부추기게 될 것이라며 반대하였다. 그러면서 이들은 현행 프랑스법이 국적 취득의 길, 즉 선거권 취득의 길을 크게 열어두고 있으므로 별도의 장치를 둘 필요가 없다고 주장하였다. 그러는 와중에 유럽연합 차원에서 이루어진 '유럽시민권' 원리의 채택으로 회원국의 지방선거에서 유럽연합 소속 국가 출신자들에게 선거권을 부여하게 하면서 시민권과 국적 간의 전통적인 연계가 끊어지게 되었다. 물론 유럽연합 회원 국가 출신자들에 국한해서지만 말이다 (Bernard, 2002: 274).

이민문제에 있어서 미국과 프랑스를 비교해보면 일련의 공통점과 차이점을 발견할 수 있다. 먼저 미국은 짧은 시간 동안 거대한 이민 현상을 경험했으며 국가 자체가 이민자들에 의해 만들어졌다는 점에서 프랑스와 같은 유럽 국가들과는 매우 다른 사례이다. 물론 프랑스와 미국이 공화주의의 대표적인 사례라는 점에서 공통점이 있지만 이때 사회 구성원이 공유하는 가치와 문화는 가톨릭 전통이나 대혁명 이념 등 프랑스적 가치와 미국의 용광로 개념이 지닌 차이가 보여주듯이 미국의 경우 이민 현상의 비중이 더 크다고 할 수 있다. 또한 미국은 유럽 국가들에 비해 불법체류자의 수가 월등히 많다. 인구 수가 3억 1천만 명인데 약 1,300만 명의 불법체류자가 있다. 6,500만 명의 인구에

30–40만 명의 불법체류자들이 있는 프랑스에 비해 그 수와 비율이 크다는 것을 알 수 있다.

이러한 차이점에도 불구하고 양국에서 국제이주민은 공히 국가의 발전과 안전을 위협하는 존재로 인식되고 있다. 이로 인해 정부는 이주민의 수를 과장되게 발표하여 국민들이 위협감을 느끼게 하는 전술을 쓰기도 한다. 그렇지만 상대적으로 미국에서는 이민자들에 대한 혐오증이 프랑스만큼 강하지는 않다. 이는 앞서 언급한 역사적 차이로도 설명될 수 있다. 마찬가지로 이민과 범죄를 연관시키는 정도도 미국에서 더 약하다고 할 수 있다. 흥미로운 것은 미국에서 이민은 특히 멕시코 출신 이민자들을 의미하는데 역설적으로 외국인 혐오증은 주로 백인과 함께 미국을 건설한 흑인들에 대해 나타난다는 점이다.[19]

19 http://www.france-amerique.com/articles/2012/05/03, 2015년 1월 28일 검색

4장

이주민운동의 진화:
정체성 정치와 거리의 정치

4장
이주민운동의 진화: 정체성 정치와 거리의 정치

이주민들은 단순히 주류사회의 호의적인 태도를 기대하거나 부당한 대응을 감내하는 수동적인 존재만은 아니었다. 소위 '방리유'라 불리는 대도시 교외 지역의 이주민 밀집 지역을 중심으로 자신들이 직면한 문제들을 해결하고자 하는 시도들이 나타났다. 상대적으로 여건이 좋았던 시기에는 토박이와 동등한 지위를 요구하는 보편주의적인 흐름이 이주민 사회운동을 주도했다면, 프랑스 사회의 일원이 되는 통합이 보다 어려워짐에 따라 이주민 집단 고유의 문화에 관심을 기울이는 '정체성 정치'와 제도적인 해결보다 직접행동을 선호하는 '거리의 정치'가 등장하게 된다.

1. 보편주의에서 특수주의로

1980년대 초 미테랑 정권의 등장에 힘입어 북아프리카 출신 아랍인 또는 북아프리카 출신 프랑스 국적자들의 사회운동인 '아랍 출신 이주민들의 운동(*le mouvement des Beurs*)'이 대두되었다. 여기에서 '*beur*'는 불어로 아랍인을 의미하는 '*arabe*'의 알파벳을 뒤집어 표현한 것으로 프랑스의 아랍계 주민들을 지칭하는 대중적인 표현이다. 'SOS 인종주의(*SOS racisme*)'를 위시한 이주 분야 사회단체가 중심이 된 이 운동은 인종차별에 반대하고 평등을 주창했던 보편주의적인 성격을 띠었다. 프랑스 최초의 본격적인 소수민족 사회운동이었던 이 운동은 '공화주의적 평등에 기초한 통합'이라는 전망을 제시하였고, 사회적, 법적 차원에서의 통합을 강조했다. 또한 이주민들은 '프랑스 거주 북아프리카 출신 노동자 협의회'(1982년)를 창설하는 등 조직화하였다. 1983년 국민전선(*Front national*)이 드뢰(Dreux)에서 첫 기초단체장을 배출한 가운데 1984년 '아랍출신 이주민들의 행진'(*la marche des Beurs*)[1]이 이민 후예들에 대한 권리의 평등을 주창했다. 이 행진은 앞서 언급한 '아랍 출신 이주민들의 사회운동'(*le mouvement des Beurs*)이 주도하였다.

1980년대 이래 프랑스에서 이민 2세들이 주도한 사회운동은 보

---

1 이는 "인종차별반대 권리평등촉구 행진(Marche contre le Racisme et pour l'Égalité des Droîts)"을 가리키는 관행적 표현으로 1983년 프랑스 최초로 전국적인 차원에서 일어난 반인종주의 시위를 가리킨다. 이 시위의 발단은 프랑스 남부 도시 리옹의 남쪽 교외지역인 망게뜨(Minguettes)에서 발생한 경찰의 인종주의적 폭력사건에 항의해 일어난 폭동이었다. 시위의 주된 요구사항은 10년 동안 유효한 체류증과 외국인 투표권의 요구였다.

편주의와 특수주의라는 두 경향으로 구분할 수 있으며 시간이 흘러감에 따라 후자가 전자를 압도하는 양상으로 전개되었다(Jazouli, 1992; Jazouli, 1995). 당시 상황에 대한 라페로니의 유형화는 일반적으로 이민 현상 분석에서 고려되는 요소들을 잘 보여준다. 그는 영국과 프랑스의 사례를 중심으로 이주민 집단의 대응양식을 문화적 차원의 통합(integration)과 정치사회적 차원의 참여(participation)라는 두 요인 간의 조합으로 설명하였다(Lapeyronnie, 1993: 116-126).

표 4-1. 주류사회에 대한 이주민의 대응방식의 유형

	통합	
참여	민주주의 요구	반인종주의운동
	소수자운동	민중주의적 은둔

출처: Lapeyronnie(1993: 120).

사실 북아프리카 3국(알제리, 모로코, 튀니지) 등 이주민들의 본국에서 동시대에 진행된 이슬람의 부상[2]에 힘입은 특수주의적 경향은, 이주노동자 문제를 주로 경제적 차원에서 사고하였고 동화(assimilation) 또는 통합(integration)이라는 전망을 절대적인 것으로 여기고 추구했던 1970년대 중반까지의 시기, 즉 '영광의 30년(1947-1975년)'의 시기와 비교해 보면 매우 새로운 것이었다. 그리고 이 시기 프랑스에 거주하는

2 중동 및 북아프리카의 아랍국가의 경우 1970년대까지만 해도 종교문제는 사회적으로 그리 중요하게 다루어지지 않았다. 그리고 종교적 표현은 과거의 유산이나 저발전을 상징하는 부정적인 것으로 여겨졌었다. 정치의 종교화, 종교의 정치도구화는 있었지만 공적 세계에서 극히 미미한 효과만을 가졌었다. '재이슬람화(reislamization)' 현상이 나타나기까지 아랍세계의 이슬람은 가톨릭이나 정교, 개신교 등에 비해 훨씬 덜 제도화되어 있었고 유달리 정치성을 강하게 띠지도 않았다.

북아프리카 아랍계의 특수주의는 자신들의 전통적인 민족적, 종교적 정체성, 특히 이슬람 신자 및 이슬람 공동체로서의 정체성을 주창하는 양상을 띠었다.

시기적으로 볼 때 이 현상은 전 세계적으로 나타난 '정치적 이슬람(Political Islam)'의 부상, 특히 이란혁명, 그리고 프랑스에 가장 많은 이민을 보낸 나라인 알제리에서의 '이슬람해방전선(*Front islamique du Salut, FIS*)'의 지방선거 승리와 그에 뒤이은 정부군과의 내전 등 외적 요인에 크게 영향을 받은 것이었다. 국내적으로는 1989년 크레이(Creil)에서 발생한 여중생 히잡 착용 사건이 "이슬람과 공화국"이라는 주제에 대한 논의를 촉발시켰고 이 사건의 해결과정에서 중요한 역할을 하였던 이슬람 단체들을 중심으로 이슬람운동이 부상하는 계기가 되었다(Kepel, 1984; Kepel, 1994).

일반적인 인식과 달리 프랑스 사회에서 종교 열풍이 이슬람이나 유대교를 믿는 이민집단에 국한된 현상, 또는 외부세계의 영향을 받은 현상인 것만은 아니다. 프랑스의 주류사회 역시 유사한 시기에 일종의 '종교열'을 경험하고 있었던 것이다. 1970년대 이후 서유럽과 미국의 종교는 정교분리와 같은 사회적 차원의 세속화에서 개인의 의식 차원에서의 세속화로 심화되는 변화를 경험했다. 즉 신앙의 개인화, 신앙과 소속 종교의 분리, 종교생활의 이력이 일생 동안 다양한 양상을 보이는 것과 같은 변화를 통해 "개인적인 종교적 정체성"이 부상하였다. 사실 산업혁명과 프랑스대혁명이 가져온 경제, 정치, 이데올로기 차원의 변화에도 불구하고 유럽 사회는 상당히 오랫동안 종교적 가치에 의해 사회구조가 유지되고 있었으며, 기독교적 세계관이 근대 유럽을 구성하는 중요한 요소 중 하나로 남아 있었다. 이러한 시각에서 프랑스의 대표적인 개신교 전문가인 장 폴 빌렘(J.-P. Willaime)은 유럽 다른 나라들보다 공화주의 전통이 강한 나라인 프랑스조차 '가톨릭 문화를 지닌 정교분리 국가'였다고 이야기한다. 현대 프랑스에서 가톨릭의 문화적 토대가 상실되는 과정은 주로 가족구조의 변화가 계기가 되었다. 왜냐하면 근대 이후에는 가족이 윤리와 일상문화가 재생산되는 주된 공간이었기 때문이다. "우리는 두 단계로 신을 죽였다"는 모스코비치(S. Moscovici)의 정식화도 같은 시각에 따른 것이다. 우선 인간은 세계와 인간사에서 신을 추방하였고, 드디어 신의 존재 자체를 제거했다는 것이다.

보다 최근의 양상은 프랑스에서 종교가 여전히 중요하다는 것을 여실히 보여주고 있다. 프랑스에서도 다른 지역과 유사하게 1980년대부터 '종교문제'가 부상했던 것이다. 종교문제의 형성은 종교 관련 사안이 비중 있는 사회문제가 되고 개인의 신앙이 공적 논의의 주제가 되는 것을 의미한다. 프랑스에서 종교문제는 교외지역에서의 이슬람의 부상과 히잡을 둘러싼 논쟁 이외에도 종교집단의 위법성에 대한 국가의 대응방식, 특정 단체의 종교성 여부에 대한 사법부의 개입, 미테랑 대통령의 장례에 가톨릭교회가 관여해야 하는지에 대한 논쟁 등 종교적인 이슈를 둘러싼 논쟁의 양상을 띠었다. 그리고 이 공적 논의의 배경에는 종교의 정의, 종교에 대한 사회적인 통제, 종교와 정치의 관계 등의 문제가 깔려 있었다.

국제적인 측면에서도 프랑스는 종교의 부상에 크게 기여하였다. 역설적이게도 프랑스가 기여한 것은 그들이 적이라고 규정하는 정치적

이슬람의 부상이었다. 파리는 과거 '근대성의 수도(capital of modernity)'(Harvey, 2003)였던 만큼 현재는 '이슬람의 수도(capital of islam)'라고 부를 수 있다. 런던이나 브뤼셀 역시 이슬람 부흥의 본거지였다. 권위주의적이고 민족주의와 발전을 외쳤던 아랍 본국에서 정치적 탄압을 피해 망명한 이슬람주의자들은 이 근대성의 수도들에서 환대를 받았다. 소위 '이슬람주의' 현상의 주역인 '무슬림형제단(Muslim Brotherhood)', '튀니지이슬람운동(MTI)', '알제리이슬람구국전선(FIS)', 그리고 친이란계 시아파조직들의 터전은 '자유로운' 유럽이었고 파키스탄에서 태동하여 세계적으로 유명해진 선교단체인 '타블리히(Jama'at al tabligh)'도 유럽의 이주민 사회를 주요 선교 지역으로 설정했다. 유럽은 단지 이슬람 사회 본국의 재이슬람화를 위한 국외의 기지인 것만도 아니었다. 때마침 이민금지조치에 따라 유럽사회에의 거주가 영구화된 이주민들에게도 이슬람은 새로운 상황에 대처할 중요한 자원이 되었던 것이다. 이는 예상치 못한 일이었다. 이민사회에서의 통합과 정체성의 재구성 과정에 종교적 자원이 동원되었고 이 종교의 부상은 특히 성, 가족과 관련된 규범 및 실천의 변화로 나타났다. 1980년대 이래 프랑스에서 이슬람과 연관된 갈등과 사회적 논의가 학교와 같은 공공영역에서의 복장 문제, 무슬림 가족에서의 여성의 인권 등을 중심으로 전개된 것은 이 때문이다.

이러한 맥락에서 무슬림들의 예배공간과 종교단체의 수가 급증하였는데 이는 그간 사적 차원에서, 즉 집안에서 행해졌던 종교적 실천이 외적으로 표현되기 시작했음을 의미했다. 이후 사회통합과 정체성 문제를 겪고 있던 이주 배경 청소년들의 일부가 무슬림으로서의 정체성을 중시하면서 이슬람이 사회적으로 중요해지게 된다. 1970, 1980년대 이슬람이 이민 1세대, 기성세대에 국한된 것이었다면 1990년대 이슬람에는 기성세대와 2세 청년들이 공존하게 되었다. 특히 청년들에게 이 새로이 발견된 이슬람은 보편주의적인 반인종주의 운동을 계승, 대체하는 새로운 사회운동의 자원으로서 중요했다. 1985-86년 리용 교외지역에서 몇몇 청년들이 모스크에 출입하기 시작하였다. 당시 그곳에서는 '타블리히(Jama'at al tabligh)'가 이들을 지원해 주었다. 파리에서도 1987년부터 '파리 모스크'에 청년들이 출입하기 시작하였다(Cesari, 1995: 35-36).

이러한 전사를 바탕으로 1980년대 말 종교적 성격의 사회단체들이 결성되었고 리용의 '이슬람청년연합(*Union des jeunes musulmans, UJM*)', 마르세이유의 '남부지역 이슬람단체연합(*Fédération régionale des musulmans du Sud*)' 등 연합체들이 결성된다. 이는 한편으로는 'SOS 인종주의(*SOS Racisme*)', '프랑스쁠뤼스(*France Plus*)' 등 전국 차원의 반인종주의 운동의 추상성과 제도화를 비판하면서, 다른 한편으로는, 1980년대 초중반 경찰폭력과 인종주의에 대항해 나타난 자연발생적인 폭동이 이슬람을 매개로 조직화되었음을 의미했다.1990년대 초반에는 '프랑스 이슬람단체연합(*Union des organisations islamiques en France, UOIF*)' 등 전국적인 차원의 연합체가 결성되었다. 국가에서도 이슬람의 사회적 부상이라는 현실을 반영하여 '프랑스 이슬람위원회(*Conseil de réflexion de l'islam en France, CORIF*)' 등을 통해 이슬람계와의 소통을 시도하게 된다. 이슬람 단체들은 세속적 성격의, 반인종주의적인 기존 아랍계 청년운동과 유사한 활동을, 그러나 이슬람 교리를 바탕으로 전개해갔다. 이들에게 프랑스 사회에의 통합은 "이슬람을 통한 통합(*L'intégration avec l'islam*)"을 의미했다.

낭떼르에서 활동한 이주민 단체인 구텐베르크(*Association Gutenberg*)는 이 지역의 마그레브 이주민들의 사회운동의 경로를 잘 보여준다. 이 단체는 당시 낭떼르 지역 이주민 사회에서 독점적인 지위를 가지고 있었다. 그러다가 낭떼르 지역 도시공간의 변화, 특히 이 단체가 뿌리내리고 있던 임시 거주지역(*Cité de transit*)이 다른 주거형태로 바뀌면서 단체의 기반이 와해된다. 이로 인해 지역 차원의 이주민 운동이 개인적인 차원에서 문제를 해결하고자 하는 개인화 경향을 겪게 된다. 바로 이러한 집단적인 실천의 공백이라는 맥락에서 이슬람적 요소가 지역운동에 유입된다. 그래도 다른 파리 근교 지역과 달리 낭떼르에서는 1994년까지만 해도 이슬람을 명시적으로 표방하는 단체가 전무하였다. 그러다가 점차 이슬람단체들이 적극적인 태도를 보이고 활동폭도 넓히게 된다. 낭떼르 지역이 잘 보여주듯이 1990년대 태동기 이슬람운동의 주역은 10대 후반, 20대 초반의 이주 배경 청소년들이었다. 당시 전국적인 상황을 보면 프랑스 이슬람의 대표 자리를 놓고 파리 모스크와 '프랑스 이슬람전국연합'(*FNMF, Fédération nationale des Musulmans de France*)이 경쟁하고 있었다.

2. 국가와 이슬람

한편 프랑스에서 설립된 이슬람 단체들은 초기에 주로 국가의 재정지원을 받으며 지역의 사회복지 분야에서 국가를 보조하는 역할을 수행하였다. 국가와의 협력관계는 이슬람 단체들의 협의체 결성에 국가가 관여한 것에서도 확인할 수 있다. 예를 들어 1980년대 이민문제가 사회적 이슈가 된 시기에 프랑스 이슬람의 대표적인 기구인 '프랑스 이슬람위원회'(*CORIF, Conseil de réflexion de l'islam en France*)는 당시 프랑스의 이슬람을 프랑스와 적대적인 관계에 있었던 알제리 정권으로부터 멀어지게 하기 위해 사회당 정권이 설립을 추진한 것이었다. 유럽 차원에서 살펴보면, 히잡 등 종교적 표현과 관련된 사건에 직면해 유럽 국가들은 각기 다른 방식의 대응을 했는데 이는 각 나라에 고유한 정치문화, 종교와 정치 관계, 이민정책으로 설명될 수 있다. 프랑스의 경우 국가의 가장 두드러진 전략은 제도화를 통한 포섭이었다. 즉 프랑스 무슬림들의 주요 행사에 정부 인사들이 참석하고 위원회를 통해 프랑스 이슬람이 대표될 수 있는 기회를 제공했다. 예를 들어 2003년 사르코지 당시 내무장관이 프랑스이슬람위원회(*Conseil français du culte musulman, CFCM*)를 창설하여 프랑스의 이슬람과 무슬림과의 대화 창구로 삼고자 했다.

프랑스 이슬람의 주요 행위자들로는 '프랑스이슬람단체연합(*Union des organisations islamiques de France, UOIF*)', '파리모스크연구소(*Institut musulman de la mosquée de Paris*)', '프랑스무슬림재단(*Fondation nationale des musulmans de France, FNMF*)', '프랑스청년무슬림(*Jeunes musulmans de France, JMF*)'과 같은 단체들을 들 수 있다. 활발하게 활동하는 이슬람 단체들은 대부분 근본주의적 성격을 띠고 있다. 기독교 세계의 근본주의와 유사한 성격을 지니고 있다는 의미에서 '이슬람 근본주의'라고 부르기도 한다. 그런데 프랑스 이슬람 세력 내부에는 정치적 성격을 지닌 '이슬람주의', 즉 이슬람 원리를 해당 사회에 전면적으로 실현하는 것을 목표로 하는 사회운동과 근본주의적인 교리의 전파라는 종교적인 활동만을 수행하는 세력이 있다. 전자에는 프랑스이슬람단체연합(*UOIF*), 프랑스무슬림재단(*FNMF*) 등이 있으며, 후자에는 파키스탄에서 시작된 타블리히(*Jama'at al tabligh*) 운동이 있다. 세력 간 구도를 보면 전통적인 프랑스 이슬람의 대표자인 파리 모스크, 전투적인 문화와 뛰어난 언론 플레이로 '새로운 이슬람'의 대변인으로 자리매김한 프랑스이슬람단체연합(*UOIF*)의 양강 구도에 또 다른 이슬람주의 세력인 프랑스무슬림재단(*FNMF*)이 도전하는 형국이다. 특히 무슬림형제단과 연계된 '프랑스이슬람단체연합'은 1990년대에 창설되어 국가가 주도한 '프랑스이슬람위원회(*Conseil français du culte musulman, CFCM*)' 결성(2003년)과 함께 가시적인 성과를 보게 된 프랑스 이슬람의 제도화 과정의 가장 큰 수혜자로 간주된다. 여기에 무슬림 청년단체들, 지역의 모스크나 기도소가 지역적인 토대 역할을 하고 있으며 이슬람 지식인들이 신학적인 측면에서 활동을 하고 있다.

그런데 이 이슬람의 행위자들 중 파리 모스크와 프랑스이슬람단체연합 등 정치권이나 언론에 의해 대표성을 인정받고 있는 단체들이 정작 프랑스 무슬림들의 대표 역할을 수행하고 있지는 못하다. 제도권에 편입된 위 단체들은 상대적으로 온건한 세력들이고 보다 프랑스 사회에 비판적인 세력들이 작은 규모의 모임으로 존재하며, 이들에 대해 국가는 특히 테러리즘과의 연관성을 내세워 점점 더 강경한 대응을 펴왔다. 역사적으로 보면 이슬람 신자들은 정치적으로 사회당 등 좌파에 대한 지지율이 높은 편이다. 이는 사회당이 전통적으로 이민 등 소수자에 대한 관심이 많았고 실제 사회당의 미테랑이 대통령에 당선된 이후 이민자들의 통합에 관한 논의가 본격화되었고 이들의 정치참여도 활발하게 이루어졌다.

모스크 건설을 지원해 주고 이슬람에서 비공식적으로 성직의 역할을 수행하는 이맘(imam)의 양성을 지원해 주는 등 최근 프랑스 정부가 보여 온 행보는 이슬람에 대한 태도가 보다 우호적으로 바뀐 것이라기보다 2000년대 이후 프랑스 국가가 겪고 있는 딜레마의 산물이라고 할 수 있다. 즉 프랑스 거주 무슬림의 수가 많아짐에 따라 이슬람의 존재를 더 이상 무시할 수 없게 된 것이다. 예배공간의 부족으로 도로를 점거하고 금요 정기예배를 본다거나 히잡 등 이슬람과 연관된 의복 착용이 늘어남에 따라 이슬람 역시 가톨릭의 경우처럼 프랑스 문화의 일부로 받아들여야 하는 상황에 처하게 된 것이다. 이슬람에 대한 사르코지의 관심은 이슬람에 대한 우호적인 입장에서 나온 것이라기보다 현실적으로 그 비중이 커지고 있는 이슬람을 제도화해서 국가의 통제 아래에 놓으려는 시도라고 볼 수 있다.

영국에서도 국가는 대표 단체를 매개로 이슬람과 관계를 맺고 있다. 영국에는 160만 정도의 무슬림이 있으며 1,600여 개의 모스크가 있다. 학교의 경우 40만 정도의 무슬림 학생들은 대부분 일반 공립학교에 다니며 소수만이 사립학교 또는 국가가 운영하는 5개의 이슬람 학교에 다닌다. 영국은 문화적, 종교적 정체성의 자유로운 표현을 장려하는 다문화주의적 정책을 펴왔다. 심지어 폭력적인 세력들도 명백한 위법사실이 있지 않는 한 자유로이 활동할 수 있었다. 그러다가 2005년 56명의 사망자를 낸 런던 테러 이후 대대적인 검거 등 강경책으로 선회하게 된다. 최근 모스크에서 국가가 운영하는 시민교육을 제공하기로 했는데 이는 극단적인 이슬람 세력의 확산을 막기 위한 것이다. 역으로 영국의 모든 공립학교에서 이슬람에 관한 교양교육을 시민교육의 일환으로 시행하는 방안이 강구되고 있다. 기업에서는 근무시간 조정, 기도실 설치, 종교적 사유에 따른 휴가 등 무슬림들의 종교적 실천을 고려한 조치들이 늘고 있다. 이러한 변화 속에서 영국 역시 이민 문제는 중요한 사회적 이슈 중 하나가 되었다. 최근 영국에서 실시된 여론조사에 따르면 영국인들 사이에 이민 문제가 더딘 경제성장을 제치고 최대의 우려 사항으로 떠올랐다고 한다. 그리고 영국 보수당 정부가 다각적인 이민 억제 조치를 모색하는 가운데 반이민 정서가 확산된 것이 그 배경으로 지목되었다(『연합뉴스』 2015년 8월 23일자). 2017년 런던에서 발생한 이슬람주의 테러는 프랑스와 함께 영국이 이슬람에 직면한 유럽사회의 딜레마를 가장 심각하게 경험하고 있는 나라임을 보여주었다.

3. 이주민 운동의 쇠퇴와 거리의 정치

보편주의에서 특수주의로의 전환은 이주민 사회운동이 겪고 있는 위기의 산물로 설명될 수 있다. 이미 1990년대부터 이주민 사회운동은 극심한 사회경제적 어려움 속에서 절망하거나 개인적인 해결 방안을 찾게 된 이주 배경 청년들에게서 외면당하게 된다. 게다가 이 이주민 단체들이 그간 크게 의존했던 공산당(PCF), 사회당(PS) 등 좌파 정당들도 점차 이들을 외면하게 된다. 1980년대 초 미테랑의 사회당 정권이 등장하면서 큰 기대를 가지고 시작된 좌파와의 관계가 좌파 정당들이 이주민 사회에 무관심해짐에 따라 끊어지게 된 것이다.

이러한 좌파와의 결별은 특히 이주민 집단의 주된 대변자였던 이민 출신 지역 활동가들을 위축시켰고, 이러한 리더십과 조직적 기반의 와해로 인해 자생적인 폭동이 주된 저항수단이 된다. 1990년대 들어 이주민 사회의 활동가들은 무력감을 심하게 느끼게 되었는데, 이는 무엇보다도 자신들의 활동이 대중적 지지도 효과도 그리 크지 않고, 게다가 결과적으로 자신들이 이주 배경 청년들의 문제를 무마시키고, 분노를 잠재우는 역할을 떠맡은 격이 된 것에 대한 자책감에 따른 것이었다. 좌파가 집권한 지자체에서조차 이주 배경을 가진 지역 활동가들이 지자체에 진출하지 못하는 것은 좌파와의 관계가 소원해진 데 따른 것이다. 이러한 운명은 중앙정치에서도 그대로 이어지고 있으며 이는 이주민 집단의 정치적 배제, 그리고 이들의 이해가 정치적으로 대변되기 어려운 현실을 보여주는 것이다.

이들이 지역사회에서 수행해 온 역할의 변화 역시 아랍계 청년들의 반인종주의 운동이 실패한 또 다른 이유였다. 즉 이 운동은 작은 재정으로 인해 공적 기구들이 담당하고 있던 교육, 문화 영역에서 별다른 성과를 거두지 못하게 된 것이다. 당초 이주민 운동의 목표는 개인적 차원의 사회적응 및 사회진출을 통한 통합을 촉진시키는 것이었다. 그러나 결과적으로 국가나 지자체가 행하는 공적 지원체계의 사각지대를 담당하는 보조적인, 그리고 양적으로도 미미한 역할에 만족해야만 했다. 그러다가 점차 기성제도에 편입되어 이들 나름의 독자적인 측면을 부각시키지 못하고 말았다.

이주민 사회 구성원 중 적극적인 부분들의 대응 중 눈에 띄는 새로운 점은 이들의 주된 지지자였던 좌파가 아닌 다른 곳에서 탈출구를 찾는 것이었다. 그중 대표적인 것으로 이슬람과 우파를 들 수 있다. 전자는 주류사회의 종족적 낙인에 종족적, 문화적 구분을 초월하는 종교적 정체성으로 대응한다는 의미가 있다. 후자, 즉 우파를 자신들의 이해를 대변할 수 있는 매개체로 삼는 경향은 그간 비참함을 강조하고 절망적인 측면을 강조한 좌파의 논리를 대신해 성공의 꿈을 심어주는 우파의 논리가 신자유주의적인 시대적 흐름 속에서 설득력을 얻게 된 데 따른 것으로 설명할 수 있겠다. 2000년대 초반 프랑스의 대표적인 우파정당이었던 대선승리연합(*Union pour la majorité présidentielle, UMP*)이 이주민 집단의 인사들을 영입하는 데 적극적이었던 것이 이러한 시대 분위기를 상징적으로 보여주었다. 대선승리연합은 유권자가 300만 명인 아랍계의 지지가 절실했고 이러한 맥락에서 이주민 출신 인사를 장관으로 임명하는 등 행정부에 적극적으로 기용하는 전략을 채택했던 것이다. 게다가 공산당, 사회당 등 좌파와 이민집단의 결별이 낳은 공백은 이제 지자체 수준에서 많은 지역에서 제2의 정치세력이 된 국민전선(FN)이 채우게 되었다. 이주민 사회운동과 그 주체인 지역 활동가들의 불행한 운명은 이제 더 이상 아무것도 이 집단이 기댈 제도가 사회에 남아 있지 않음을 의미했다. 지난 1세기 동안 프랑스 '민중계급(*la classe populaire*)'의 정치사회화의 중심에 있었던 공장, 노조, 좌파정당에서 이제 이들의 자리는 없는 것이다.

한편 이러한 조건에서 이민 2세들의 탈정치화, 은둔적 경향은 심화되었고 그들의 열망은 간헐적으로 자연발생적인 폭동을 통해 분출하거나, 또는 이슬람에의 열정으로 표현되었다. 이제 프랑스 사회에서 낯설지 않게 된 이주민들의 집합행동은 사회운동의 부재, 전망의 부재를 보여주는 징표인 것이다. 비유적으로 표현하자면 일, 정치, 지역단체, 신, 그 어느 것에도 의지할 수 없는 사람들에게 남은 것은 누구에게도 속하지 않은 거리와 그 거리에서의 문화이다. 그리고 폭동은 이 거리의 문화의 일부분이다. 정부나 언론이 앵무새처럼 되풀이하듯이 폭동에 가담하는 빈민청년들이 "결연한 의지를 가진 개인들의 체계적인 조직범죄 세력"인 것은 아니다. 잘 준비된 구호는커녕 변변한 요구사항조차 없는 경우가 대부분이다. 1980년대 이주 배경 청년들의 사회운동을 주도했던 'SOS 인종주의(SOS Racisme)'의 모토는 '내 친구를 건드리지 말라'(*Touche pas à mon pote!*)였고, 2005년 소요사태에서는 '아무 이유 없이 (친구가) 죽었다'(*Mort pour rien*)였다. 다만 당시 사망한 두 소년의 황당한 죽음과 이 죽음이 상징적으로 보여주는 부당한 현실에 대한 회한과 분노가 청년들을 행동하게 한 것이다. 1983년과 1986년의 가두시위, 잘 알려진 1990년 10월 보정블랭(Vaulx en Velin)의 폭동, 1995년 발푸레(Val Fourré) 지역의 폭동에서 그랬듯이 당시에도 경찰에 의한 청년들의 사망사건에 대한 즉자적인 반응의 성격이 강했다.

2005년 프랑스의 대도시 교외지역 소요사태는 87년 6월 항쟁의 전개과정, 그리고 이어진 노동자 대투쟁을 떠올리게 했다. 우리의 87년과 2005년 프랑스의 소요사태는 공히 당대의 주된 사회문제와 과제를 드러내 준다. 즉 87년 우리에게 정치적 민주화와 대미 종속의 극복, 통일,

노동자의 권리 쟁취 등이 과제였다면 최근 프랑스 사회의 주된 사회문제 중 하나는 출신 민족에 따른 불평등이고 이주민들의 운동이 프랑스가 안고 있는 사회갈등의 최전선에 서있는 것이다. 차이가 있다면, 프랑스 이주민 집단에는 조직화된 또는 역량 있는 사회운동이 없다는 것이다. 자연발생적인 집합행동이 이주민 집단의 열망을 표현하는 주된 통로인 것이다.

자료 4-1 : '거리의 정치'의 다면성

'거리의 정치'는 자발성과 함께 촛불집회 등 최근 사회운동을 특징짓는 개념으로 대중화되었으며 조직적인 집합행동이나 한 집단에 국한된 행동, 작업장에서의 투쟁 등과 구분되는 것으로 이해되고 있다. 그러나 이 개념은 용법에 따라 고전적인 노동자들의 시위, 도시 민중계급의 생존투쟁 등 다양한 형태를 포괄하는 개념으로 사용되기도 한다. 또한 사회적 맥락에 따라서는 자유와 자발성의 상징이기보다 '사회운동의 부재'에 따른 불가피한 선택에 더 가까운 형태이기도 하다. 그리고 이러한 무정형의 운동방식이 목표를 달성하는 데 있어서의 근본적인 한계가 지적되기도 한다. 먼저 정치와 치안, 정치적인 것, 그리고 거리의 정치에 대한 프랑스 철학자 자크 랑시에르(J. Rancière)의 논의를 보자. 랑시에르가 '정치적인 것'의 개념을 드러내기 위해 구사하는 전략이 '치안'과 '정치'의 구분이다. 여기서 치안과 정치는 직접적으로 대립한다. 랑시에르는 우리가 흔히 정치라고 이르는 것을 두고 치안(police)이라고 지칭한다. 치안이란 간단히 말하면, 국가를 경영하는 기술이다. 치안은 통치 과정이다. 인간들을 공동체(국가)로 결집시켜 동의를 조직하고, 그들 각자에게 자리와 기능을 분배해 위계를 유지시키는 것이 치안이다. 자유민주주의에서 말하는 정치가 전형적인 치안에 해당한다. 랑시에르는 이 치안에 정치를 맞세운다. 정치란 평등의 과정이며 해방의 행위이다. 그것은 치안의 질서를 가로질러 그 위계에 의문을 제기하고 분배의 질서를 해체하는 작업이다. 랑시에르가 말하는 '정치적인 것'이란 바로 이 치안과 정치가 맞부딪치는 지점을 가리킨다. 치안과 정치가 부딪쳐 형성되는 선이 곧 정치적인 것의 가장자리, 테두리, 경계인 셈이다. 랑시에르는 정치와 치안의 이 관계를 '도로'의 사례를 들어 설명하기도 한다. "그냥 지나가시오! 여기에 아무것도 볼 것 없어!" 치안은 통행 공간이 통행 공간일 뿐이라고 말한다. 정치는 이 통행 공간을 주체들(인민·노동자·시민)의 시위 공간으로 바꿈으로써 성립한다. 정치의 출현과 함께 치안 질서는 순간적으로 와해되고 새로운 공간이 탄생하는 것이다. 그때 치안과 정치가 충돌하는 지점을 두고 그는 '정치적인 것'이라는 이름을 붙인다(『한겨레』 2008년 10월 17일자).

그런데 도로는 은유만이 아니다. 일반적으로 거리에서의 시위, 집합행동에서의 거리의 사용은 치안 또는 공공질서라는 관념과 대립된다. 그러나 "거리는 단지 통행을 위해서만 존재한다"라는 일반적 관념과 달리 역사적으로 거리는 노동의 장소, 산책의 장소, 유희의 장소, 논쟁의 장소였다. 거리가 단지 서로 다른 사회영역들을 연결해 주는 공간만은 아니었던 것이다. 거리는 '사회적 관계'가 형성되는 장소인 것이다(Lindenberger, 1993: 47). 한편 이러한 거리에서 벌어지는 '정치적인 것'을 가리키는 '거리의 정치'(politics of street)라는 개념은 공적 영역, 또는 공론장의 정치적 기능을 분석하는 데 필요한 다양한 접근방법이 포함되어 있는 개념이다. 토마스 린넨베르거(T. Lindenberger)는 '거리의 징치'를 '위로부터의 거리의 정치'와 '아래로부터의 거리의 정치'로 구분한다. 전자는 경찰에 의해 이루어지는 '거리' 공간에서의 공공질서 유지를 가리킨다. 후자는 그들의 생존공간에 대한 공권력의 개입을 저지하려는 도시 민중계급의 전략을 의미한다(ibid.). 후자의 행동방식은 직접행동으로 민중계급의 문화를 표현한다. '아래로부터의 거리의 정치'의 역사는 19세기 노동계급이 정치적 성향을 띠게 되면서 시작되었다. 노동운동의 전술의 하나로 등장한 이것은 지배구조의 혁명적 전복을 목표로 한 것이다. 이러한 혁명의 실질적 또는 가상적 위협에 직면해 위로부터의 거리의 정치는 내전을 불사하기도 하였다. 린덴베르거는 1900년 1월 1일부터 1914년 7월 31일까지 독일에서 일어난 거리의 사건들에 대한 분석을 통해 거리에서의 집합행동을 세 가지 유형으로 분류했다.

첫째, 일상적인 차원에서 경찰과 도시민들간에 일어난 갈등. 이들의 대부분은 비정치적 성격의 것이다.

둘째, 파업노동자와 이들을 지지하는 연대투쟁 참가자들, 그리고 경찰과 구사대가 격돌하는 갈등

셋째, 순수하게 정치적인 시위에 거리를 이용하는 형태

그리고 그에 따르면 일견 상호 연관성이 없어 보이는 이 세 형태의 집합행동이 실제로는 서로 간에 밀접한 상호작용이 이루어진다는 점을 밝혀냈다. 또한 그는 그가 연구한 1차 대전 직전 독일 대도시에서의 거리는 일종의 매스 미디어로 전환된 점을 지적한다. 즉 제2제국의 종말을 앞두고 일어난 치열했던 정치사회적 투쟁의 주체들이 선언하고 견해를 표명하는 장이었던 것이다. 이 아래로부터의 거리의 정치에서는 개인으로서의 시민과 국가의 대리인으로서의 경찰이 맞섰을 뿐 아니라 노동계급과 국가가 격돌했던 것이다. 이러한 의미에서 거리는 자본주의의 사회적 관계를 표현하는 일상적인 매체로 작동했던 것이다. 노동계급은 거리에서 계급의식과 계급적 정체성을 공고하게 했으며 노동계급에게 거리는 계급투쟁의 공간이자, 수단이자, 계급투쟁의 목표 그 자체였던 것이다.

'새로운 미디어로서의 거리'라는 현상은 이탈리아 자율주의 운동(Autonomia)의 경험에서 본격화되었다. 68운동에 뒤이어 일어난 이탈리아의 1970년대 투쟁들의 일환이었던 볼로냐 3월 시위 당시 라디오방송국은 아주 새로운 방식으로 이용되었다. 시위 중에 경찰들의 움직임을 추적하고 그것을 시위대들에게 연결해 주는, 직접적인 공격 무기로 사용되었다. 경찰과 무장차량이 볼로냐 대학에 진입한 1977년 3월에, '라디오 알리체'는 공중전화 박스에서 시내의 동향을 알리는 동지들 및 시민들의 전화통화를 실시간으로 방송하였다. 경찰의 습격을 받고서도 재빨리 방송을 재개하고 장소를 바꾸어 가며 활약한 '라디오 알리체'의 경험은 이 시기 운동에서 지성적, 조직적, 정치적, 창조적 에너지를 축적하고 실험한 것의 상징으로 남아 있다. 기존의 코드화된 방송을 거부하고, 다양하고 새로운 것들을 보내고 육체의 소리를 직접적으로 보낼 수 있다는 것은 새로운 세계를 구성해 나갈 수 있

는 운동임을 보여 주었다. 이 새로운 테크놀로지는 '실제 생활'을 알려 줄 뿐만 아니라 활용 여하에 따라서는 모든 수신자를 송신자로 바꿀 수 있는 잠재력을 가지고 있다는 것을 보여 주었다. 수직적 위계적 구조와 메시지의 일방적 흐름을 평등적 조직과 수평적 복수적 흐름으로 바꿔갈 수 있다는 것을 보여 준 것이다(윤수종, 2002:136~137).

팔레스타인의 인티파다는 '거리의 정치'가 조직적인 사회운동 또는 저항운동의 부재, 그리고 극단적인 절망의 표현임을 잘 보여주는 역사적 사례이다. 21세기 팔레스타인은 19세기 말 입헌주의와 대중정당, 그리고 노동운동이 탄생하기 전 서구사회의 저항운동의 양상, 즉 바리케이드와 민중봉기의 전통을 떠올리게 한다(일리, 2008: 63). 1987년에 일어난 1차 인티파다는 그때까지 팔레스타인 해방운동이 인접 아랍 국가들에 근거지를 두고 이스라엘 점령지 외부에서 전개되었을 뿐 이스라엘 점령지 내부에서는 불가능하였던 현실을 극복하고자 하였던 시도였다. 1999년에 시작된 2차 인티파다는 팔레스타인 자치 정부 수립 이후 온건한 노선으로 전환한 팔레스타인 해방운동에 대해 팔레스타인인들이 느낀 실망의 산물이었다. 인티파다는 또한 암울한 상황에서의 최후의 수단이기도 했다. 1차 인티파다가 팔레스타인 저항운동의 변화와 팔레스타인문제의 실질적 해결에 무관심했던 당시 세계에 이 문제에 대한 관심을 촉발시키는 상징적 효과를 노린 것이었다면 2차 인티파다는 무엇보다도 그간의 평화협상에 대한 환멸의 표시였고, 평화협상의 산물로 등장한 자치 정부체제의 부패와 무능력에 대한 비판이었다(엄한진, 2003).

상대적으로 일국 차원의 현상이었던 2005년 프랑스 소요사태나 국제정치경제적 차원에서 어느 정도 설명되었던 9 · 11테러와 달리 마호메트 만평사태는 매우 많은 요인들이 연관된 현상이다. 우선 유럽-이슬람 관계의 역사, 유럽 내 무슬림들의 문제, 제2차 이라크전쟁 이후의 중동정세와 유럽-아랍의 정치적인 관계, 극우주의 및 유대인 문제와의 연관성 등을 고려해야 한다. 게다가 이 사태에는 최근 유럽을 포함해 전 지구적 차원에서 전개되고 있는 종교와 사회의 갈등, 특히 "종교 관련 사항을 세속법 차원에서 어떻게 다루어야 하는가"라는 문제가 결부되어 있다.

먼저 이 사태의 전개과정을 되짚어 보자. 2005년 9월 30일 덴마크 보수일간지 율란트-포스텐(Jyllands-Posten)에 이슬람을 창시한 예언자 마호메트를 테러리스트로 풍자한 그림 등 12장의 만평이 게재되었다. 처음에는 덴마크 내에서만 문제가 되었다가 2005년 12월 경 중동 등 여러 지역으로 확산되었다. 이렇게 만평 문제가 세계적인 사안이 되자 2006년 1월 10일 노르웨이의 한 일간지 매거지넷(Magazinet)이 12장 그림 전체를 게재하였고 주로 언론 간 연대행동의 차원에서 2월 1일 프랑스 일간지 프랑스 수아(France Soir), 그리고 이어서 독일(Die Welt), 스위스(Tribune de Genève, Le Temps) 등 여러 유럽 국가들에서 신문 게재가 이어졌다. 아랍 등 이슬람국가들에서도 만평이 유럽처럼 몇몇 언론에 게재되었다. 만평사건이 세계적인 문제로 비화한 후에는 예상되었던 대로 각지에서 무슬림들의 격한 대응이 잇따랐고 그 과정에서 아프가니스탄 등지에서 10여 명의 사망자가 발생하였다.

1. 이슬람권 국가들의 작품, 그리고 그 배경에는 유럽의 개입 증대가

우리는 여기에서 이번 문제가 본격적으로 제기된 것은 만평이 처음 게재된 지 2달이 넘게 지난 2005년 12월이었다는 점에 주목하게 된다. 그리고 그때는 마침 57개국 정상들이 모인 이슬람회의(Organisation of Islamic Conference, OIC)가 사우디의 메카에서 열리고 난 직후였다는 점에서 설명의 실마리를 찾을 수 있다. 실제 이 회의를 결산하는 성명서에 덴마크의 만평 문제가 언급되었고 이슬람권 국가들의 정부 차원의 전략이 만평문제가 본격화되는 데 핵심적인 역할을 하게 된다.

만평에 표현된 마호메트와 테러리즘의 연관성은 이 만평이 있기 오래전부터 전 세계의 많은 사람들의 의식 속에, 말 속에, 심지어는 다양한 이미지들에 깊이 뿌리박혀 있던 것이다. 그리고 특히 이러한 인식은 9·11테러 이후 더욱 확고해졌다. 사실 이번 12장의 그림 중 가장 문제가 되었던 시한폭탄 형태의 터번을 쓴 마호메트의 그림이 상징하는 테러리즘으로서의 이슬람이라는 표상은 세계 정세에 어두운 우리에게조차도 너무 익숙한 것이다. 결국 2015년 11월에 발생한 프랑스 소요사태 역시 무엇보다도 국가의 작품이었듯이, 만평 파문 역시 다소 사소하고, 그리 새로울 것 없고 국지적인 사안이 위로부터, 즉 이번 경우에는 이슬람국가들에 의해 매우 심각한 사안으로 만들어진 것이다.

그렇다면 아랍정권들이 이렇게 한 원인은 무엇이었을까? 우선 우리는 그 배경으로 당시 팔레스타인 총선에서 하마스가 승리하고 상당수 아랍 국가들에서 이슬람주의자들이 의회에 대거 진출하는 등 아랍 정치권력이 구가해 온 그간의 장기집권을 위협할 수 있는 정치변동을 떠올릴 수 있다. 즉 유럽 대 이슬람이라는 대립구도를 통해 대중의 민족주의적인 정서를 동원하여 정권의 안정을 도모한 것이라는 설명이 가능한 것이다. 그런데 이러한 정권유지 전략에 '유럽'이라는 요인이 동원되었다는 것은 점증하는 유럽의 중동개입이라는 현실적 배경이 있었다는 것을 말해 준다.

만평문제와는 비교도 되지 않게 자신들에게 희생과 모욕을 준 미국에 대해서는 침묵을 지켰던 아랍 국가들이 다양한 채널을 통해 유럽정부에 압력을 가하고 사과를 요구한 것은 의아하고 역사상 전례가 없는 일이다. 우리는 그 원인을 사태에서 눈에 띄게 적극적인 대응을 한 나라들이 공히 최근 유럽과 갈등관계에 있는 나라들이라는 점에서 찾을 수 있다. 즉 사태의 본질 중 하나는 2003년 미국의 이라크 침공 당시와 달리 중동, 동유럽, 아프가니스탄 등지에서 점차 미국에 협력하고 미국을 대체해 가고 있는 유럽의 존재에 대한 거부감의 표현인 것이다.

예를 들어 이 사태에 대한 이란의 적극적인 행보는 시아파의 예외적인 신앙심 때문이라기보다 당시 세계의 이목을 집중시켰던 이란 핵문제에서 유럽이 오히려 미국보다 더 적극적이 된데서 그 배경을 찾을 수 있다. 이란의 핵문제와 관련해 미국의 부당한 의심을 막아왔던 국제원자력기구(IAEA)가 2005년 9월 갑자기 이란에 대한 불신을 표명하면서 이란 핵문제가 유엔 안보리 상정 등 급박하게 진행되었던 것이다. 이란은 이 의심을 풀기 위한 많은 노력을 했지만 "이란의 핵관련 기술은 언젠가는 핵무기개발로 이어질 수도 있다"라는 미국의 억지를 이겨낼 수 없었고 그 와중에 2005년 9월 만평 게재문제가 덴마크에서 불거진 것이다. 결국 미국에 더해 유럽까지 가세한 최근의 압력으로 인해 매우 곤란한 입장에 놓여 있던 이란의 입장에서 보면 만평사건은 유럽의 압력이 이란만을 향한 것이 아니라 이슬람과 무슬림 모두를 향한 것이라는 유용한 논리를 준 천재일우의 기회였던 것이다.

아프가니스탄에서도 나토군의 유럽 병력이 점차 미군을 대체하고 있었다. 그리고 지역에 따라서는 탈레반이나 알 카에다와 직접 싸우게 된 것이 미국이기보다는 유럽이 된 것이다. 탈레반을 후원해 온 파키스탄이 만평 사건에서 두드러진 반응을 보이는 것도 이 지역에서 유럽 대 탈레반이라는 구도가 형성된 것과 무관하지 않다. 시리아의 다마스, 레바논의 베이루트에서 전개된 격렬한 시위 역시 당시 프랑스가 시리아의 레바논 간섭에 대해 적극적인 공세를 편 것과 무관하지 않다. 이런 점들을 고려할 때 이슬람을 모독한 자들에 죽음을 달라고 부르짖을 때 무슬림들의 머리 속엔 만평의 작가 못지않게 유럽국가의 정부들, 그리고 아랍세계에 평화유지군으로, 엔지오로, 성직자로, 기업가로 와 있는 유럽인들이 있었을 것이다. 물론 이제는 너무도 명백한 지배자가 된 미국과 오버랩되면서 말이다. 좀 더 오래 전 일들을 기억하는 이들에게는 1세기 전 중동을 지배한 제국주의 유럽의 악몽이 떠올랐을 수도 있다.

2. '이슬람 문제'가 두려운 유럽의 무슬림들

이번 사태와 연관된 사람들은 유럽 외부의 무슬림들만이 아니다. 바로 직전에 프랑스에서 발생한 소요사태에서처럼 보다 직접적으로 만평과 만평이 대변하는 편견의 표직이 되었던 것은 오히려 유럽 사회 내부의 무슬림들이다. 그런데 거의 같은 시기에 발생한 이 두 사건은 최근 급격히 세를 불리고 있는 유럽의 극우세력과 밀접한 연관성을 갖는다. 그것은 유럽의 경우 극우정당의 주된 자원이 반이민정서이며 대부분의 유럽 국가들에서 주된 이민 집단은 이슬람권에서 온 사람들이기 때문이다. 대부분 이슬람권 출신자들과 연관된 이민문제를 핵심적인 사회문제로 부각시키는 것이 성공의 열쇠인 유럽의 극우세력에게 이 사건은 이슬람이 문제가 되었다는 사실만으로도 세력 확장의 호기였던 셈이다.

일찍이 만평이 게재되었던 노르웨이의 경우 바로 직전인 2005년 9월 총선에서 극우정당인 진보당이 22%의 득표로 제1야당이 되었는데 만평 사건에서 노르웨이를 겨냥한 시위와 폭력이 발생한 것이 극우주의의 기반인 반이슬람 정서를 한층 강화시켰던 것이다. 프랑스에서도 극우세력들은 만평 게재지인 프랑스 수아(France Soir)와의 연대를 표시하고 사건을 외부 무슬림들에 의한 자국의 표현의 자유 침해로 규정하였다.

그런데 프랑스 소요사태에서도 그러했듯이 서유럽의 이슬람신자들은 이슬람 국가들의 신자들에 비해 매우 조심스럽고 방어적인 태도를 보였다. 그들은 이렇게 말한다. "우리는 평화를 원한다. 이슬람은 평화의 종교다. 이슬람공동체는 평화의 공동체다." 이민문제, 이슬람문제가 중요한 사회문제로 제기되는 것은 그것이 어떤 성격의 것이든 이슬람문화권 출신의 유럽인들에게는 위협적으로 받아들여진다. 사실 그들은 유럽의 주류 백인사회가 자신들을 이슬람이나 아랍으로 규정하는 것이 지니는 해악적인 효과를 너무나도 잘 알고 있다. 그들은 무슬림, 아랍인보다는 프랑스시민, 덴마크시민으로 남과 다름없이 대접받고 싶은 것이다. 그런데 시민으로 평등하게 대접해 주지 않으려는 주류사회가 그들을 아랍인, 무슬림으로 간주하는 것이다. 여기에는 "너희들은 본질적으로 다르니까 우리와 절대 같아질 수 없다. 즉 진정한 프랑스인, 독일인이 될 수 없으며, 너희들은 다르니까 다른 대접을 하는 것이다"라는 의미가 내포되어 있다.

한편 유럽의 무슬림들을 주류사회와 구별되는 존재로 규정하는 것은 유럽사회뿐만이 아니다. 알제리, 파키스탄, 터키, 이란 등 자신들의 모국 역시 대유럽 전략에 유럽에 있는 자국동포들을 이용하려 한다. 그러나 당사자들은 자신들의 문제가 이슬람이나 아랍과 관련된 논의를 매개로 유럽-이슬람 관계에 이용되는 데 반감을 느끼고 있다. 유럽에 거주하는 이슬람문화권 출신 이주민의 후예들은 더 이상 유럽과 오리엔트, 중동의 갈등에 휘말리고 싶지 않은 것이다. 그리고 실제로도 이들의 대부분은 우리의 재중동포들의 경우처럼 유럽에 온 지 매우 오래되었거나 유럽에서 태어나 유럽의 문화와 사회에 익숙한 유럽인들인 것이다.

3. 신앙의 존중 대 표현의 자유

"이번 사건에서 게재 당사자들이나 이들 편에 선 지식인, 언론이 주창하는 언론의 자유, 표현의 자유는 사실상 그들의 반이슬람적, 인종차별적 태도를 정당화하는 변명에 불과한 것이다"라는 것이 이 사건에 대한 대표적인 해석 중 하나였다. 다시 말해 표현의 자유, 언론의 자유를 빌미로 신앙이 다른 집단, 특히 그간 강대국의 미움을 사온 무슬림들을 모독한 것이라는 견해이다.

그런데 다소 의아한 것은 이슬람을 그 무엇보다도 적대시해 온 유럽과 미국의 정부들이 이 사건에서는 종교적 신념에 대한 존중, 종교적 사안에 대한 언론의 신중함, 책임성을 강조하면서 아랍세계에서의 폭력적인 대응에 대한 비판보다는 만평을 게재한 서방언론들에 대한 비판에 더 치중하는 모습을 보였다는 점이다. 만평 게재를 비판하며 언론에 책임성과 분별력을 요구한 코피 아난의 논평(2006년 2월 9일)이나 "표현의 자유의 실현이기보다는 점증하는 유럽사회의 다양성에 대한 그들의 무감각, 그들의 거부감을 표현한 것"(2006년 2월 8일)이라는 워싱턴 포스트의 일견 진보적인 해석도 이러한 분위기를 반영하였다.

여론 역시 크게 다를 바 없었다. 2005년 가을 프랑스 소요사태 당시 국민의 68%가 자극적인 언사와 강경대응으로 이번 사태를 악화시킨 내무장관 사르코지의 행동을 지지(Le Monde, 2005년 11월 17일자)했던 프랑스의 경우, 이번 경우에는 국민의 54%가 만평을 게재한 미디어들을 비판하고 있다(『Le Monde』 2006년 2월 9일자).

이러한 태도의 배경에는 무엇보다도 사회통제의 강화, 그 속에서의 표현의 자유의 약화라는 최근의 전 지구적 경향이 놓여 있다. 즉 매우 폭력적인, 따라서 매우 격렬한 사회적 저항을 야기할 수밖에 없는 신자유주의 세계화에 필수불가결한 것으로, 특히 9 · 11테러 이후 노골화된 사회통제 강화의 일환으로, 최근 세계 여러 지역에서 표현의 자유가 이해 당사자들의 압력이나 여론을 빌미로 약화되는 경향을 볼 수 있다.

종교의 경우에도 전통적으로 금기시되어 온 유대인 문제에 대한 견해 표명뿐 아니라 다른 종교에 대한 부정적인 표현도 새로이 억압을 당하고 있다. 이번 사건의 진원지인 유럽에서 이 사건은 무엇보다도 최근 들어 공적 논의나 글, 영화, 광고, 만평 등에서 종교적인 사안에 대한 비판이 점점 어려워지고 있는 추세의 연장선상에 있었던 것이다. 즉 교황을 풍자한 꼭두각시 인형에 대한 제재, 다빈치의 최후의 만찬을 선정적으로 패러디한 광고에 대한 제재 등 당시 크게 논란이 되었던 '모독' 사건들의 연장선상에서 만평사건을 설명할 수 있는 것이다.

최근 유럽과 미국을 보면 기독교든, 유대교든, 이슬람교이든 인간의 자유를 제한하는 길에 동참하고 있다. 낙태, 동성결혼, 생명윤리, 신성모독 등의 문제가 잘 보여주듯이 현 세계는 종교 간 갈등만큼이나 종교와 사회의 힘겨루기가 한창인 것이다. 이번 사안의 당사자인 유럽도 유럽연합 차원에서 '개인의 자유'와 '차이의 존중', '표현의 자유'와 '신앙의 존중'이라는 일견 모순되어 보이는 가치들을 조화시킬 방안에 대한 논의가 한창 진행 중이다. 그리고 그 배경에는 유럽연합에 속한 나라들의 주류사회 자신들도 심각하게 겪고 있는 정체성 문제가 놓여 있는 것이다. 즉 단일한 유럽이라는 이상은 점차 현실이 되고 있는데 유럽연합 내부에는 무수한 경제적, 종교적, 종족적 차이가 존재하고 있기 때문이다.

표현의 자유가 종교적 신념을 저해해서는 안 된다는 논리로 이번 만평을 비판한 교황을 비롯해 각 종교의 대표자들이 만평사건에 한 목소리를 냈던 배경에는 이러한 경향이 깔려 있었는 것이다. 이런 점에서 볼 때 매우 종교적인 부시가 만평사건과 관련해 무엇보다도 언론에 대한 비판을 강조한 것은 형식적인 제스처만은 아니었던 것이다. 이러한 사실들에서 볼 때 이 사건은 비록 그 시발점이나 전개과정에 유럽 국가들과 이슬람 국가들 간의 정치적 이해관계가 크게 작용했지만, 단지 정치적 현상만은 아닌 것이다.

4. 전망

사태가 초래할 결과를 예견해 보면, 우선 '이슬람'이라는 요인의 중요성, 서로 화합할 수 없는 이슬람과 서양, 이슬람과 민주주의, 이슬람과 인권과 같은 이분법이 다시금 활력을 찾을 것이다. 만평사건과 흡사했던 살만 루쉬디 사건이 초래한 결과를 되새겨 보면 이러한 유형의 현상이 해당 사회집단에 매우 부정적인 결과를 초래함을 알 수 있다. 살만 루쉬디 사건 이전에 영국의 파키스탄 이민자들 내에는 자신들의 종교를 중시하는 만큼이나 주류사회에 통합하려는 노력들이 존재했었다. 그러다가 살만 루쉬디 사건이 초래한 무슬림에 대한 낙인은 이 집단의 많은 사람들을 게토에 갇힌 폐쇄적인 존재가 되게 하였다.

이 점과 관련해 아쉬운 것은, 불가능했던 것일 순 있지만 아랍세계 역시 이 사태에 냉정하게 대응함으로써 '이슬람'과 '민주주의'라는 오랫동안 상호모순적인 것으로 여겨져 온 두 가지 가치가 공존할 수 있다는 것을 보여줄 기회를 잃고, 반대로 언제나 그러했듯이 서양이 끌고 가는 오리엔탈리즘적인 세계해석을 더 강화시키는 데 협력한 꼴이 되었다는 점이다.

이 사건과 직접적 연관은 없는 우리의 입장에서 보면, 9·11테러가 우리에게 이슬람을 미국, 제국, 테러리즘, 세계화 및 반세계화와 연관지어 생각하게 했다면, 이 사건은 이슬람과 아랍을 유럽, 종교 일반, 시민권, 이민문제, 극우주의 등 또 다른 개념들과 연관해 생각하게 하는 의미가 있을 것이다.

출처: 엄한진, 2006, "마호멧 만평사태의 본질", 『참세상』 2006년 2월 21일자.

5장
다문화주의와 상호문화주의의 도전

5장
다문화주의와 상호문화주의의 도전[1]

이 장에서는 이민정책의 변화와 궤를 같이 해온 프랑스의 '다문화' 관련 논의 및 교육의 경험에 대해 살펴본다. 프랑스는 캐나다, 호주 등과 달리 소수민족 출신자들이 집단으로 존재하기보다는 개인적 차원에서 사회에 통합하는 전통을 지닌 사회이다. 따라서 집단적 권리로서 소수민족의 문화를 인정하는 것에 초점을 두는 다문화주의가 적합하지 않은 사회였다. 그러나 1974년 노동이민 금지조치가 이주민들이 정주화되는 예기치 않은 결과를 낳았고, 이후 이들이 개인으로서의 주류사회 통합이 어려워지고 낙후지역에 밀집되면서 집단으로서의 소수민족의 존재가 가시화되었다. 프랑스 사회에 다문화주의가 도입된 것은 바로 이러한 현실적인 변화를 배경으로 한 것이다. 그러나 종족적 이질

1 이 장은 엄한진(2009)의 일부 내용을 수정한 것임.

성에 대한 인정보다 시민으로서의 동질성을 강조하는 프랑스 사회에서 다문화주의는 사회적 공감대를 얻기 어려웠다. 그 형태도 고정된 것으로 인식되는 개별 문화들 간의 차이의 확인에 그치는 영미권의 다문화주의와 달리 구체적인 상호작용을 문화의 핵심으로 간주하는 '상호문화주의(interculturalism)'의 양상을 띠었다.

1. 다문화주의

'다문화' 담론의 기원은 직접적으로는 1971년 캐나다의 트뤼도 정부가 도입한 다문화주의 정책에서 비롯되었지만 20세기 전반 미국을 중심으로 나타난 이민 논의의 전통을 계승하고 있다. 초창기 이민 논의의 배경에는 근대적인 의미의 이민 현상이 있었다. 국제이주는 인류의 역사만큼 오래된 현상이지만 근대 이후 이민은 보다 구조적인 성격을 띠었고 그 주된 배경은 자본주의화 과정이었다. 신대륙 발견이 촉발시킨 상업자본주의가 유럽인들의 세계 진출과 아프리카인들의 강제이주를 낳았다면 산업혁명은 유럽인들과 아시아인들이 유럽의 공업지대나 남북미로 대거 이주하는 계기가 되었다.

근대적인 이민 현상에 대한 연구는 이민을 통해 형성된 사회인 미국에서 발달하였으며, 특히 20세기 전반부 시카고학파의 사회학적 연구가 그 효시가 되었다. 그중에서도 토마스와 즈나니에츠키의 미국 거주 폴란드 이민자 연구가 시발점이 되었는데 이 연구는 생물학적 요인에 입각한 기존의 국제이주민에 대한 설명과 달리 이들이 새로운 사회적 맥락에 적응하는 과정에 초점을 둔 것이었다. 이밖에도 시카고학파는 인종적인 관계나 게토에 대한 연구를 시도하였고 통계 분석이나 생애사 연구와 같은 방법론적인 혁신을 이루었다. 이주민들의 공간적 집중, 출신국가별 공동체 형성, 동화 등 시카고 학파가 제기한 문제들은 이후 미국 및 유럽 이민사회학의 핵심적인 주제가 되었다.

전통적으로 이민 연구가 정책과의 연관성이 큰 분야이지만 다문화 논의는 그 기원이 정책에 있는 데서 짐작할 수 있듯이 정치성이 강한, 문자 그대로 '담론'이라고 할 수 있다. '다문화'라는 이름의 한국 이민 담론이 '관 주도의 다문화주의'로 규정되고 국가주의나 동화주의의 혐의를 받는 것도 한국 사회의 후진성과 더불어 이러한 이민연구가 지닌 속성과 연관성이 있는 것이다. 다문화 담론은 다양한 차원을 포함하고 있다. 비유럽 이민의 비중이 커짐에 따라 종족적, 문화적으로 다원화된 현실, 이러한 현실에 대한 대처방안의 하나로 종족집단의 문화와 자율성에 초점을 둔 일련의 정책, 그리고 이러한 현실과 정책을 지지해 주는 이론으로서의 다문화주의 등 다양한 의미를 지닌 것이다. 다문화주의 정책의 대표적인 사례로는 한국의 아리랑 축제와 같은 다문화 축제, 각 종족의 전통문화 지원, 종족 공동체(ethnic community) 및 종족 경제(ethnic economy) 지원을 들 수 있다.

다문화주의 이론 및 정책은 공화주의 모델과 같이 국민국가의 통일성을 강조하는 기존 소수자 통합모델이 다원성과 이질성이 심화되는 새로운 종족적 상황에 더 이상 적합하지 않다며 그 대안으로 등장하였다. 그렇지만 이미 1990년대부터 다문화주의는 이민에 호의적인 진영과 부정적인 진영 모두로부터 비판에 직면하게 된다. 전자는 문화적 차이를 강조하는 다문화주의가 종족적 소수자가 겪는 차별과 배제를 완화시켜 주지 못하며 오히려 이들을 사회에서 더욱 고립시키는 결과를 낳았다고 비판한다. 후자는 정반대로 비백인의 유입을 촉진시키고 이들에 호의적인 다문화주의 정책으로 인해 백인의 기득권이 침해되고 백인사회의 정체성이 위기에 빠졌다는 견해를 가지고 있다.

2. 프랑스의 다문화주의

서구사회에서 다문화주의[2]는 동시대 사회 전반이 경험한 변화의 부산물이었다. 다문화주의 모델의 대척점으로 여겨지는 공화주의 모델의 나라 프랑스에서도 다문화주의 시대가 있었고 그러다가 다시 강경한 공화주의가 주도권을 잡게 된다. 이 과정을 '온건한 차이주의에서 과격한 공화주의로의'(*du différentialisme modéré au républicanisme exacerbé*) 전환

2 카스토리아노(Kastoryano, 2000)는 사회과학 용어 중 '다문화주의'라는 용어만큼 다양한 방식으로 이해되고 쓰인 것은 드물다는 점을 지적한다. 이 개념이 확산되면서 나라마다 달리 사용된 것은 물론이고 한 나라에서도 그것에 대한 정의, 해석이 논쟁의 대상이었다. 다문화주의에 대한 해석이 다양한 이유 중 하나는 '다문화 사회'라는 객관적 현실과 '다문화주의'라는 이데올로기를 명확히 구분하지 않기 때문이다. 서유럽과 미국 등 모든 발전된 사회는 문화적 다양성을 지니고 있고 사회의 대다수 성원이 그러한 현실을 인정한다. 이것은 객관적 사실이다. 즉 다문화 사회라는 대다수 사회의 현실과 문화적 차이에 대한 인본주의적 차원의 관용이 이민정책의 기조와 무관하게 객관적으로 존재하는 것이다. 객관적인 사회 현상으로서의 다문화주의는 이민집단에 의해 형성된 객관적 사실이고 최근 전 지구적 이민 현상과 연관된 현상이다. 그런데 특정 집단이 지닌 문화적 특수성이 해당 집단의 전략에 의해 또는 국가 및 주류사회에 의해 소수민족 사회통합의 주된 자원으로 동원될 때 현실로서의 다문화주의(multiculturalism)는 사회통합 전략 또는 사회통합 정책으로서의 다문화주의로 전환되는 것이다.

으로 표현하기도 한다. 즉 줄곧 공화주의를 표방해왔지만 프랑스는 오랫동안 브르타뉴 공동체나 북부지방의 이탈리아 공동체가 큰 거부감 없이 존재해 왔다. 포르투갈 출신 이주민들의 성공적인 통합도 상업적 연결망 등 종족공동체에 기반을 두고 이루어지는 등 문화적 차이 및 종족 공동체에 대해 관용적이거나 적어도 크게 문제시하지는 않았다. 즉 공화주의가 '다문화사회'와 모순적인 것은 아니다. 공화주의 체제에서 국적은 인종, 종교, 문화가 아닌 자유, 민주주의 등 보편적인 원리에의 자발적인 동의를 의미하는 것이다. 개개인이 서로 다른 집단과 정체성을 넘나들 수 있는 사적 권리는 보장되는 것이다. 그리고 공화국 차원에서 문화적 다양성이 존중될 수도 있다.

그러나 이러한 공화국의 관용성은 68년 5월을 계기로 비판받게 되고 짧은 다문화주의 시대가 도래한다. 당시 프랑스의 다문화주의는 '68 혁명'에서의 권위주의적 문화와 국가의 억압성 비판, 그리고 이 혁명 이후 등장한 특수주의 경향과 다른 문화에 대한 관심이 반영된 것이었다(Blanc-Chalard, 2001: 90). 다문화주의의 지지자들은 지배문화 속에서 다양한 문화들이 사라질 수 있는 위험성을 들어 '동화' 개념을 비판하면서 문화적 차이를 찬양했다. '모자이크 프랑스', '다원적인 프랑스' 등 새로운 개념이 당시에 큰 반향을 얻었다.

그러나 일부 사람들은 불평등과 인종주의가 부상하는 당시 사회적 맥락에서 차이를 중시하는 것이 차별로의 길을 여는 것이라고 우려를 표명했다. 이러한 시각에서 공화주의적 평등에 기초한 '통합'(*intégration*)이라는 이상이 1983년 '아랍 출신 이주민들의 행진'(*la marche des Beurs*)으로 상징되는 보편주의적 이주민 운동의 사상적 기반이 되었다. 그 선봉에 섰던 반인종주의 단체들은 사회적, 법적 차원에서의 동화라는 전통적인 대의를 보존할 필요성을 강조하게 된다. 여기에다가 1989년에 발생한 '히잡 사건'과 그것이 촉발시킨 정교분리주의에 대한 논쟁을 거치면서 전통적으로 외국인에 관용적이었던 일부 사람들이 정교분리주의 원리를 근거로 이들의 문화적 차이에 등을 돌리게 되었다(엄한진, 2009).

1980, 1990년대에는 68 혁명 직후 시기와는 다른 맥락에서 프랑스 지식인의 일부가 다문화주의자로 개종하게 된다. 이들이 주창한 다문화주의[3]는 세계화에 적합하지 못하다고 비판받게 된 프랑스식 국민

3 자유주의적 다문화주의 또는 온건한 다문화주의자라고 할 수 있는 아이리스 영의 논의를 통해 다문화주의의 문제의식에 대해 살펴보자. 그는 먼저 차이 담론의 부상이 요구되었던 사회적 맥락을 얘기한다. 사회집단 간 차이가 존재하며 일부 집단이 특권을 누리는 반면, 다른 집단은 억압을 받는 곳에서 사회정의는 억압을 근절하기 위해 집단간 차이를 명시적으로 인정하고 이에 주목하는 것이 필요하다는 것이다. 이러한 맥락에서 분배에서 억압으로 현대 사회운동 담론의 주요 개념이 변화했다는 것이다. 그에 따르면 억압은 다음과 같은 5개의 요소를 가지고 있다. 착취(exploitation), 주변화(marginalization), 무기력함(powerlessness), 문화제국주의(cultural imperialism), 폭력(violence). 분배적 부정의는 이러한 형태의 억압에 기여할 수 있으며 역으로 이것으로부터 초래될 수 있다. 그렇지만 억압의 어떤 요소도 분배로 환원될 수는 없다. 모든 요소들이 분배를 넘어서는 차원의 사회적 구조와 관계를 수반한다(Young, 1990: 8-9). '동등한 대우'라는 원리는 당초 공정한 통합에 대한 형식적인 보증으로 등장했다. 그러나 공정함에 대한 이러한 기계적인 해석은 차이를 억압한다. '차이의 정치'는 때때로 현실에서의 또는 잠재적인 억압을 감소시키기 위해 공공정책과 기업의 경영에서 동등한 대우의 원리를 압도하는 것을 의미한다. 때때로 집단의 특수한 권리를 인정하는 것이 그들의 온전한 사회참여를 증진시키는 유일한 방법이 된다. 일부 사람들은 차이를 고려하는(differential) 대우가 해당 집단을 다시 낙인찍는 것이라고 두려워한다. 우리가 차이를 부정적으로 이해할 경우, 즉 평등(equality)을 동일함(sameness)으로, 차이를 일탈이나 저평가로 간주할 때 이것은 사실이다. 영에 따르면 집단간 차이의 인정은 또한 소수집단의 단체들을 장려하는 정치적 배려를 요구한다. 이것은 개별 집단의 목소리가 공적인 장에서 반영되도록 보장하

국가 모델을 대체하는 대안으로 제기된 것이었다. 인간과 문화의 유동적이고 융합적인 측면을 강조하면서 다문화 사회가 포스트국가사회, 포스트민족사회로 이행하는 바람직한 현상이라고 주장하였다.[4] 주목할 만한 점은 다시 프랑스의 다문화주의가 고정된 것으로 인식되는 개별 문화들 간의 차이의 확인에 그치는 영미권의 다문화주의와 달리 구체적인 상호작용을 문화의 핵심으로 간주하는 '상호문화주의(interculturalism)'의 양상을 띠었다는 점이다. 예를 들어 '상호문화 교육'은 이주민 가정의 학생들이 구체적으로 학교에서 보여주는 교사 및 학생들과의 다양한 상호작용의 행태 등 일상에서 경험하는 다문화성에 초점을 둔다(엄한진, 2011).

기 위한 것이다(Ibid.: 3-11).

4 이 현상, 즉 참여적 지식인의 개종 현상은 1990년대 말 프랑스에서도 본격화된 미국화, 앵글로색슨화의 한 징표라고 비판을 받기도 했다.

자료 5-1: 공화주의자 따기에프의 다문화주의 비판

"민주주의 국가는 시민적임과 동시에 종족적이다. 그리고 그것이 종족적 요인을 시민적 요인에 종속시키는 기획이라고 정의한다면, 공동체주의는 그와 반대로 종족적 요인을 시민적 요인 위에 놓으려는 음모로 또는 시민적인 것을 종족적인 것으로 환원시키는 욕망으로 정의될 수 있다. 우리에게 어려운 문제가 하나 놓여 있다. 가치는 불가피하게 특정 문화나 공동체에 배태되어 있는가, 그리고 이 가치는 비교불가능한 것인가? 그렇다고 한다면 이것은 모든 종족적, 사회적 소수자들의 요구를 동등하고 정당하게 하는 전제가 된다. 그렇지 않으면 특정 공동체에 배태되어 있는 규범과 가치보다 무한히 약해서 우리의 비교평가에 들어오기도 힘든 보편적인 규범과 가치가 있나는 사실에 근거해, 급진적인 문화적 상대주의는 비난받아야 하는가? 안티고네[5]에 배태되어 있는 보편적 가치는 고대 그리스 테베 공동체의 수호자였던 크레온이 강조한 '강하고', '무게 있는' 가치들 못지않게 유효하다. 그렇

5 안티고네는 고대 그리스의 소포클레스가 기원전 441년에 만든 비극이다. 이 작품은 테베의 왕이었던 오이디푸스의 딸 안티고네와 그의 삼촌이자 테베의 왕이 된 크레온 간의 갈등을 다루고 있다. 그 내용을 보면 오이디푸스가 죽고 난 후 두 아들 간의 불화가 깊어져 치열한 싸움이 벌어진 끝에 둘 다 목숨을 잃게 된다. 이때 크레온은 자신이 다스리는 테베를 상대로 싸움을 벌였던 조카 폴리네이케스의 시체를 들판에 그대로 방치하고 매장을 금지하게 된다. 그러나 여동생 안티고네는 크레온의 명령을 어기고 오빠의 시체를 묻어 주려고 한다. 폴리네이케스의 매장을 둘러싼 안티고네와 크레온의 대립, 즉 신의 법을 크레온 왕의 명령보다 우위에 두는 안티고네와, 국법을 고집하는 크레온 간의 갈등이 이 비극의 주제라고 할 수 있다. 이러한 점에서 위 인용문의 저자인 따기에프는 보편주의 또는 자연법을 상징하는 존재로 안티고네를 언급하고 있는 것이다.

다고 후자가 본질적으로 잘못된 것으로 간주되어서는 안 된다. 이 가치들이 어떠한 정치적 목적 없이 단순하게 작용하는 공동체, 예를 들어 거의 순수한 감성적 공동체에 가까운 문화 공동체일 경우 공동체는 누구에게도 위협이 되지 않으며 모든 시민이 다양한 기준에 입각해 자유로이 결합할 자유에 부합한다. 이러한 자유가 보장되는 국가 내부에는 기억의 공동체, 이해와 취향의 공동체, 가치의 공동체, 신념의 공동체, 언어 공동체, 종족적-민족적 기원의 공동체, 자선활동의 공동체 등 다양한 공동체가 존재할 수 있다. 프랑스에 집단적으로 거주한 지 200년이 지난 유대인의 사례는 공동체적 정체성의 유지가 프랑스라는 공동체에의 통합과 공존할 수 있음을 잘 보여준다. 종족성의 유지가 공화주의적인 동화체제와의 갈등을 초래하지 않았던 것이다. 이렇게 되기 위해서는 공적 영역과 사적 영역 간의 구분이 존중되고 개인적인 정체성을 정의하는 소속과 정체성이 여러 가지일 수 있다는 것이 인정되는 것으로 충분하다. 이것이 애디 스텍이 그의 유명한 논평에서 말한 것이다. "프랑스의 영광은 통합이 고유성을 억압하지 않는다는 사실에서 온다." 성공적인 공존은 특수한 것을 보편적인 것에 종속시키는 원칙을 지키는 것, 또는 부차적인 가치의 차이를 인정하는 것을 전제한다. 이는 유사성을 우선시하는 것을 의미한다. 공동체의 특수성에 비해 추상적으로 정의된 시민권이 지니는 우선성은 특수성을 근절함이 없이 프랑스식의 공화주의적 종합을 이루는 조건이다. 이것이 정치화된 특수성의 힘을 제한하는 방법이다(Taguieff, 2003).

3. 다문화 교육의 다양한 형태

서구사회에서 종족적, 문화적, 종교적 다양성 문제에 대한 교육 영역의 대응방식은 다양하다. 그것은 해당 사회의 시민권 개념, 가치체계 등에 따라 다르다. 문화적, 종교적 다양성에 대해 개방적 태도를 가지게 하고 인종주의에 대한 투쟁을 강화시키기 위해 고안된 대표적인 교육형태로는 '다문화(multicultural)' 또는 '상호문화(intercultural)' 교육, 반인종주의 교육, 발전 교육, 글로벌 교육, 평화교육, 이중언어교육, 민주주의 교육, 시민권 교육 등이 있다(Ouellet, 2002). 이 중에서 가장 중요한 두 모델인 '다문화 모델'과 '상호문화 모델'은 미묘하지만 일련의 차이점을 지닌다. 다문화 모델은 영미권, '문화간' 접근방식은 불어권(프랑스, 캐나다의 퀘벡주, 벨기에 등)에서 주류를 이루는 것인데 이 양자간의 차이는 '문화주의(culturalism)'와 '상호문화주의(interculturalism)'의 차이와 일맥상통한다.

문화주의(culturalism)는 현실의 복합성을 단순화시킨 입장으로서 정치, 경제 등 현실의 다른 차원을 고려하지 않고 문화적 설명만을 강조하는 경향을 말한다. 이런 점에서 문화주의는 "문화에 대한 소아병적 인식"이라고 비판되는 것이다. 문화를 절대시하는 이러한 접근방식에서 문화는 개인이나 집단의 행위를 설명하는 유일한 요소로 간주된다.[6]

6 보다 중립적인 의미에서 문화주의는 영국의 문화연구 분야에서 발전한 사조로서 각 사회의 문화를 결정하는 구조를 강조한다. 이 흐름에서는 당대사회를 재구성하는 것이 문화연구의 목적이라고 할 수 있다(스토리, 1994). 해당 사회 고유의 맥락을 강조하는 것이 과도하게, 그리고 정치적으로 이용될 경우 우리가 본문에서 언급하고 있는 본질주의적이고 정치화된 문화주의로 변질될 수 있는 것이다.

이러한 문화주의는 문화에 대한 새로운 접근방식으로서의 '상호문화주의'와 구분된다. 다문화가 어떤 고정된 차이에 대한 확인에 머문다면 '문화간'은 문화에 대한 동태적인 인식의 길을 연다. '상호문화주의'에서는 상호작용이 문화나 정체성에 대한 정의의 핵심요소로 간주된다. 또한 상호문화주의(interculturalism)는 캐나다 퀘벡주의 경우처럼 다양성을 존중하지만 공통의 공적 문화에 대한 교육을 중시하는 경향이다. 이런 점에서 다문화주의와도 차이가 있는 것이다.

압달라 프레세이유(Abdallah−Pretceille, 2004)는 다문화 교육에 있어서 문화주의적 경향에 대해 다음과 같이 비판한다. 그는 1970년대 이래 이주민 자녀의 교육과 관련된 다양한 제도들이 도입되었지만 여전히 다음과 같은 고전적인 질문이 제기된다고 지적한다. "다른 문화권 출신 학생에 대해 교사는 교육자여야 하는가, 민족학자(ethnologist)여야 하는가?" 교육학에서 문화주의는 차이의 지나친 강조로 인해 소통을 불가능하게 하는 위험성이 있다. 교사에게 필요한 것은 타문화에 대한 지식보다는 타문화 출신 학생이 처한 총체적인 개별 상황에 대한 구체적 분석이라는 것이다.

한편 유네스코의 선구적인 시도들 역시 문화주의적, 오리엔탈리즘적이라는 비판을 받아왔다. 유네스코의 '문화다양성 협약'은 신자유주의 세계화에 대한 대응으로 등장한 새로운 사회운동의 요구가 반영된 것이었다. 이것은 다양성에 대한 감수성과 문제 제기가 사회운동 자체의 다양성에서 비롯된다는 사실을 보여준다.[7] 유네스코 문화다양성 프

7 한국 역시 다문화 열풍에는 한국 시민사회의 다양성이 그 배경에 있었던 것이다. 이데올로기적 측면에서 보면 다문화 담론 성공의 배경에는 1990년대 이래

로젝트의 최근 사례를 보자. 대학의 경우 유네스코의 지원하에 여러 대학에서 문화다양성 교과목 및 교수직이 설치되었다. 그 사례를 보면 2005년 알제리의 틀렘센(Tlemcen)의 아부베크르 벨카이드 틀렘센 대학(University of Aboubekr Belkaid–Tlemcen)의 '대중문화' 전공, 2004년 사이프러스 니코시아(Nicosie)의 사범대학에 설치된 '문화다양성과 평화의 문화를 위한 문화간 대화' 전공, 2007년 프랑스 니스대학에 설치된 '영화와 상상력' 전공, 2006년 과테말라 라파엘 란디바르 대학(University of Rafael landivar)에 설치된 '문화다양성 강화를 위한 커뮤니케이션' 전공, 2006년 이탈리아 밀라노의 리베라 언어 및 커뮤니케이션 대학에 설치된 '상상력에 대한 문화적 비교학적 연구' 전공, 2006년 토고의 로메 대학(University of Lomé)에 설치된 '아프리카문화 보호 사상' 전공, 2012년 독일의 힐데샤임 대학(University of Hildesheim)에 설치된 '개발도상국 예술에 관한 문화정책'Cultural Policy for the Arts in Development) 전공 등이 있다.[8] 이 유네스코의 프로그램들은 좁은 의미의 문화 영역에 치중한 것으로 위에 언급한 신규 전공의 명칭에서 소수문화의 보전이나 문화간 교류를 목표로 하고 있음을 알 수 있다.

한편 유네스코의 반인종주의 프로그램이 지닌 문화주의적 측면에 대한 비판도 존재한다. 반인종주의 담론은 유네스코 등이 추진한 전후

포스트모더니즘에 대한 관심, 그 일환으로서 소수자, 정체성, 다양성, 차이, 인정에 대한 관심, 그리고 페미니즘과 생태주의를 필두로 한 한국적 신사회운동의 부상이 있었다. 다문화 현상이나 다문화주의는 다양성과 차이를 강조했던 동시대 사회전반적인 현상의 한 부분이었다(엄한진, 2008).

8 http://www.unesco.org/en/university-twinning-and-networking/access-by-region/europe-and-north-america/germany/unesco-chair-in-cultural-policy-for-the-arts-in-development-978/, 2015년 5월 20일 검색

기획에서 출현하였고, 서방정부들의 지원을 받아 나치의 대학살이 일어난 직후에 인종주의 현상을 설명하고 그에 대한 치유방안을 제시하고자 한 것이다. 렌틴(Lentin, 2004)에 따르면 이 주류 반인종주의는 자주적 반인종주의를 고취한 반식민주의 운동에서 발전했던 국가중심적 비판과 반대되는 것이다. 유네스코가 주도한 반인종주의는 이와 달리 개인적 편견의 산물이라는 점을 강조하고, 정치적 설명을 심리학적인 설명으로 대체하며, 인종주의에 대한 정치화된 대응보다는 문화적인 대응을 옹호한다. 렌틴은 유네스코의 논리를 다음과 같이 비판한다. 유네스코는 인종이 부적합한 용어라는 의견을 제시했는데, 그 이유는 인종이 인간 존재들을 범주화하는 비과학적 방식이며 문화로 대체되어야 하기 때문이라는 것이었다. 그러나 유네스코의 작업에 힘을 불어넣은 사고가 '인종'의 정치적 본성을 부인하면서, 그것을 순전히 사이비과학적인 기원을 지닌 것으로 간주했기 때문에 문화라는 대안은 인종주의의 폐해를 극복하는 데 기여하지 못했다는 것이다.

미국의 예를 통해 찰스 밀즈(C. W. Mills)가 밝히고 있듯이 인종주의는 의식의 문제만이 아니라 '인종계약'이라는 구체적인 기제를 가지고 있는 것이다. 그에 따르면 인종계약이란 여러 '인종적' 기준들에 의해 특정 집단은 '백인'이라고 부르고 나머지를 '비백인'으로, 하등인간으로 분류하기 위해 백인들 간에 맺은 공식적, 비공식적 합의나 메타 계약을 말한다. 이 계약의 주된 목적은 집단으로서의 비백인들에 비해 집단으로서의 백인들에게 유리한 차별적인 특권을 부여하기 위한 것이고 비백인들의 신체와 땅과 자원을 착취하기 위한 것이며, 비백인들에게 동등한 사회경제적 기회를 부여하지 않기 위한 것이다. 비록 모든 백인들이 이 계약의 서명에 참여하지는 아니지만 모든 백인들은 이 계약의 수혜자이다(밀스, 2006: 29-30). 그러면서 그는 지금 우리에게 필요한 것은 인종주의 또는 전 지구적 백인 우월주의 그 자체가 하나의 정치체제라는 인식, 즉 공식적, 비공식적 지배와 사회경제적 특권과 특정한 규범들로 이루어진 하나의 특별한 권력구조라는 인식을 가지는 것이라고 주장하였다(Ibid: 16).

최근 한국의 이민 담론은 바로 유네스코의 전례를 답습하는 측면이 있다. 구조적 인종문제를 개인적인 의식의 문제로 간주하고, 집단적인 측면을 인정하더라도 문화적 차이, 문화적 불관용에 국한된 것으로 간주하는 경향이 있다. 이는 '인종에서 문화로의 전환'이라는 포스트모던 시대의 현상의 하나로 볼 수 있다. 즉 하먼(Harmon, 1992)에 따르면 신인종주의, 즉 최근의 변형된 인종주의는 생물학적 우월성보다 민족간 문화적 차이를 강조한다. 즉 현실에서의 종족 간 차이를 선천적인 자질의 차이로 설명하며 이 차이가 그들이 속한 민족의 문화적 특성에 기인한다고 해석한다. 이러한 인식에서 '민족성'이나 '문화'는 그 집단에 속한 사람에게 빠져나올 수 없는 운명적인 것이다. 또한 최근 유네스코가 추진하고 있는 세계시민교육 역시 과거 국제이해교육과 마찬가지로 오리엔탈리즘적 성격이 강하다고 볼 수 있다. 타 문화를 오래전부터 고정된 것으로 간주한다거나 문명의 대척점에 있는 야만으로 여기는, 또는 수동적이고 나약한 것으로 여기는 등 에드워드 사이드(Said, 1979)가 제시한 오리엔탈리즘적 표상을 발견할 수 있다.

4. 프랑스의 '상호문화주의'와 '상호문화교육'

1) '상호문화'에 대한 논의

현대사회는 사회화, 정체성의 형성이 다양한 형태를 띨 수 있다는 점에서 과거와 구분된다. 그리고 그 결과 문화적, 언어적, 사회적, 종교적 이질성이 심화되었다. 이제 우리는 자신의 내부에 다수의 문화가 공존하는 '다원적 인간'의 부상을 목격하게 된 것이다. 이러한 측면에서 보면 '문화간' 현상은 고정된 문화간 차이보다 개인주의의 발전과 주체의 부상이라는 현상과 연관되어 설명되어야 하는 것이다(Boulay, 2008: 64). 프랑스의 사회학자 미셸 비비오르카(M. Wieviorka)가 말하는 '역사적 전복'(*renversement historique*)은 바로 근대를 특징지었던 동질적인 사회라는 모델(*monoculturalisme*)의 해체를 의미하는 표현인 것이다(Ohana et Wieviorka, 2001).

최근 나타나고 있는 '문화간 장(intercultural field)'의 부상은 바로 이상과 같은 현대사회의 변화와 연관된 사회적 수요에 대한 대응으로 이해되어야 한다. 유럽연합 집행위원회가 2008년을 '문화간 대화'의 해로 지정한 것도 이러한 시대상을 반영하는 것이다. 프랑스의 경우 문화간 관계에 대한 논의는 상당부분 이민 현상과 연관되어 이루어졌다. 실제 문화적 다양성의 심화는 상당부분 이주민들의 정주화가 낳은 현상이었다. 그 결과 문화간 관계에 대한 논의는 이민 출신 주민이 밀집되어 있는 대도시 교외지역의 문제, 인종주의 등 이민 관련 논의와 연관되어 진행되었다. 프랑스에서 '문화간 관계(*l'interculturel*)'는 문화적 다양성(*diversité culturelle*), 다문화성(*multiculturalité*), 문화간 대화(*dialogue interculturel*), 소수문화 인정(*reconnaissance des cultures*), 서로 다른 종족출신 간의 결혼(*mixité*), 편견(*préjugés*), 문화적 스테레오타입(*stéréotypes culturels*), 차별(*discriminations*) 등과 같은 다양한 현상을 아우르는 개념으로서 매우 민감한 논의를 야기했다(Poinsot, 2008: 1). 문화간 관계에 대한 논의의 지형을 보면 한편으로 '문화적 민주주의' 개념을 중심으로 한 이민 담론, 다른 한편으로는 민간단체들을 중심으로 다양한 문화적 실천에 대한 인정을 주창하는 흐름으로 구성되어 있다(Hammouche, 2008).

'문화간(the intercultural)' 측면을 광의로 이해해 타자성(*altérité*)과 동일시한다면 이에 대한 논의는 항구적으로 존재해 온 것이다. 그러나 이 개념을 서로 다른 문화와 연관된 개인들 사이의 또는 집단들 사이의 관계라는 협의의 의미로 사용하면 이에 대한 논의는 겨우 20–30년 전부터 시작되었다. 끌로드 끌라네(C. Clanet)는 문화적 다원성은 새로운 사실이 아니지만 최근의 양상은 새로운 변화에 의한 것이고 문화적 이질성을 심화시키고 있다는 점을 강조한다. 그리고 그 배경에 있는 세계화, 즉 경제적, 인적, 문화적 이동과 관계의 심화를 지적한다(Boulay, op.cit.: 63–64).

짧은 역사와 이 개념이 지니는 특수성 때문에 '문화간'의 의미와 적용 범위에 대한 학문적, 사회적 합의가 제시되지 않고 있다. 이 문제는 이주 및 이주민의 범위를 정하는 것과 중첩된다. 즉 노동이민, 난민, 장단기 유학생, 관광객 등 매우 다른 성격과 지위를 가진 집단들 중 어떤 집단을 '문화간 관계'라는 영역에 포함시킬 것인가에 대한 논의가 필요한 것이다(Hammouche, op.cit.: 6–7). 또한 문화간 관계에 해당하는 사안들의 범위에 대한 논의도 필요하다. 국적을 취득하지 못한 이주민들의 투표권 문제부터 직장이나 공공장소에서의 전통적인 의복착용의 문제나 종교의례의 실천, 성과 가족에 관련된 문화적 차이에 대한 인정 등 매우 다양한 사안들이 포함될 수 있기 때문이다.

학계의 논의에서도 사정은 마찬가지였다. 다른 유럽국가들에서와 마찬가지로 프랑스에서도 '문화간 관계'에 대한 논의가 2000년대 초부터 매우 다양한 방식으로 전개되어 왔는데 이 영역의 연구들이 다루는 소재나 이론적 자원에서 공통점을 찾기가 매우 어려웠다. 문화와 유사하게 '문화간 관계'도 학문영역이자 사회영역이고 매우 다양한 접근방법이 존재한다. 프랑스에서 '문화간'이라는 개념이 출현한 것은 미국에서 에드워드 홀(E. T. Hall)과 게에르트 홉슈테드(G. Hofstede)와 같이 문화간 커뮤니케이션을 연구한 학자들의 저작이 불어로 출판되면서부터이다. 1970년대부터 2000년대 초까지 '문화간 관계'에 관한 프랑스의 논의의 역사는 크게 세 단계로 나누어 볼 수 있다(Boulay, op. cit.: 61–63).

① 아직 대학의 연구주제가 되지 못했던 1970년대 '문화간 관계' 논의는 현장 전문가들 사이에서 전개되었다. 특히 초중등 교육에서 이 개념이 등장했다. 최초의 사용은 1975년 교육부 문건에서 시작되었고 1976년 유네스코 컨퍼런스에 등장하였다. 곧이어 이민 현상과 연관되어 학교에서 제기된 논의들에 급속도로 확산되기 시작했다. 이후 시민사회단체와 복지관련 기관들에서 '문화간'이라는 표현을 사용하게 되었다. 1980년대 초 이 개념은

학계의 무관심에도 불구하고 다양한 영역에서 사용되고 있었던 것이다.

② 1980, 1990년대에는 학계에서 이 개념이 폭넓게 사용된다. 이를 배경으로 1984년 문화간 연구 학회(*Association pour la recherche interculturelle, A.R.I.C.*)가 창설된다. 이 학회는 여러 국적의 학자들이 모인 국제적인 학회이며 다양한 분야의 학자들이 참여하였다. 이 학회는 이론과 실천의 결합을 표방했으며 1986년부터 시작된 라르마땅(L'Harmattan) 출판사의 〈문화간 공간〉이라는 시리즈의 발간에서 중심적인 역할을 하였다. 이 밖에도 1980년대부터 관련 저작들이 출판되기 시작하였다.

③ 1999년은 이 영역의 연구가 심화되는 전환점을 이루는 해였다. 압달라 프레세이유와 루이 포르쉐가 기획한 문화간 커뮤니케이션에 관한 저작을 필두로 미디어, 문학, 신기술, 일상의 의사소통, 문화적 정체성 등 다양한 영역에서의 문화간 상황에 대한 연구가 이루어졌다.

2) 상호문화교육

프랑스의 경우 '문화간'(intercultural)이라는 표현, '상호문화교육'이라는 개념은 공식적으로는 1975년에 처음으로 공교육에 도입되었다. 1970년대부터 '상호문화교육', '상호문화교육학', '문화간 활동', '문화간 과정'이라는 개념의 사용이 늘어났고 그 결과 1980년대에는 '상호문화교육'이 중요한 이슈가 되었다. 노동이민의 원칙적 금지조치가 시발점이 되었다. 이 조치 이후 나타난 이주노동자들의 정주화 현상은 학교에 새로운 도전을 야기했다. 막대한 수의 이주민들의 자녀가 프랑스 공교육의 구성원이 됨에 따라 '문화간 관계'에 대한 논의가 시급해진 것이다. 특히 학교가 서로 다른 규범들 간의 갈등과 공존의 장이 된 것이다. 새로운 교육체계가 논의되었고 그 결과 소위 '상호문화교육학'이 등장한 것이다. 상호문화교육에 대해 제시된 대표적인 정의를 보면 먼저 '문화간'이라는 개념은 서로 다른 문화들 간의 평등하고 문화적 정체성을 어느 정도 유지하는 식의 관계 및 상호작용 과정을 의미한다. 상호문화교육은 문화가 다른 학생들 사이의 긍정적인 상호작용과 이해의 관계를 형성하기 위한 목적으로 교사나 학교가 시도하는 행위들을 의미한다(Kerzil, 2002: 123-4). '문화간 상황'은 서로 다른 문화권 출신의 개인, 집단, 제도가 만나고 상호작용하는 상황을 의미한다(Clanet, 1993: 21).

대표적인 '상호문화교육' 주창자인 마르틴 압달라 프레세이유(M. Abdallah-Pretceille)는 상호문화교육를 이렇게 설명한다. 먼저 동질화라는 프랑스 학교의 전통에 대항해 다양성과 복합적 정체성을 프랑스 사회의 문화적 자산으로 여겨야 한다는 것이다. 다원성을 고려한 교육은 인종갈등을 예방할 수 있는 수단이 될 수 있으며 현대사회가 문화적, 시민적으로 더욱 풍부하게 되는 토대가 될 수 있다는 것이다. 상호문화교육은 이질성을 정상적인 것으로 설정하고 오히려 동질성을 인위적이고 강제적인 것으로 간주한다. 상호문화교육학은 학교 등 교육기관이 이주민 자녀의 문화적 특수성을 이해해야 하며 이 특수성이 교육기관의 일상에 영향을 줄 수 있다는 점을 고려해야 한다고 주장한다. 그런데 이때 문화란 무엇인가? 상호문화교육학은 문화간 현상을 이주민 가

정의 학생들이 구체적으로 학교에서 보여주는 다양한 행태로부터 이해해야 한다고 주장한다. 이러한 접근방식은 지배문화 대 피지배문화, 민중문화 대 학교문화의 이분법을 극복할 수 있게 해준다(Boulay, op.cit: 74–75).

'상호문화교육'과 관련된 논의에서는 '문화', '종족성', '인종', '문화접변', '문화주의' 등과 같은 기본적인 개념들에 대한 검토가 필수적이다. 예를 들어 '문화' 개념의 경우 현대사회에서 문화는 더 이상 특정 집단이나 공간에 국한된 정태적인 것이 아니다. 이제 문화는 유동적인 네트워크에 의해 생성, 변화되는 동태적인 것이기도 하다. 이러한 새로운 상황에서 중요한 것은 고정된 것으로 인식된 문화를 묘사하는 것이 아니라 서로 다른 문화에 속해 있다고 여겨지는 개인이나 집단 간에 일어나는 상호작용의 양상을 분석하는 것이다. 이러한 시각에서 보면 개인이 소속된 집단의 특성을 무엇보다도 중시하는 영미식 다문화주의는 한계를 지닌 것이다. 압달라 프레세이유(Abballah–Pretceille, 2004)는 영미식 다문화주의의 특징을 다음과 같이 요약한다: 소속집단의 우선성, 차이의 공간화(주거지의 게토화, 인종에 따라 구분된 공적 공간), 문화적 상대주의의 인정, 공공영역에서의 차이의 표현 허용. 이러한 점들은 문화적 차이가 사적 영역에서만 자유롭게 표현되고 공공영역에서는 시민으로서 공유하는 것들만 인정되는 프랑스 정교분리주의 모델과 대조된다.

한편 학교교육에 '문화간 활동(*activités interculturelles*)'을 도입하는 것은 교육 영역에 문화간 현상에 대한 문제의식이 반영되었음을 의미한다. 이 활동은 이주민 자녀들의 출신 문화와 언어를 학교에서 가르치는 것으로 이들 고유의 문화적 정체성을 존중하는 방식으로 이들을 학교에 적응시키기 위한 것이었다. 이는 또한 이들이 부모를 따라 출신 국가로 귀환할 경우에 본국에서의 적응을 원활하게 하려는 목적도 있었다. 그러나 모든 학생들을 대상으로 교육할 목적으로 설정된 소수 언어 및 문화 교육은 정규 교과과정으로 자리잡지 못하고 주변화되었다. 압달라 프레세이유(Ibid.: 37)는 이러한 시대분위기를 다음과 같이 묘사한다. "1970년대의 열광이 지나간 이후 '문화간'이라는 개념은 현재 교육 영역에서 금기시되거나 거부의 대상이 되었다."

프랑스의 경우 문화간 측면은 학교에서 여전히 미미한 수준에 그치고 있다. 베아트 꼴레(B. Collet)는 이주민 가정의 자녀가 절반을 차지하고 있는 파리의 동부 외곽지역 고등학교에서 실시한 설문조사 결과를 통해 문화간 영역이 학교 교육에서 거의 존재하지 않고 있다는 점을 밝혔다. 프랑스 교육프로그램에 문화간 문제는 거의 존재하지 않으며 교재는 교사나 학생의 다양한 문화적 자산을 활용하게 되어 있지 않다는 것이다. 물론 최근 교육개혁에서 종교나 이민 현상, 시민권에 대한 내용이 교과내용에 도입되었지만 이것이 프랑스 사회의 다문화적, 다종교적 현실과 연관되어 있지 않은 것이 문제이다. 이민의 역사에 관한 내용을 보면 1960, 70년대 노동이민에 관한 내용과 2000년대 초 불법체류자 문제만을 언급하고 이민 현상에 따른 프랑스 사회의 변화와 같이 문화간 관계의 측면은 다루지 않고 있다. 프랑스인들이 일상에서 경험하는 다문화성이 언급되지 않음으로써 학생들이 실제 경험하고 있는 현실은 은폐되는 것이다(Boulay, op.cit: 75-77).

'문화간'이라는 개념이 서로 다른 경향을 지닌 세력에 의해 사용되는 측면도 있다. 1993년 미셸 파제(M. Pagé)가 실시한 조사에 따르면 상호문화교육에 대해 7가지 서로 다른 인식이 존재한다. 즉 보상적인 경향, 문화이해에 초점을 둔 경향, 평등주의적 다극화 경향, 고립주의적 경향, 반인종주의적 경향, 공민교육적 경향, 빈국과의 협력에 초점을 둔 경향이 있다(Pagé, 1993: 11-12). 우에이예(Ouellet, 2002)는 이러한 다양한 흐름들을 구분하는데 고려할 기준으로 다음 세 가지를 제시한다.

첫째, 다양성에의 개방성
둘째, 기회의 평등과 형평성
셋째, 사회적 결속

이 세 가지 요인은 어느 정도 서로 경쟁관계에 있다. 예를 들어 다양성의 수용에만 치우친 접근은 평등이나 사회적 결속을 중요하게 생각하는 사람들에게 저항을 불러일으킬 수 있다. 교육자들에게 중요한 것은 이 세 가지 측면 사이에 형평성을 유지하는 것이다. 프랑스의 경우 문화적 다원주의의 도전에 직면해 채택된 많은 시도들은 문화적 특수성의 보호와 증진에 초점을 둠으로써 위 세 요인 중 첫 번째에 과도하게 치우친 것이었다. 결국 이 시도들은 당초 교육관계자들이 기대했던 것과 정반대의 결과를 가져왔다. 당초 의도하지 않았던 7가지 결과가 보고되었다.

첫째, 해당 개인들을 고정된 문화적 정체성에 가두어 개인마다 다를 수 있는 문화적 조합의 자유를 박탈하였다.

둘째, 집단 간 경계의 강화와 불관용의 위험 증대, 타자의 거부

셋째, 이주민이나 소수민족 집단 구성원을 위한 기회의 평등 약화

넷째, 다양한 소수민족의 문화를 존중하는 차원에서 어떤 내용을 가르칠 수 있을까 하는 어려움

다섯째, 사회적으로 저평가되는 정체성을 주류사회로부터 부여받은 소수민족 출신 학생들의 낙인효과와 주변화

여섯째, 문화가 더 이상 삶의 방식을 제공하는 살아있는 현실이 아니라 왜곡되고 오래된 풍습에 머물게 되었다(folklorization).

일곱째, 다양한 개별 문화를 고려해야 함에 따라 교과과정이 파편화되었다(Ouellet, 1992).

이러한 1980년대 프랑스 교육의 경험은 다양성의 존중과 더불어 평등과 형평성, 그리고 사회적 결속(social cohesion)을 균형 있게 고려해야 함을 잘 보여준다. 이상과 같은 교육 프로그램의 문제점을 보완하는 방안으로 제시된 것은 시민권 교육과의 연계였다. 시민권 교육은 공히 상호문화교육의 목표들을 아우르는, 그러나 보다 포괄적인 목표를 추구한다. 민주주의 사회의 정부들은 문화적, 종교적 차원에서 더욱 더 다양화되는 집단들, 그리고 사회적, 경제적으로 주변화되고 배제된 집단들의 통합의 어려움을 겪고 있다. 이러한 문제는 민주주의 제도들의 정상적인 작동을 제한한다. 정치와 시민사회로부터의 소수집단의 소외는 사회통합의 문제를 야기한다. 이러한 점에서 문화적, 종교적으로 다양한 집단들의 통합의 문제는 곧 민주주의, 시민권의 문제와 연관성을 가지는 것이다. 그러나 시민권 교육이 정부나 엘리트 집단의 입장을 반영하게 된다면 조작될 수 있고 이데올로기 주입으로 변질될 수 있다.

따라서 시민권 교육은 지배집단이나 지배 이데올로기를 경계하는 중립적인 성격을 견지할 장치가 필요하다. 앞서 언급한 대로 상호문화교육이 다양성에의 개방적 태도뿐 아니라 사회적 결속, 평등의 측면을 균형 있게 고려해야 한다고 지적한 것처럼, 시민권 교육 역시 다양성에의 개방성, 사회적 결속, 민주주의 제도에 대한 비판적 태도 등을 포함하는 것이어야 한다. 프랑스의 경우 학교에서 실시되고 있는 시민권 교육은 4가지 구성요소로 나누어 볼 수 있다. 물론 이 네 구성요소는 학교나 국가에 따라 다양한 방식으로 조합될 수 있다.

첫째, 학교 운영과 학급 운영에서의 민주주의

둘째, 지방, 국가, 세계의 차원에서 수행되는 공동체적 성격의 프로젝트

셋째, 다양한 교과과정에 시민권 관련 테마 반영

넷째, 교과과정에 시민권 교육과정 포함

한국의 경우 소수민족 출신 학생을 대상으로 고안된 시민권 교육은 종족적 소수자들과의 평등한 공존의 소양이 필요한 토착 한국인 대상 교육에 적용될 수 있을 것이다. 프랑스의 중학교에서 실시되는 시민권 교육 또는 공민교육 수업의 내용을 살펴보자. 우선 한국의 중학교 2학년에해당하는 '5학년'(*5ème*)[9]에서 다루는 주제는 평등, 연대, 안전이

9 프랑스의 중등교육은 두 개의 과정으로 구성되어 있다. 5년 간의 초등학교 교육을 마치고 나면, 한국의 중학교에 해당하는 꼴레주(*collège*)에서 4년, 고등학교에 해당하는 리세(*lycée*)에서 3년을 공부하게 된다. 학년을 지칭하는 숫자의 순서가 한국과는 반대로 되어있어 '6학년'(*6ème*)은 한국의 중학교 1학년을, '3학년'(*3ème*)

다. 평등에 대해 연간 8–10시간 수업이 이루어지는데 세부내용을 보면 법 앞의 평등(1–2시간), 차별반대(4시간), 인간의 존엄성(3–4시간)이다. 연대에 대해 8–10시간의 수업이 이루어지고 세부내용을 보면 연대의 정신(4–5시간), 사회보장 등 제도화된 연대(4–5시간)로 구성되어 있다. 안전에 대해서도 8–10시간이 할애되는데 세부내용으로는 학교와 일상생활에서의 안전(5–6시간), 위험 대처방안(3–4시간)을 다룬다. 중학교 1학년(*6ème*)에서는 학교의 의미, 개인의 권리와 의무, 자기생활과 환경에 대한 책임을 다룬다. 중학교 4학년(*3ème*)에서는 시민, 공화국, 민주주의(6–8시간), 공화국의 권력의 조직(8–10시간), 정치적, 사회적 시민권(4–6시간), 여론, 미디어, 국가, 여성의 사회적, 정치적 지위 등 민주주의와 관련된 테마에 관한 토론(4시간), 국방과 평화(4시간)를 다룬다.

5. 한국 사회에의 함의

이상의 논의에서 우리가 도출할 수 있는 교훈 중 하나는 문화를 변화와 상호작용 속에서 파악하는 유연하고 현실적인 접근이 필요하다는 점이다. 이러한 측면에서 다문화주의의 한계를 극복하기 위해 제시된 프랑스의 '상호문화교육'의 문제의식과 경험에 주목해야 한다. 한국 사회의 경우에는 서구사회와 달리 이민문제에 관한 사회적 합의와 그에 기초한 사회화의 경험이 존재하지 않았다. 이러한 상황에서 학교에서

은 중학교 4학년을 가리킨다.

는 새로이 종족적 소수자들과의 공존을 지향하는 사회화가 시도될 수 있다. 그러나 이와 동시에 이런 식의 사회화 과정을 결여한 성인들의 경우 '재사회화'가 불가피하다. 이러한 조건에서 종족적 타자와의 공존에 대한 사회적 인식이 성숙될 때까지 과도기적으로 학교 교과목 외부에서의 평생교육이나 사회교육이 필요한 것이다.

그런데 프랑스의 경험은 상호문화교육이 매우 복합적인 장이어서 철저한 사전준비와 논의 없이는 성과를 거두기 어려움을 보여준다. 효과적으로 문화적 다양성 문제에 대응하기 위해서는 다양한 사회학적, 정치적, 철학적, 윤리적 문제에 대한 체계적인 분석이 선행되어야 하는 것이다. 개인적, 집단적 정체성, 근대사회에서의 종족성과 문화의 운명, 포스트모더니티, 문화 상대주의, 인종주의, 반인종주의, 민족주의, 소수민족의 권리와 정체성 정치, 애국주의, 자유주의, 공동체주의, 숙의민주주의 등 다양한 주제들이 고려되어야 한다. 그런데 선진국이나 한국 모두 당장 다문화교육을 실시해야 하는 현장의 교사나 교육학자들에게 이러한 주제들은 대부분 낯선 것이다.

다문화사회 교육은 장기적인 안목에서 구상되어야 한다. 프랑스의 경우 종족적 소수자의 존재를 전제로 한 상호문화교육에 보다 보편적인 시민권교육이 결합하는 식의 변화가 나타난 것은 이민 현상의 변화 때문이었다. 그런데 새로이 유입되는 이민자들의 자녀 숫자는 줄어드는데 공교육체제 내의 상호문화교육의 대상은 여전히 이 이민집단의 범위를 벗어나지 못하면서 그 유효성이 떨어지게 되었다. 이민 현상의 역사가 길어지면서 소수민족 자녀들의 상당수가 프랑스에서 태어났고 프랑스의 말과 문화, 생활 속에서 성장한 이들에게 서로 다른 문화를 상정한 상호문화교육은 더 이상 존재의미가 없어진 것이다(Kerzil, 2002). 교육은 백년대계이다. 우리의 경우도 10년, 20년이 지나도 유효한, 이민현상의 양상이나 교육의 대상이 바뀌어도 유효한 보편성을 지닌 교육이어야 한다. 프랑스의 경험은 다문화 상황에 적합한 교육의 모색은 이렇게 장기적이고 보편적인 안목에서 이루어져야 함을 말해 준다.

또한 특정 집단에 국한된 교육은 프랑스의 경험이 보여주듯이 이 집단에 대한 낙인효과와 주변화라는 의도하지 않은 결과를 초래할 수 있다. 그리고 교육이 사회의 다양성 중 한 집단의 다양성에 초점을 둘 경우 다른 측면에서의 다양화 과정이 은폐될 수 있다. 따라서 다양성에 대한 교육은 '다양성의 다양성'을 고려하는 것이어야 한다. 그렇지 않으면 금세 무용지물이 되거나 다른 다양성과 충돌하는 것이 될 수 있다. 우리의 경우 하나의 모델의 선택이 중요한 것이 아니다. 현재의 조건에서 필요한 것은 다양한 교육 모델이 지닌 구성요소들을 면밀히 검토해 선별적으로 취하는 실용적인 접근방법일 것이다.

6장
미디어에서의 인종주의와
반인종주의

6장

미디어에서의 인종주의와 반인종주의

2006년 9월 24일 '르몽드(Le Monde)'지는 고등사회통합위원회(*Haut Conseil à l'intégration, HCI*) 위원 자이르 케다두슈(Z. Kedadouche)가 방송위원회(*Conseil supérieur de l'audiovisuel, CSA*) 위원장 도미니크 보디스(D. Baudis)에게 보내는 공개편지에서 "TV를 통해 프랑스 사회의 현실에 대한 잘못된 이미지를 제공하지 말라"고 촉구했다. 이 사건 이후 방송위원회(CSA), 고등사회통합위원회(HCI), 사회통합지원기금(*Fonds d'action et de soutien pour l'intégration, Fasild*)은 방송의 이주민 관련 재현방식의 문제를 본격적으로 다루기 위해 2007년 4월 26일 '아랍연구소'(*Institut du monde arabe, IMA*)에서 TV방송국 관계자들, 프로그램 제작자, 기자, 시민단체 대표 등이 모여 TV에서의 문화 다양성 문제에 대해 논의하는 자리를 만들었다.

이 사건은 프랑스 사회의 문화 다양성 분야에 있어서 현실과 TV에 반영된 모습 사이에는 매우 큰 괴리가 존재함을 드러내주는 계기가 되었다. 참고로 위의 공개편지가 실린 르몽드 지의 기사 제목은 '창백한 화면(*écrans pâles*)?'이었다. 즉 백인들만 등장하는 TV 현실을 풍자한 것이다. 당시 일간지 피가로(Le Figaro)에 따르면 방송채널별 실태를 볼 때 의외로 민영방송인 떼에프앙(TF1)이 문화 다양성의 측면에서 가장 앞서 있다는 평가를 받았다. 평가의 객관성에 대해서는 논란이 있을 수 있지만 이러한 성과의 배경에는 1998년 프랑스 월드컵 당시 '흑인-백인-아랍인(*black-blanc-beur*)'으로 표현된 다양한 인종으로 구성된 프랑스 축구 대표팀의 승리가 있었다. 카리브 지역 출신 흑인 방송인 크리스틴 켈리(C. Kelly)가 13시 뉴스를 진행한 것 역시 이 채널이 다양성의 영역에서 결코 공영방송에 뒤지지 않음을 보여주었다. 상업성이 더 강한 또 다른 민영방송 M6은 주로 예능프로에 이민 출신 연예인들을 많이 참여시키고 있다. 한편 공중파 3개와 케이블방송 2개 등 총 5개의 채널을 가지고 있는 공영방송 프랑스 텔레비전(*France Télévisions*)은 2007년 1월 방송위원회로부터 다양성에 역점을 두라는 지적을 받았다. 이보다 앞서 공영채널들은 비백인 방송인들을 뉴스 앵커로 기용하였으며 방송위원회의 지적이 있기 전인 2004년 1월에 이미 '통합을 위한 적극적 행동 계획(*le plan d'action positive pour l'intégration*)'을 공표했다.[1]

2006년 3월 6일 민영방송 떼에프앙(TF1)이 마르티니크 출신 흑인 언론인 하리 로젤막(H. Roselmack)을 뉴스 프로 중 가장 비중이 큰 20시

---

1 http://www.alterites.com/cache/center media/id_ 667.php, 2011년 11월 20일 검색

뉴스 앵커로 기용한 것은 '덜 창백한 화면(*écrans moins pâles*)'에 대한 논의를 촉발시키는 계기가 되었다. 매우 큰 사회적 반향을 일으켰던 이 사건은 종족적 소수자를 배려하는 방송정책의 상징이 되었는데 이와 함께 방송위원회는 라디오 및 TV 프로그램 전체에 다양성을 의무적으로 반영하도록 하는 감시자로서의 권한을 부여받게 되었다.

프랑스에서 이민 또는 다문화와 미디어의 관계는 프랑스가 선두에서 이끌고 있는 문화 다양성 존중이라는 가치를 중심으로 논의되고 있다. 그리고 이 논의는 실제 현실에 존재하는 문화적 다양성을 미디어가 제대로 반영하고 있지 못하다는 문제의식에서 비롯된 것이다. 이 장에서는 다문화와 관련된 프랑스의 특수한 조건을 살펴본 후 프랑스에서 다문화와 미디어의 관계가 문화적 다양성, 문화간 대화, 반인종주의에 관한 담론을 중심으로 전개되고 있음을 확인하고자 한다. 이민에 관한 프랑스 언론의 재현방식의 특징을 신문, 방송으로 나누어 살펴보고 현실에 존재하는 종족적, 문화적 다양성이 언론에 제대로 반영되게 하기 위한 시도를 공영방송과 방송위원회의 사례를 통해 살펴본다. 또한 미디어에서의 이주민의 이해를 대변하기 위한 대안적인 매체로서의 '에스닉 미디어(ethnic media)'의 실태를 주요 사례를 통해 살펴본다.

1. 미디어에서의 다양성 논의의 형성

한 출판기념 토론회에서 이자벨 히고니(I. Rigoni)는 프랑스에서 미디어에서의 다양성 문제에 대한 학술적인 논의가 등장한 것은 1980년대 말에서 1990년대 초였다고 회고했다. 당시 연구자들은 TV 프로그램, 특히 공영방송인 프랑스 투와(FR3)에서 이주민들을 겨냥해 편성되었던 프로그램에 관심을 가지고 있었다. 방송과 달리 신문에서의 다양성에 대해서는 거의 관심이 없었다. 그러다가 1990년대 중반에서 2000년대 초반의 시기부터 이 분야에 대한 본격적인 토론과 연구가 시작되었다고 한다. 대략 1995년부터 관련 기관 주도로 학술행사가 개최되었고 2000년대에 들어서야 관련 연구들이 나타났다. 주된 연구주제로는 '다양성'이라는 용어를 중심으로 이주민들에 관한 미디어에서의 재현의 문제, 차별과 인종주의에 대한 대응방식 등이 다루어졌고 다양성을 재현한다는 것을 어떻게 측정할 것이며 어떤 용어를 사용해야 하는지 등 기본적인 사안에 대한 검토가 이루어졌다.

한편 미디어에서의 다양성 논의의 배경에는 문화 다양성, 문화간 대화, 반인종주의와 같은 담론이 존재한다. 프랑스에서 '다문화'에 관한 논의는 한편으로는 유럽연합 소속 국가들 사이의 소통 및 교류, 다른 한편으로는 국내에 존재하는 이민자들의 통합과 관련되어 다루어지고 있다. 먼저 프랑스가 중추적인 역할을 한 '문화 다양성' 담론의 확산도 미디어에서의 다양성 문제가 제기된 배경이 되었다. 유럽 통합이 진전됨에 따라 문화간 대화도 시급하게 요구되었다. 2008년이 유럽 '문화간 대화의 해'로 지정된 것은 이러한 유럽사회의 흐름을 상징적으로 보여주는 사건이었다. 한편 이민과 관련된 언론의 행태에 있어서 프랑스는 다음과 같은 특징을 보여왔다. 프랑스의 공화주의적 전통, 즉 정치, 교육, 언론 등 공적 영역에서 문화적, 종족적 특수성의 표현을 부정하는 관행에 따라 이민자들에 대한 재현은 그들 고유의 문화보다는 프랑스 사회에의 통합에 초점을 둔다. 따라서 이민자들이 겪는 차별과 불평등, 그리고 이를 해소하기 위한 방안이 언론의 책무 중 하나로 여겨져 왔다. 이러한 사회적 배경에서 이민에 관한 언론의 관심은 반인종주의에 초점이 두어졌다.

1) '문화적 예외성'과 '문화 다양성'

'문화적 예외성'(*exception culturelle*)은 특정 국가의 문화적 특수성을 보장받고자 하는 문제의식을 담고 있는 개념으로 유럽에서는 민족, 국가, 주권 등을 강조하는 세력에 의해 주로 사용되어 왔다. 이로 인해 이 개념은 자신 내부로 움츠려드는 폐쇄적인 의미를 지닌 것으로 여겨졌다. 이와 달리 '문화 다양성'(*diversité culturelle*)은 윤리적 차원의 개념으로 인식되었다. 개인이나 집단들 간의 상호존중이라는 보편적인 윤리를 함축하고 있는 것으로 여겨진 것이다. 또한 '생물학적 다양성'과 연관지어 이해되기도 했다. 물론 이때 '보편적인 윤리'라는 것이 윤리에 대한 서구적인 개념을 토대로 한 것이라는 한계가 있기는 했다. '문화 다양성'이라는 문제의식이 확산되는 데에는 유네스코의 역할이 지대했다. 유네스코는 1993년부터 문화 관련 문제들이 무역 영역에서 다루어질 수 있도록 하였고 2001년 '문화 다양성에 관한 보편적 선언'(*Déclaration universelle sur la diversité culturelle*)을 제안하였고 2005년에는 '문화 다양성 보호 및 증진을 위한 협약(*Convention pour la préservation et la promotion de la diversité culturelle*)'을 채택하였다. 유네스코의 노력으로 '문화 다양성' 개념은 국제사회에서 '지속가능발전'에 버금가는 지위를 획득하게 된다.

이때 '다양성' 개념은 현실의 다양한 양상들과 관계되어 있다. 문화 영역에서의 행위자 및 작품의 다양성, 출신 지역 및 종족, 성별, 연령, 견해, 언어, 종교의 다양성, 산업구조의 다양성, 지역, 국가, 세계 등 다양한 수준에서의 의사결정 등을 함축하고 있는 것이다. 초기에는 프랑스만이 적극적인 태도를 보였지만 이후 유럽 및 세계 다른 지역의 국가들도 동참하게 된다. 앞서 언급한 대로 문화에 대한 유네스코의 인식에 대한 비판이 제기되었고 점차 문화 다양성 개념이 단지 문화를 개별 국가나 민족의 전통으로만 인식되지 않게 된 것이다. 상호 교류되어 변화하는 동적인 것으로 여겨지게 되었다(Sellier, 2007). 미디어, 특히 TV는 '문화 다양성' 분야에서 매우 중요한 역할을 수행해왔다.

2) 문화간 대화

다음으로 문화간 대화에 대해 살펴보자. 문화간 대화의 문제는 최근 유럽연합의 핵심적인 이슈 중 하나이다. 유럽연합의 문화적 토대나 세계화에 따른 정체성 위기의 문제가 부각되면서 문화적 차원, 특히 문화간 대화가 중요해졌다. 유럽연합에 있어서 문화간 대화는 회원국을 늘리는 문제, 그리고 유럽연합을 경제적 차원에 국한된 것이 아니라 사회적, 문화적 차원으로 확대해 가는 과제의 수행에 필수적인 요인으로 간주되어 왔다. 이와 함께 일국적 차원에서도 유럽 각국은 문화적 정체성 문제를 둘러싼 갈등을 심각하게 경험하고 있다. 이는 특히 종족적 소수자 및 종족 공동체를 사회에서 어떻게 받아들여야 하는지에 관한 문제의 형태를 띠고 있다. 소수집단의 정체성을 인정하는 것에 유럽사회가 신중한 것은 그것이 시민권의 근간이 되는 원리들과 모순될 수 있다는 점 때문이다. 2008년이 유럽의 '문화간 대화의 해'로 지정된 배경에는 바로 이상과 같은 복합적인 배경이 존재한다(Ministère de la Culture et de la Communication, 2009). 유럽의 '문화간 대화의 해'가 중점을 둔 측면은 다음과 같다.

① 소수 집단의 문화적 다원성에 대한 인정과 제도적 반영
② 유럽 각국의 다양한 문화간 관계의 문제와 통번역 등 다언어(*Plurilinguisme*)의 문제
③ 유럽연합과 제3세계, 특히 지중해연안 국가들과의 관계의 문제

이민과 통합, 문화예술 분야에서의 문화간 대화의 역할, 종교간 대화, 다언어주의, 직장에서의 문화간 대화, 교육에서의 문화간 대화, 미디어에서의 문화간 대화. 이것은 유럽연합집행위원회 주관으로 열린 일련의 토론회의 주제들이다. 이를 통해 우리는 최근 유럽에서 '문화간 대화' 개념이 의미하는 바를 알 수 있다.

3) 언론의 반인종주의

인종주의와의 관계에서 언론은 인종주의 확산의 주범이자 동시에 반인종주의의 주역이다. 특히 '마호메트 만평사건'은 유럽에서 표현의 자유와 특정 종교 및 종족에 대한 증오 담론(hate discourse)에 대한 논의를 촉발시키는 계기가 되었다(Euromed, 2006). 드레퓌스 사건에 비견할 만큼 프랑스 사회를 둘로 갈라놓은 이 사건에 대한 언론계 논의의 주

요 쟁점은 다음과 같았다. 첫째, 표현의 자유의 남용 여부였다. 유럽에서 소수종교인 이슬람에 대한 유럽언론의 신중하지 못한 태도 특히 유대교와 관련된 사례에 대한 보도와의 형평성 문제가 제기되었다. 결국 2007년 대법원에서 만평의 게재가 고의성이 없고 표현의 자유의 한계를 넘지 않았다며 해당 언론사는 무죄판결을 받았다.[2] 무슬림 전체가 아닌 일부 극단적인 세력을 비판하기 위한 것으로 특정 종교 자체에 대한 모독은 아니라는 것이었다. 또 다른 주요 쟁점은 "다문화 사회에서 종족적, 문화적 차이를 어떻게 다룰 것인가?"라는 보다 근본적인 차원의 것이었다. 이 사례의 경우에는 '증오 담론'이 표현의 자유, 언론의 자유의 차원에서 용인될 수 있다는 견해도 있었지만 명백하게 특정 개인이나 그룹을 해롭게 하려는 '증오 담론'은 표현의 자유와 양립 불가능하다는 의견도 만만치 않았다.

언론은 인종주의에 대한 투쟁에서 사법적인 수단과 함께 유력한 수단 중 하나로 간주되고 있다. 언론이 이 투쟁을 성공적으로 수행해 나가기 위해 필수적인 것은 시민사회, 특히 소수 민족 및 소수 종교의 지도자들과의 관계이다. 모두와의 열린 대화가 관건인 것이다. 프랑스가 그 중심에 있는 유럽과 지중해 남부 지역 국가들간의 문화간 대화의 차원에서 진행된 세미나 '유로지중해와 미디어(*Euromed et les medias*)'에서 제안된 다음 내용에서 문화간 대화 및 반인종주의와 관련된 언론의 역할에 대한 프랑스적 시각을 확인할 수 있다(Euromed, 2006).

---

2 http://fr.wikipedia.org/wiki/ Caricatures de_Mahomet_du_journal_Jyllands-Posten, 2011년 11월 20일 검색

① 종족적 소수자들에 초점을 둔 언론인 채용과 훈련을 통해 공공 기관에 설치된 기자실의 출신종족 분포를 균형 있게 하는 것
② 방송 프로그램에 다양성을 보다 적극적으로 반영하는 것
③ 문화간 이해 교육을 언론인 교육의 필수적인 영역으로 하는 것
④ 프랑스로 이민을 많이 보낸 지중해 남부 국가들과 프랑스 언론의 관계 강화
⑤ 문화간 관계의 중요성에 대해 홍보하고 방송내용, 특히 심층보도 프로그램의 질을 제고하기 위해 종족적, 종교적, 문화적 소수집단과의 대화를 강화하는 것
⑥ 심층보도 프로그램에 적용되는 윤리적 기준이 명실상부하게 적용되도록 하는 언론사 내부의 제도적 장치 강화
⑦ 소수집단의 목소리를 보다 많이 반영하고 모범적인 문화간 대화의 사례들을 적극적으로 홍보하는 것
⑧ 문화간, 종교간 대화에 대한 유럽 차원의 지원을 강화하는 것
⑨ 인종주의에 관한 언론사 지도자들의 모임을 만드는 것

2. 이민에 관한 프랑스 언론의 재현방식

1) 이민문제의 '미디어화'와 신문의 재현방식

이민문제가 중요한 사회적 이슈로 부각되었을 때 언론, 특히 신문 등 활자매체가 논쟁의 중심에 서게 된다. 의도적이든 아니든 언론은 단

순히 정보를 제공하는 역할을 넘어서 이민에 관한 공적 논의를 중재하는 위치에 서게 된다. 특히 수많은 사건들 중 특정 사건을 중요한 사회적 이슈로 만드는 언론 고유의 기능이 '이민문제의 미디어화' 현상을 촉진시키는 결과를 낳았다. 이렇게 이민문제의 중심에 서게 된 언론은 당연히 다양한 비판의 대상이 되기도 한다(Battegay & Boubeker, 1993).

언론을 중심으로 이민문제가 부각된 배경에는 무엇보다도 사회경제적인 요인이 있었다. 1970년대부터 시작된 불황은 1980년대에 이르러 실업문제, 고용불안정, 복지 축소 등 국민들이 피부로 느끼는 단계에 접어들게 된다. 이러한 문제의 원인이 이민집단에 있었던 것도 아니고 이민집단에 국한된 것도 아닌 프랑스 사회 전체의 문제였던 것이다. 그러나 극우 세력을 비롯해 프랑스 사회의 상당 부분은 사회경제적 차원의 문제를 이민문제와 뭉뚱그렸고 이민문제는 정치 담론의 핵심적인 요소가 되었다. 언론에서 이민문제의 비중이 커진 또 다른 배경은 이주민과 관련된 국적, 학교, 범죄, 사회보장 등의 주제가 사회적 이슈가 되었기 때문이다. 그리고 그 배경을 보면 바로 이 시기에 이민집단의 구성에 있어서 일련의 변화가 나타났다. 이민자들의 정주화(sedentarization) 현상이 강화되고 여성과 청년층이 늘어났다. 정주화 현상이 나타나면서 교육 및 주거 문제가 비중있게 다루어졌던 것이다. 또한 국적법 문제도 사회적 이슈로 제기되었다. 이러한 변화 속에서 이제 이민 현상 초기에 언론보도를 독점했던 '인종주의'를 대신해 '통합'에 대한 다양한 논의가 과거보다 더 많은 지면을 장식하게 된 것이다(Solé, 1988: 158).

이렇게 언론에서 이민문제가 중요하게 다루어지게 됨에 따라 언론

보도 방식에 대한 논의가 등장하게 된다. 예를 들어 이민문제 전문가 자클린 코스타-라스쿠(J. Costa-Lascoux)와 진행한 대담을 통해 르몽드지 기자 호베르 솔레(R. Solé)는 다음과 같이 이주민에 대한 보도방식의 특징을 설명하였다: 이민자들의 '희생자화(victimization)', 인종주의 부각, 이민 현상을 극적인 방식으로 보도하고 프랑스의 관점에서 해석(Solé, op. cit.). 이러한 경향이 지금까지도 지속되고 있는 이유 중 하나는 언론인들이 이민에 대해 차분하게 언급하는 데 큰 어려움을 안고 있기 때문이다. 그리고 그 이유는 무엇보다도 이 주제가 감정적인 대응을 야기하는 속성을 지니고 있기 때문이다. 우리는 사건이나 비참한 실태 중심으로 이민문제를 다루는 경향이 있다. 이 경우 이민자들은 범죄자이거나 피해자로서만 보여지게 된다. 이주민을 범죄자로 보는 것과 희생자로 보는 것은 동일한 논리에서 나온 동전의 양면일 수 있다. 이러한 시각은 이민 관련 현상을 극단적인 방식으로 재현하게 한다. 예를 들어 '작은 범죄'(delinquency)의 경우 이민자들을 잠재적인 범죄자 또는 불쌍한 존재로 간주하는 사고는 실제보다 이민집단의 범죄율을 높게 인식하게 하는 효과를 나타낸다. 해결방안은 현상을 차분하게 보고, 말하고, 분석하는 것이다. '희생자화(victimization)'는 상대를 열등한 존재로 여기는 '온정주의(paternalism)'를 낳는다. 희생자로서의 이주민은 '원초적인(exotic) 특성을 중심으로' 표상되며 주변화되고 스스로 자신의 문제를 해결할 능력을 결여한 존재로 여겨진다. 그 중요한 결과 중 하나는 주체로서의 개인은 사라진다는 점이다. 그는 오직 집단에 소속된 존재로서만 의미를 가지게 되는 것이다.

이민 보도의 또 다른 문제 중 하나는 수치의 문제, 즉 정확하지 않은 수치에서 출발한 논의로 인해 야기되는 문제이다. 이와 연관된 것으로 용어의 문제도 중요하다. 이주민, 외국인 등 관련 용어들이 일관성 없이 혼용되는 경향이 있다. 그 결과 예를 들어 이주민에 대해 다루면서 이를 뒷받침하는 숫자는 외국인에 대한 것일 수 있다. 그러나 앞에서 살펴보았듯이 이 두 용어가 지칭하는 대상은 다른 것이다. 모든 이주민들이 외국인인 것은 아니며 역으로 모든 외국인이 이주민인 것은 아닌 것이다. 더 나아가 우리가 이주민에 대해 얘기할 때 동일한 대상을 염두에 두지 않는 경우도 많다. 프랑스의 경우 언론에서 언급되는 이주민은 모든 이주민이 아니라 북아프리카의 아랍 지역인 마그레브 출신 이주민인 경우가 많다. 아시아 출신 이주민이나 포르투갈 등 남유럽출신 이주민 등은 논의에서 배제되는 것이다.

호칭의 문제, 특히 이주민 부모를 둔 자녀들에 대한 호칭의 문제도 매우 중요하다. 예를 들어 프랑스의 북아프리카 출신 이주민의 자녀들은 아랍 청년(*les jeunes arabes* 또는 *les beurs*), 이민 출신 청년(*les jeunes issues de l'immigration*), 마그레브(북아프리카) 출신 청년(*les jeunes d'origine maghrébine*), 프랑스-마그레브인(*les franco-maghrébins*) 등 다양한 방식으로 불리운다.[3](ibid.) 물론 특정 용어의 선택은 이민에 대한 특정 인식의 결과인 측면이 있다. 이민문제에 이해관계가 있는 관련자들은 그들의 이해를 반영하는 특정 용어를 고집하는 데 비해 언론에서는 상대적으로

3 TV의 경우에도 다양한 호칭이 사용되어 왔다. 기자들은 '외국인 노동자(*travailleur étranger*), 외국 인력(*mains d'oeuvre étranger*), 이주노동자(*travailleur immigré*), 이주민(*immigré*)과 같은 용어를 사용하며 이들을 다시 1세대 이주민(*immigrés de la première génération*)와 2세대 이주민(*immigrés de la seconde génération*), 또는 이주민의 자녀들(*fils et filles d'immigrés*)로 분류하였다.

용어 선택이 유동적인 경향이 있다. 중요한 것은 숫자 및 용어의 문제, 일부 집단에 편중된 논의의 결과 이민에 대한 왜곡된 이미지가 강화된다는 점이다.

2) 이민에 대한 TV의 재현 방식의 특징[4]

TV는 어떠한가? TV는 활자 매체에 비해 더디게 그리고 매우 조심스럽게 이민문제와 이주민을 다루어왔다. 이렇게 매체에 따라 차이가 나타나게 된 원인 중 하나는 TV 화면에 유색인종이 등장하는 것에 대한 심리적 저항일 것이다. 그럼에도 불구하고 이주민들은 화면에 등장하였고 시대에 따라 다른 방식으로 재현되었다. '프랑스 국립영상자료원(INA)'이 관련 프로그램의 내용을 분석한 보고서의 결과를 통해 1960년대에서 1990년대에 이르는 기간 동안 이주민들이 TV에서 어떻게 그려졌는지를 살펴보자.[5]

---

4 TV에 비해 라디오는 이주민과 관련된 다양성 제고가 그리 중요한 사안으로 다루어지고 있지는 않다. 6개의 라디오 채널을 가지고 있는 공영 라디오 방송 '라디오 프랑스(Radio France)'의 사례를 살펴보자. 이 방송사의 경우 다양성에 많은 관심을 가지고 있고 '다양성 인증(*Label diversité*)'의 획득에 도전한다고 발표하기도 하였다. 그전에 이미 라디오 프랑스는 2004년 11월 9일 다른 방송사들에 앞서 다양성 헌장에 가입한 바 있다. 그렇지만 프랑스에서 이주민들에 대한 평등한 대우의 문제가 장애인, 여성, 낙후지역 등 다양한 소수자들을 포함한 '다양성' 전략의 한 부분으로 다루어지고 있듯이 '라디오 프랑스'의 경우에도 다양성 정책은 다수의 소수집단을 염두에 두고 추진되고 있다. 그리고 일반적으로 라디오라는 매체가 그렇듯이 종족적 소수자에 대한 고려는 그리 큰 비중을 차지하고 있는 것 같지는 않다. 2010년 자체의 "다양성 보고서"를 보면 사업의 중점이 채용이나 보도에 있어서 장애인이나 대도시 교외지역인 '방리유' 출신 청소년들을 배려하는 것에 있다(Radio France, 2010).

5 http://www.cndp.fr/ tice/teledoc/mire/teledoc_urga.pdf, 2011년 11월 20일 검색

우선 이민 현상과 이주민들을 다루는 TV 프로그램은 사건사고, 이주노동자들이 포함된 작업장에서의 파업, 인종주의적 행위, 이민자들의 '작은 범죄'(delinquency)와 같은 문제가 사회적 관심을 끌게 되면서 대부분 극적인 방식으로 다루어졌다. 이러한 양상은 19세기 유럽의 소위 '위험한 계급'(dangerous class)에 대한 사회적 표상을 연상시키는 것이었다. 언론은 이민자들에게서 무엇보다도 빈민, 피식민지인, 노동자, 실업자, 부랑아, 야만인과 같은 모습을 찾았고 시청자들에게 그에 부합하는 인물, 상황, 배경을 제공하였다.

프랑스의 경우 이민 관련 TV 프로그램의 역사에 대해 다음과 같은 시기 구분이 가능하다.

① 1960–1974년: 이 시기는 당시 정권을 쥐고 있던 드골 진영의 요구, 특히 2차 세계대전 종전 이후 모든 프랑스인들을 대상으로 하는 삶의 조건 개선에 관심이 있었던 정권의 의도에 부합하는 내용이 무엇보다도 우선시되었다.

② 1974년–1981년 지스카르 데스탱 대통령 집권기에는 이민문제에 대한 다양한 시각이 등장하였으나 현장 활동가들 위주로 이 문제가 다루어져 언론인들은 당시 프랑스 이민사회 자체의 변화를 TV에 반영하지는 못했다.

③ 1980년대 초는 그간 밀접히 결합되어 있던 TV와 정치권력의 분리가 나타난 시기로서 매우 자유로운 방식으로, 특히 그간 침체 또는 억압되어있던 르포 형식의 보도를 중심으로 이민 현상이 다루어지기 시작하였다.

④ 1980년대 말에서 1990년대 말까지의 시기는 프랑스 언론 일부의 민영화가 이루어졌던 시기로서 그 영향으로 대형 심층보도 프로그램이 전반적으로 약화된 가운데 이민 관련 프로그램도 심야시간으로 이동되는 경향이 나타났다. 방법론적으로도 이민 관련 내용을 극적인 방식으로 보여주기 위한 다양한 방식들이 시도되었다.

이주민들에 대한 TV의 재현방식의 변화는 전반적으로 신문보도의 경우와 유사한 경향을 발견할 수 있으며 이와 함께 시각적인 측면과 관련된 TV 고유의 양상들을 확인할 수 있다. 1960년대 TV에서 이민자들은 이름없는, 보이지 않는 존재들이었다. 이들은 당시 분업의 증대에 따른 노동의 변화를 표현했으며 특히 이주노동자를 지칭하던 용어인 '숙련노동자(*ouvrier specialisé, OS*)'로서 프랑스 산업발전에 기여하는 도구적인 존재들일 뿐이었고 이들의 사회통합에 대한 언급은 극도로 제한적이었다. 정부 간 계약을 통해 한 해 수만 명씩 입국한 이들은 그들 자신도 곧 돌아갈 일시적인 거주자로 생각하고 있었던 것이다.

이들은 또한 저주받은 존재들로 비추어졌다. 1970년대에 TV에 등장한 이주민들은 많은 경우 산재나 인종주의적 폭력의 희생자들이었다. 그리고 이들에 대한 촬영이 이루어진 공간은 많은 경우 빈민가, 임시주거지구, 사원기숙사, 영구임대주택과 같이 일반사회와 분리된 공간이었다. 이주민들에게는 불행이라는 낙인이 찍혔다. 이것은 상당부분 사실이기도 했지만 극단적인 이미지를 강화시키는 결과를 낳았다. 보다 구체적인 보도방식을 보면 당시 르포의 경우 백인과 흑인의 피부를 극단적으로 대조되게 처리하는 방식, 매우 적나라한 방식의 르포, 아랍출신 이민 후예들과 같은 인터뷰 대상자의 얼굴을 매우 어둡게 처리해 범죄자의 이미지를 풍기게 하는 방식 등이 이러한 효과를 주기 위해 사용되었다.

1973년은 이주민들에 대한 이미지 변화에 있어서 전환점이었다. 르노자동차에서 전개된 파업에서 이주노동자들은 더 이상 사회의 피해자가 아니라 사회에 문제를 만드는 존재로 변형되었다. 그리고 이때부터 이주민은 남성 노동자만이 아니라 가족합류이민으로 프랑스에 오게 된 이주노동자의 부인, 불황으로 일자리를 잃게 된 실업자, 불량배, 학업성취도가 떨어지는 이주민의 자녀와 같이 다양한 형상으로 TV 화면에 나타났다. 1973년은 또한 이민자들이 밀집해 있는 지역에서의 외국인혐오증 문제가 TV에 등장하기 시작한 전환점이었다.

1980년대 TV에서의 이주민 재현방식의 새로운 특징은 마그레브 출신자들, 특히 알제리 출신 이주민들에 초점이 맞추어졌다는 점이다. TV에 등장한 이주민들의 출신 국적에 있어서 현실에서의 종족적 다양성이 반영되지 않았던 것이다. 사실 정치적, 행정적으로도 다른 이주민들과 별도로 취급되었다. 언론에서 이들에 관한 내용이 이민 관련 프로그램을 독점한 것은 이러한 현실을 반영한 것이었다. 보다 주류사회 통합이 용이한 포르투갈, 스페인 등 유럽 출신 이주민들, 그리고 주류사회의 관심 밖에 있었던 아프리카 및 아시아 출신 이주민들은 TV에서 거의 배제되었다. 이러한 현상은 알제리가 120년간 프랑스의 식민지였던 가장 가까운 비유럽 국가였고 프랑스와 8년간의 독립전쟁을 거쳐 독립했던 점 등 알제리와 프랑스의 특수한 역사적, 정치적 관계가 반영된 것이었다.

1980년대부터 간헐적으로 발생한 대도시 교외지역 소요사태의 주인공인 아랍계 청년들이 화면을 독점하면서 사회적 관심을 받게 된 아랍계 프랑스인들은 1990년대에 들어서는 이슬람과 연관된 위협적인 존재로 표상된다. 이러한 부정적인 재현은 'SOS 인종주의'[6]와 같이 보다 적극적으로 시민으로서의 권리를 주창하는 사회운동이나 통합에 성공한 사례들과 극단적인 대조를 이루며 이주민들에 대한 여론과 사회적 인식에 영향을 미쳤다. 2000년대 이후 이민 현상에 대한 TV의 재현 방식은 이 시기의 이민 및 이민정책의 양상과 무관할 수 없다. 이 시기 언론은 전반적으로 이민에 대한 반감과 통제의 시도들이 강한 사회 분위기를 반영하고 있으며 동시에 이로 인해 제기되는 사회통합의 약화를 완화해 보려는 이중적인 양상을 띠었다.

위에서 언급한 내용과 중복되는 측면이 있지만 미디어에서의 다양성이 시대적으로 어떻게 변화했는지를 담론의 변화를 통해 살펴보자.

---

6 1980년대 이래 프랑스의 대표적인 반인종주의단체인 'SOS 인종주의'는 언론이 사회운동이나 집합행동의 행로에 큰 영향을 미치며 그 성패를 좌우할 수도 있는 중요한 요소임을 보여준 전형적인 사례였다. TV가 대중적으로 보급되고 선거에서 방송의 비중이 커짐에 따라 사회운동의 영향력은 특히 TV를 통해 전해지는 이미지에 의존하는 경향이 나타났다. 언론이 시위자들의 행동을 보여주고 시위에 대한 정부의 반응을 전하는 방식은 시위를 주도하는 세력의 주요 관심사가 된다. 이는 특히 현대사회에서 시위가 대중들에게 자신들의 대의를 호소하고 지지를 이끌어내는 측면이 중요하기 때문에 더더욱 그러하다(Juhem, 1999). 1981년 미테랑의 대통령 당선 이후 'SOS 인종주의'의 초대 지도자였던 할렘 데지르(Halem Desir)가 사회당에 영입되어 국회의원에 당선되는 등 사회당과 이주민들 간의 긴밀한 협력관계가 형성되었고 당시 공영방송 프랑스 두(France 2), 프랑스 투와(France 3)는 이주민 사회운동이 대중적 지지를 얻는 데 중요한 역할을 하였다.

먼저 1980, 1990년대에 이민에 관한 언론의 보도프로그램이나 TV영화는 방리유(*banlieues*), 즉 파리, 리용, 마르세이유와 같은 대도시 교외지역을 주로 다루었다. 그러다가 1990년대 말이 되면 '방리유'를 대신해 '동네(*quartiers*)'라는 표현이 많이 사용되었고 이후에는 '도시 변두리(*périphérie urbaine*)'라는 표현을 중심으로 이민에 대한 재현이 이루어지기도 했다.

1980년대 말에서 1990년대 초까지가 이민에 대한 재현에 있어서 전환점을 이루는 시기라고 할 수 있다. 그전까지 주로 노동이민으로 프랑스에 온 국제이주민은 열악한 조건에서 살고 있는 '개인'으로 인식되었는데 이 시기부터 이주민은 아랍인을 가리키는 '버(*beur*)'라는 용어를 통해 집단으로 다루어지게 된 것이다. 수적으로 마그레브 출신이 많았고 이들 중 대다수가 무슬림이라는 점으로 인해 프랑스에 거주하는 이주민들은 집단적인, 단일한, 그리고 부정적인 이미지를 부여받게 된 것이다. 이러한 이미지를 바탕으로 이주민들은 치안불안과 연관지어졌고 언론은 범죄를 혐의자의 출신 지역이나 종교와 연관시키는 경향을 보였다. 1990년대 말에서 2000년대 초 또 다른 주제가 이민에 대한 재현과 관련해 등장하였는데 그것은 바로 '이슬람'이었다. 이 주제는 특히 9·11테러 이후 언론에서 비중있게 다루어지게 된다. 이슬람은 '위협', '전복' 등의 용어와 연관지어졌고 개인적인 신앙의 측면에서 다루어지는 경우는 드물었다.[7]

7 독일의 경우에도 유사한 양상이 나타났다. 독일에서 가장 많은 수를 가지고 있고 가장 큰 관심을 받아온 소수민족인 터키 출신자들의 경우 특히 9·11테러 이후 미디어에서의 이들에 대한 재현이 '이슬람'과 연관되어 나타났다. 이전까지 터키인이라는 종족적 요인이 강조되다가 이제 이슬람이라는 종교적 요인이 더 중요해진 것이다. 쿠르드인의 경우에는 이 집단에 대한 재현이 '명예살인'이라는 풍

이민과 관련해 미디어에서 주로 다루어진 세 번째 주제는 1990년대의 반인종주의(*antiracisme*), 2000년대의 차별에 반대하는 투쟁(*des luttes contre la discrimination*)이었다. 이 주제의 등장과 함께 이주민에 대한 재현도 보다 긍정적인 모습을 띠게 되었다. 그러나 이러한 이미지 전환은 주로 성공한 소수를 부각시키는 방식으로 이루어져서 문제를 남겼다. 성공한 소수의 반대편에는 여전히 부정적인 이미지를 가지고 있는 다수의 이주민들이 있는 것이다(Institut Panos Paris, 2008).

3. 대안적인 시도들

1) 공영방송 프랑스 텔레비전의 다양성 증진 전략

프랑스 사회의 다양성을 반영하기 위한 최근의 시도들을 제도적 측면에서 보면 2003년 4월 10일에 열린 '통합에 관한 관계장관 회의'에서 55개의 방안이 제시되면서 언론에서 다양성 문제가 본격적으로 논의되기 시작했다. 이 조치들 중에서 두 가지 방안이 직접적으로 언론과 관련된 것이었는데 그중 하나는 역사적으로 이주민들이 프랑스 사회에 기여한 측면을 국민들에게 홍보하는 기능을 수행하는 '프랑스 이민사 박물관'(*Cité nationale de l'histoire de l'immigration*)을 만드는 것이었고 다른 하나는 프랑스 텔레비전과 라디오프랑스(Radio France) 내부에 '다양

습과 연관되어 다루어지는 경향이 있었다. 다른 이주민 또는 소수민족의 경우를 보면 베트남 출신자들은 담배 밀매, 폴란드인들은 국경지대에서의 불법이주 알선 사업, 동유럽 출신 여성들은 성매매와 연관되어 재현되었다(Institut Panos Paris, 2008: 7–8).

성 및 통합 위원회'(*Délégué à la diversité et à l'intégration*)를 설치하는 것이었다. 후자의 연장선상에서 2009년에는 '모든 프랑스인을 위한 텔레비전'이라는 목표를 달성하기 위한 '다양성 상설위원회'(*Comité permanent de la diversité*)가 두 기관 내에 도입되었다. 그보다 앞서 2008년에는 방송위원회가 방송에서의 다양성을 감시하는 기구를 만들어 다양성 지표를 통해 TV가 다양성을 반영하는 정도를 측정하기 시작했다. 이러한 노력을 평가하는 자리가 2011년 3월 23일 '학교에서의 신문과 방송' 주간을 맞이하여 마련되기도 하였다. "미디어와 이민"을 주제로 다양한 방송 관계자들이 참여한 토론회가 개최되었고 이민 현상과 이민자 및 그 후손들에 대한 재현의 현황이 논의되었다.

공영방송인 프랑스 텔레비전의 사례를 보자. 위와 같은 조치들이 있기 이전부터 관련 규정이 있어 왔다. 예를 들어 프랑스 텔레비전의 '내부 규약(*Charte de l'antenne*)' 중 문화적, 종족적 다양성에 관한 조항은 다음과 같다. 〈1.1. 공영방송의 사명〉 부분을 보면 〈1.1.1. 모두의 텔레비전〉이라는 항목이 있다. 그 내용을 보면 "공영방송은 모든 시민, 모든 집단이 포함되는 시청자들의 텔레비전이다. 공영방송은 모든 이를 대상으로 하며 개별집단의 특수한 이해보다 공통의 이해를 우선시한다."라는 언급이 있다. 여기에서 개별 집단의 이해보다 전체 사회의 이해를 우선시하는 것은 프랑스에서 전형적으로 나타난 '공화주의(republicanism)'의 핵심 원리이다. 여기에서 개별 이해에 대한 우려는 전체주의적 사고에서 비롯된 것이기보다는 가톨릭 교회나 백인과 같이 지배적인 위치에 있는 종교나 종족의 이해가 정치나 언론에 반영될 때 소수 종교 및 종족이 불이익을 당하고 그럼으로써 사회통합이 약화될 수 있다는 인식에서 비롯된 것이다. 〈1.1.3. 다원주의〉 항목에는 "사회문화적 표현에 관한 다원주의는 헌법에 언급되어 있는 원칙이다. 공영방송은 다양한 사상과 견해가 자유롭게 표현되는 다원주의적 표현의 공간이며 공영방송은 프로그램의 다원주의를 실현하기 위해 노력해야 한다"는 내용이 언급되어 있다.

한편 〈1.3.10. 특수한 사명〉 부분에는 종교프로그램에 관한 부분이 있다. 프랑스 텔레비전이 운영하는 TV채널 중 가장 비중이 큰 프랑스 두(France2)는 매주 일요일 아침 프로그램을 방영해 왔다. 이 프로그램들은 프랑스에 존재하는 주요 종교들에 관한 것으로 각 종교를 대표하는 기관에 의해 임명된 사람들이 운영한다. 프로그램 구성은 예배의식을 생중계하거나 해당 종교에 대한 교육으로 이루어진다. 〈2.1. 개인과 개인의 존엄성의 존중〉의 하위 항목 중에는 〈2.1.5. 차이의 존중〉이 있다. 그 내용은 주로 종교 및 인종에 관한 것인데 프랑스 사회의 다양성을 현실에 부합하게 반영하는 것을 목표로 하고 있다.

프랑스 텔레비전은 이러한 원칙을 표방함에도 불구하고 다양성을 존중하는 데 한계가 있었다는 문제의식에서 일련의 '다양성' 정책을 시도했다. 가장 눈에 띄는 것은 2004년에 도입된 '통합을 위한 적극적 행동계획'(*le plan d'action positive pour l'intégration, PDPI*)이다. 이 5개년 계획은 방송 프로그램과 채용의 측면에서 평등의 원칙을 훼손하지 않고, 영미식의 소수민족 우대조치(affirmative action)나 쿼터제를 도입함이 없이도 프랑스 사회의 종족적 다양성을 반영하고 장려하고자 하는 것이었다.[8]

---

8 http://www.francetelevisions.fr, 2011년 11월 16일 검색

'통합을 위한 적극적 행동계획'은 2009년 '다양성 상설위원회'(*Comité permanent de la diversité*)로 대체되어 지금까지 활동하고 있다. 이 위원회는 공영방송이 차별을 방지하기 위한 인사관행을 정착시키고 프랑스 사회의 다양성을 언론이 적절하게 반영할 의무가 있다는 2009년 3월 5일 법 제정 직후 창설되었다. 이 위원회에는 SOS 인종주의(*SOS Racisme*)나 '창녀도 순한 양도 거부한다'(*Ni Putes Ni Soumises*)와 같은 반인종주의 단체 대표들이나 저명한 시민사회 인사들이 참여하였다. 2010년 4월 이 위원회가 처음 발표한 보고서에는 인사에 있어서의 차별 사례가 언급되었는데 당시 이러한 지적에 대해 프랑스 엘리트층 구성에 종족적 다양성이 부족한 것이 방송의 책임이라기보다 프랑스 사회 전반의 문제라는 반론이 제기되기도 하였다. 위원회는 인사에서의 차별 방지를 위해 이를 평가할 수 있는 지표의 도입, 그리고 단순히 '얼굴만 바뀌는 다양성' 신장에서 '메시지의 다양성'을 촉진하는 식으로의 방향 전환을 대안으로 제시하였다.[9]

한편 프랑스 정부 및 공영방송의 이러한 시도들은 유럽연합의 방송정책에서 영향을 받은 것이다. 예를 들어 위에서 소개한 공영방송의 다양성 관련 기구 설치는 방송에서의 다양성 반영에 관한 유럽연합의 '지침(directive)' 2024조를 프랑스에 적용한 것이다. 이 지침의 47항를 보면 유럽연합의 '기회의 평등에 관한 2006년 3월 31일 법'에 의거해 회원국 방송위원회는 라디오와 TV 프로그램 편성이 사회의 다양성을 반영하도록 감시하는 역할을 담당해야 한다. 회원국들의 방송에 대한

9 http://www.presseetcite.info/ node/528, 2011년 11월 16일 검색

유럽연합의 개입은 오랜 역사를 가지고 있다. 이미 1991년부터 유럽연합 회원국들의 방송을 지원하기 위해 MEDIA 1, MEDIA II, MEDIA Plus, MEDIA–Formation이 시행되어 왔다. 유럽 각국의 방송에 대한 유럽연합의 지원 프로그램 MEDIA 2007은 이러한 경험을 계승한 것이다(Journal officiel de l'Union européenne 2006년 11월 24일자). 유럽연합이 회원국들의 방송을 지원하는 배경에는 개별 국가 차원에서의 변화를 촉진시키려는 것과 더불어 유럽 차원의 목표도 존재한다. 한편으로는 유럽의 방송이 문화간 대화를 촉진시키고 유럽 각국의 문화에 대한 대중의 인식을 제고시키며, 다른 한편으로는 일국적 차원에 국한된 고전적인 시민권을 넘어서 유럽적 시민권의 형성, 즉 모든 형태의 차별과 배제를 극복하는 데 있어서 필수적인 적극적인 시민권을 유럽 차원에서 증진시키는 데 기여하고자 하는 것이다.

이러한 유럽연합의 관심과 지원을 배경으로 프랑스 텔레비전은 사내의 '통합 및 다양성 위원회'에서 앞서 언급한 '통합을 위한 적극적 행동계획'을 관장하고 있는 것이다. 이 계획은 크게 3가지 요소를 담고 있다.

① **프로그램**: 이 부분은 프랑스 텔레비전에 속한 채널들 각각에 설치된 '프로그램' 팀이 7개 요소로 구성되어 있는 편람에 의거해 담당한다. 편람은 양적인 지표가 아닌 질적인 권고들로 이루어져 있는데 이를 통해 진행자, 관련 전문가 및 평론가, 시청자 등 방송프로그램에 참여하는 모든 주체의 의견을 고려함으로써 현실에 존재하는 차이를 보다 잘 반영하고자 하는 것이다. 피부색

등 화면에 비추어지는 외형적인 면과 함께 프로그램 내용의 개선, 픽션이나 논픽션에 '통합' 개념을 포함시키는 시도, 문화 교류의 증진도 이 '계획'의 관심거리이다.

② **인적 자본**: '인적 자본' 팀은 직원의 인종적 다양성을 강화하기 위한 훈련 프로그램을 관리하고 TV 부문에 이주 배경 프랑스인들의 진출을 활성화하는 역할을 맡고 있다. 이 팀에는 다음 세 가지 임무가 부여되었다.

a) '낙후지역(*cités dites sensibles*)' 출신의 우수한 학생들에게 장학금을 지급하는 등 인재양성 사업 실시

b) 사내 승진에서의 인종적 다양성 고려

c) 이주 배경 청년이나 낙후지역 출신자들을 적극적으로 채용

③ **윤리**: 이 부분은 콜로키움, 토론회, 세미나 등 다양한 방식을 통해 직원이나 외부 협력기관의 직원들을 현실에서의 종족적, 문화적 다양성을 제대로 반영하도록 홍보하고 훈련시키는 임무를 맡는다.

'통합을 위한 적극적 행동계획(PAPI)'의 성공적인 실현을 위해서는 당사자인 이주민들과의 소통이 매우 중요하다고 여겨졌다. 이러한 문제의식에서 '대도시 교외지역 정보위원회(*Commission Information Banlieues*)'가 설립되었다. 프랑스에서 이민문제는 곧 대도시 교외지역의 문제로 여겨진다. 이러한 맥락에서 출신 국가 및 종족에 따른 언론에서의 차별 문제를 해결하기 위해 대도시 교외지역과의 관계가 매우 중요한 것이다. 이를 위해 위원회는 이 지역 민간단체들과의 네트워크 형

성, 뉴스 프로그램과 관련된 공동의 자료은행 운영을 시도하였다. 또한 다양성의 반영을 위해서 언론사의 주역인 기자들을 대상으로 한 특별 교육을 실시하였다. 강좌 중에는 프랑스의 이슬람(*Islam en France*), 중동, 대도시 교외지역에 관한 것도 포함되어 있었다.

이러한 노력은 프로그램 편성 및 내용, 직원 채용 등에서 많은 진전을 이루었다고 평가되고 있다. 특히 차이나타운을 소재로 한 최초의 드라마(Little Wenzhou, France3), 비백인들이 참여해 자신들의 문제를 다루는 프로그램(*Le choix de Myriam,* France3), 아랍계 야미나 벵기기(Yamina Benguigui)가 진행하는 아이샤(Aïcha, France2), 원주민(*IIndigènes,* France3) 등이 저녁 황금시간대에 편성된 점은 의미 있는 변화였다. 2009년 6월 11일 상설기구로서 '다양성 상설위원회'가 설치된 것은 이러한 성과를 계승하는 의미를 지니는 것이었고 다양성에 관한 정책에 있어서 새로운 단계를 연 사건으로 평가되었다. 이 위원회는 다양성 지표 개발 및 측정, 각 채널에 대한 지원, 시민들의 창의적 제안의 수용 등을 통해 다양성 제고를 실현하고자 했다. 이상과 같은 2000년대 초반 프랑스 텔레비전의 경험은 영미식의 소수민족우대조치(affirmative action)와 구분되는 '적극적 행동(*action positive*)'으로서의 독자적인 가치를 평가받고 있다. 이탈리아, 오스트리아, 스위스, 그리스, 터키 등 유럽 국가들도 프랑스의 이러한 경험에 관심을 표명하였다.

아래에서는 공영방송사인 프랑스 텔레비전의 채널들을 대상으로 다양성에 대한 고려의 변화 양상을 분석한 한 보고서(France Télévision, 2008)의 내용을 토대로 특히 이민자들과 관련된 다양성 보도의 실태를 살펴본다. 먼저 유럽연합의 지침(*directive de l'UE*), 프랑스 법, 방송위원회 권고사항, 프랑스 텔레비전 내부지침 등 기존의 관련 규정에 표명된 원칙들은 다음과 같다.

① **인간 및 인간의 존엄성 존중의 원칙**: 공영방송은 프로그램, 정보 및 사회문제를 다루는 방식에 있어서 인간과 인간의 존엄성을 존중하여야 한다.

② **보편성의 원칙**: 공영방송은 프로그램이 프랑스 사회를 구성하는 문화들의 가치와 다양성을 반영하도록 노력해야 한다.

③ **공영방송의 사회적 성격에 관한 원칙**: 유럽연합은 공영방송이 사회의 민주적, 사회문화적 요구에 직접적으로 관련을 맺고 개인이나 집단 간의 연대를 강화시키기를 요구한다.

④ **차별반대투쟁의 원칙**: 모든 종류의 차별과 배제에 대한 투쟁에 기여해야 한다.

그러나 프랑스 TV가 이러한 원칙들을 수용한다고 표방하고 있음에도 불구하고 실제 관행은 그렇지 못하다. 유럽연합 차원의 프로젝트 EQUAL이 수행한 연구인 '다원적인 미디어(*Pluriel Médias*)'의 결과에 따르면 유럽의 TV뉴스가 이주민들을 언급할 때 78%의 경우가 부정적인 함의를 담고 있는 보도였고 58%의 보도에서 이주민들을 범죄나 불법적인 행동과 연관시켰다. 이 보고서에 따르면 미디어는 종족적 소수자들이 일반인들보다 사회적으로 문제가 많다고 믿게 만들며 특히 불황기에는 범죄, 폭력, 테러리즘과 같은 부정적 이미지를 강화시킨다.

시청자들의 반응을 통해 이민 관련 보도의 양상을 살펴보자. 시청자와의 관계를 담당하는 전문가들(*Médiateurs*)[10]에 의해 실시된 2005년 제1차 이메일 조사 결과를 통해 도출된 두 가지 주요 문제는 '낙인찍기(*stigmatization*)'와 '대변(*représentation*)'의 문제였다. 많은 비유럽 출신 시청자들은 프랑스에서 그들이 경험한 삶과 미디어가 보여주는 이미지 간에 큰 괴리가 있다고 지적하였다. 이와 관련된 시청자들의 주요 비판으로는 9·11테러 이후 이슬람에 대한 우려가 시청률 제고의 수단으로 활용되었고 시청률 상승을 위해 자극적인 보도방식(sensationalism)과 낙인찍기 방식(stigmatization)이 사용되었다는 지적이 있었다.

이주민들의 부정적인 측면에 대한 보도의 경우에 특히 해당 이주민의 출신지역을 언급하는 관행에 대한 비판이 제기되었다. 예를 들어 살인, 강간, 테러리즘 등 심각한 범죄의 경우 피의자가 아랍 출신일 경우 출신국가를 언급하는 경향이 있다는 것이다. 이는 이주민들에 대한 차별적 전략의 산물이자 프랑스 사회를 출신 국가나 종족에 따라 분리시키는(segregation) 결과를 가져올 수 있다. 또한 이민 출신 프랑스 시청자들은 패널 구성에 있어서 자신의 출신 지역이 소외되지 않는지에 대해 매우 민감한 반응을 보였다. 방송 프로그램의 패널 선택에서 유색인종은 주로 스포츠계 인물이나 연극 종사자만 초대된다는 점이 지적되었다. 보다 세부적인 측면에서 보면 패널의 발언 시간,[11] 패널에 대한

10 프랑스 텔레비전은 시청자와 방송사를 이어주는 매개자 역할을 하는 '매개자(*médiateur*)'라는 직책을 신설하였다. 이들은 시청자의 의견, 청원 등을 검토하는 역할을 수행한다.

11 예를 들어 공영방송의 한 토론 프로그램에서 보르도 지역의 이슬람 성직자는 총 2번에 걸쳐 1분 30초가 안 되는 발언기회를 가졌다고 지적하고 있다.

존중의 정도를 나타내는 어조[12]의 측면에서의 차별을 지적하고 있다. 이슬람 신자인 패널은 상대적으로 적극적인 논의 참여보다는 무슬림들에 대한 암묵적인 혐의에 대해 변명하는 역할을 맡게 된다. 많이 지적되는 사항 중 하나는 전체 인구에서 차지하는 비중에 비해 이민 출신 언론인과 TV 프로그램 진행자가 부족하다는 점이다. 앞서 민영방송 떼에프앙(TF1)의 사례에서 볼 수 있었듯이 뉴스 앵커나 프로그램 진행자에 이민 출신 언론인을 기용하는 것은 종족적 소수자에 대한 주류 사회의 관용을 표현하는 매우 중요한 상징이다.

2006년에 실시된 제2차 이메일 조사 결과를 살펴보자. 시기적으로 2005년에 발생한 '대도시 교외지역의 위기(*crise des banlieues*)'와 '마호메트 만평사건' 직후에 실시된 조사라서 다양성 문제가 시의성이 큰 주제였다. 결과적으로 시청자 의견의 수가 늘었으며 메일의 내용도 보다 구체성을 띤 것이었다. 적은 숫자이기는 해도 반이민정서를 표출한 토박이 프랑스인들의 경우 이민 출신자들과 마찬가지로 정체성의 위기를 경험하는 것으로 나타났다. 이들은 프랑스적인 것, 프랑스인의 정체성이 방송에 충분히 표현되지 않는다는 불만을 드러냈다. 이 조사에서도 용어의 문제가 제기되었다. 특히 언론에서 흔히 쓰는 '이민 출신(*issu de l'immigration*)'이라는 표현이 문제가 되었다. 이는 몇 세대 전에 이민을 온 가정 출신으로서 프랑스에서 태어났고 프랑스인으로서의 정체성이 강한 청년들에게 이 표현이 현실을 제대로 반영하지 않고 영원한 낙인으로 작용한다는 인식에서 비롯된 것이다.

---

12 이는 프랑스 사회학자 부르디외(Bourdieu, 1996)가 『텔레비전에 대하여』에서 말하는 '어조(*ton de parole*)'와 같은 의미를 가지는 표현이다.

다른 사례들도 유사한 평가를 내리고 있다. 2010년 4월에 발표된 방송위원회(CSA) 연례보고서는 다양성에 관해 처음 방송위원회 보고서가 발표된 10년 전과 비교해 볼 때 프랑스 사회의 다양성은 더욱 심화되었는 데 비해 언론의 대응에는 별 진전이 없었다는 평가를 내렸다. 비중있는 직책에 종족적 소수자들의 비율이 여전히 미약하고 장애인, 여성 등 다른 소수자나 하층계급 출신의 비중 역시 크게 나아지지 않았다는 것이다. 프랑스의 경우조차 미디어에서의 다양성을 촉진하기 위한 본격적인 시도들의 역사가 그리 오래 되지 않아 아직 큰 성과를 보이고 있지는 않지만 다양성 재현에 관한 공통의 지표가 방송사들 간에 합의되는 등 진척을 보이고 있다.

2) 방송위원회의 역할

적어도 프랑스의 경우 미디어에서의 다양성을 증진시키는 데 관련 기관 및 시민사회 등 외부의 역할이 매우 중요하게 작용했다. 이와 관련해 까뜨린 옹블로(C. Humblot)는 프랑스의 경우에는 국가보다 시민사회가 미디어에서의 다양성 문제를 주도하고 있다고 평가했다. 예를 들어 '평등모임(*Le Collectif Egalité*)'은 1999년 개최한 한 토론회에서 종족적 소수자들이 충분히 미디어에 대표 및 재현되지 못하고 있다고 비판하면서 프랑스의 주요 민간방송인 떼에프앙(TF1)의 소유주인 통신사 부이그(Bouygues)의 휴대폰에 대해 보이코트 운동을 펼 것이라고 위협했다. 이 모임은 또한 종족에 따른 쿼터제를 채택할 것을 요구했다. 이러한 활동은 방송위원회(CSA)를 거쳐 정부 정책의 변화를 가져왔다.

방송위원회는 자체 조사를 통해 평등모임의 비판과 고발이 정당한 것임을 인정한 후 문화부(*Ministère de la Culture*)에 공중파 방송에 대한 정부 정책의 변화를 요청했다. 공영 및 민영 방송사에는 프랑스 사회의 다양성이 TV에 잘 반영될 수 있도록 노력한 결과를 매년 방송위원회에 보고하도록 요구했다. 이렇게 민간단체에 의해 촉발된 다양성 논의는 TV에 이어 점진적으로 신문 분야로 확대되었다. 결과적으로 현재 미디어에서의 다양성 문제는 국가, 방송위원회, 사회통합위원회(HCI)와 같은 공적 기구의 역할, '통합을 위한 적극적 행동계획'(PAPI)을 시도해 온 '프랑스 텔레비전'의 사례와 같이 방송국 자신의 노력, 그리고 시민사회단체의 압력과 같은 다양한 힘에 의해 추진되고 있다(Institut Panos Paris, 2008: 9–10).

이러한 측면에서 방송위원회의 역할이 다른 어떤 기관보다도 두드러졌다. 2010년 위원회가 의회에 제출한 보고서를 통해 미디어에서의 다양성 문제와 관련된 위원회의 활동을 살펴보자(CSA, 2010). 방송위원회는 방송에 종사하는 기관에 이들의 프로그램이 프랑스 사회의 다양성을 반영하고 있는지, 그리고 프랑스를 세계에 알리는 데 기여하고 있는지 감시하는 역할을 한다. 2009년에 개정된 방송통신 및 TV의 새로운 공적 서비스에 관한 법률[13]은 방송위원회의 권한을 강화하게 된다. 이제 위원회는 매년 의회에 이 점에 대해 보고하며 프로그램에서의 다양성 증진방안을 제안하게 되었다. 위원회는 또한 언론자유에 관한 법

13 La loi du 5 mars 2009 relative à la communication audiovisuelle et au nouveau service public de la télévision.

3조 1항[14]에 의거해 방송 관계 기관에 권고안을 제시할 수 있으며 이는 관보(*Journal officiel de la République française*)에 실리게 된다.

방송위원회의 주요 활동을 살펴보자. 2000년부터 위원회는 미디어에서의 다양성에 관한 연구를 시도했고 민영방송과의 협약에 다양성 관련 의무조항을 도입했다. 2007년 1월에는 조직 내부에 '다양성' 팀을, 2008년 3월에는 '방송에서의 다양성 감시단'(*Observatoire de la diversité dans les médias audiovisuels*)을 구성했다. 그 중에서도 2008년 에릭 마세(E. Macé)가 중심이 되어 실시한 조사가 위원회의 대표적인 성과라고 할 수 있다. 프랑스 헌법은 국민들에 관한 통계에 이들의 출신국가나 종족을 고려하지 못하게 하고 있다. 그런데 프랑스 최초로 실시된 이 조사에서는 2008년 2월 1주일간 16개 프랑스의 주요 TV 채널을 대상으로 조사원들이 프로그램을 보면서 비백인으로 보이는 사람들이 얼마나 등장하는지를 계산했다. 이때 구분의 방법은 어떤 객관적인 인종이나 출신 지역에 입각한 분류가 아니라 시청자가 주관적으로 등장인물을 백인 또는 아시아인, 흑인, 아랍인으로 인식하는 것에 입각해 조사를 수행했다.

조사 결과 14%의 비백인으로 보이는 사람들이 프로그램에 나타났다는 사실이 밝혀졌다. 이 중 2%는 아랍인, 2%는 아시아인, 2%는 다른 지역 출신자, 그리고 8%가 흑인으로 보여진 사람들이었다. 조사 결과를 프로그램 유형별로 보면 먼저 프랑스 사회의 정체성을 형성하는 것과 관련된 TV영화의 경우 시청자들이 볼 때 비백인으로 보이는 등장인물이 전체 등장인물의 11%를 차지했다. 이 비백인 중 흑인으로 보

14 La loi du 30 septembre 1986 modifiée relative à la liberté de communication.

여진 인물의 비율은 전체의 7%, 아랍인으로 보이는 사람이 1%, 아시아인으로 보이는 사람은 1%가 채 되지 않았다. 물론 주요 배역의 경우에는 비백인의 비율이 더욱 낮게 나타났다. 다음으로 뉴스 프로그램의 경우를 보면 뉴스에 등장하는 비백인으로 보이는 사람들의 비율이 15%였다. 프랑스 국내 소식에 국한하면 그 비율은 11%로 더 낮았다. 예능이나 게임 프로그램과 같이 진행자들이 다수 출현하며 청중도 참여하는 프로그램의 경우에는 비백인으로 보이는 사람들의 비율이 보다 높아 20%였다. 그러나 이렇게 다른 유형의 프로그램에 비해 비율이 높은 이유 중 하나는 비백인 비율이 높은 음악 프로그램(35%)이 이 범주에 포함되어 있었기 때문이다. 예능 프로그램의 진행자 중 비백인으로 보이는 사람의 비율은 9%였고 게임 프로그램의 경우에도 유사하게 나타났다.

질적인 면에서는 비백인이 주로 비중 없는 역할에 배정되고 있다는 섬이 드러났다. 예능 프로그램은 이 점에서 다소 예외였지만 이 역시 인종적인 면에서 비백인이 상대적으로 많은 특수한 양상을 보이는 음악 프로그램이 이 범주에 포함되어 있기 때문이었다. 전반적으로 TV 프로그램들에서 발언권은 백인으로 보이는 사람들에게 90% 정도가 주어진 것으로 나타났다. 이러한 경향은 프랑스 사회의 현실을 다루는 뉴스나 영화 등의 프로그램에서 더욱 두드러졌다. 종족적, 인종적 다양성이 그나마 TV에 반영된 것으로 나타난 것은 많은 부분 미국 영화나 국제 뉴스 등 외부세계와 관련된 내용에 의존한 바 크다고 할 수 있다.

2008년 11월 12일 이 조사결과가 발표된 후 방송위원회는 약 3년 동안 TV에서의 다양성을 평가하기 위한 지표 개발에 착수하게 된다.

이와 동시에 당시 조사 결과를 놓고 방송 주체들과 논의하는 기회를 마련하기도 하였다. 2009년 11월에는 매년 방송사들이 수행할 다양성 관련 활동에 관한 지침을 제시하기도 하였다. 이 기준 마련에 방송사들도 긍정적인 반응을 보였고 이들의 의견이 반영되었다. 2008년 조사에서는 1주일의 기간 동안 프로그램을 평가하는 방식이었는데 1주일 이상의 간격으로 방영되는 일부 예능 프로그램이나 스페셜 프로그램이 이 평가에서 배제되었다. 이 프로그램들이 특히 방송에서의 다양성을 증진시키는 기능을 한다는 점에서 1주일이라는 시간은 문제가 있는 것으로 평가되었다. 또한 영화와 같이 부정기적으로 방영되는 프로그램의 경우에도 이러한 평가방식이 적합하지 않았다. 이러한 문제점이 지적되자 위원회는 다음 두 가지 대안을 제시하게 된다. 첫째는 평가를 1년에 두 차례 시행하는 것이었다. 결과적으로 1년에 2주를 평가하게 됨으로써 대부분의 유형의 프로그램이 평가에 포함되게 되었다. 다른 하나는 위원회가 사용하는 기준 이외에도 방송사의 자체평가 결과가 평가에 반영되었다. 이를 통해 보다 완벽한 평가가 가능해진 것이다. 또한 영화나 시트콤과 같은 픽션 프로그램과 같이 1년에 두 번 실시되는 조사로도 그 실태를 파악하기 어려운 경우 3개월에서 6개월 사이의 기간을 두고 방송사가 자체적으로 조사한 결과가 반영될 수 있게 되었다. 이때 방송사 자체평가의 방식은 위원회의 지침에 따르는 것이다. 픽션의 경우 방송사는 위원회에 프로그램에 등장하는 모든 등장인물에 대한 정보를 제시하게 되었다. 위원회의 분석에 있어서는 이 정보 중 처음 방영되는 국내 프로그램에 관한 것만이 포함되었다.

한편 프로그램의 방영시간이 평가에 고려되어야 한다는 지적이 있었다. 여러 방송사들이 위원회의 평가가 등장인물의 출연 및 발언 시간을 고려하지 않는다고 비판하였다. 예를 들면 시청률이 낮은 프로그램에 단 몇 초 등장한 인물과 주요 방송사의 황금시간대 뉴스 프로그램의 아나운서를 동일하게 평가하는 오류를 범하게 된다는 것이다. 결국 5분 이내의 짧은 프로그램과 5분 이상의 상대적으로 긴 프로그램을 구분해 각기 다른 가중치를 부여하는 방식이 도입되었다. 다음으로 비백인의 출연 횟수나 시간과 같은 양적인 기준과 함께 질적인 기준이 고려되었다. 이 역시 질적인 측면을 고려하지 않는 위원회의 평가방식에 대한 방송사들의 비판이 고려된 것이다. 물론 위원회의 평가에는 초기부터 등장인물의 역할이 주연급(*héros*), 조연급(*personnages principaux*), 단역(*personnages secondaires*) 등으로 분류된다거나 비백인의 역할이 가지는 이미지에 편견이 포함되었는지 등의 요인이 반영되었었다. 그렇지만 등장인물의 질적인 측면이 더 많이 반영되게 하기 위해 이러한 구분과 더불어 각각에 서로 다른 가중치를 부여하게 된다. 위원회의 조사에서는 매일 18-23시에 방영되는 프로그램을 대상으로 조사를 했는데 방송사들은 이 시간대를 대상으로 하는 것이 상당 부분 방송 현실에 부합하는 적절한 전략이기는 하지만 시청률이 높은 또 다른 시간대에 방송사들이 시도한 다양성 증진 노력이 고려되지 못하는 한계가 있다고 지적했다.

다음으로 방송사들이 다양성 증진을 위해 시도한 활동을 보자. 여기에는 다양한 소수집단에 관한 활동이 포함되어 있는데 이주민이나 소수민족과 관련된 사항을 중심으로 살펴본다. 가장 중요한 시도는 프랑스의 주된 민영 방송사인 '테에프앙'(TF1)과 FR2, FR3, FR5 등 다수의 채널을 소유하고 있는 공영방송 '프랑스 텔레비전'(*France Télévisions*)

에 의한 '다양성 기금' 창설이었다. 이 기금의 주된 목적은 소수자의 사회통합을 지원하는 민간단체들의 활동을 지원하는 것이었다. 먼저 떼에프앙(TF1)의 '떼에프앙 재단'(*Fondation TF1*)의 주요 사업은 어려운 처지에 있는 청소년들과의 자매결연사업이었다. '프랑스 텔레비전 재단'(*Fondation France Télévisions*)은 이주민, 장애인 등 사회적 약자들의 사회통합에 관한 시민들의 관심을 증대시키려는 목적으로 만들어졌고 스포츠나 직업활동 등을 통해 소수자들이 겪는 차별을 극복하고자 하는 활동을 하는 민간단체를 지원하고 있다.

다음으로 채용 등 인적 자원과 관련된 활동을 들 수 있다. TF1은 비백인을 뉴스나 일기예보 진행자로 채용하는 등의 방식 이외에도 점점 더 많은 수의 기자들을 비백인으로 충원하고 있다. 공영방송인 '프랑스 텔레비전'은 2004년부터 실시되고 있는 '통합을 위한 적극적 행동계획(PAPI)'을 통해 인적자원의 측면에서 매우 적극적인 활동을 펴고 있으며 이와 함께 소수집단 출신 청년들을 대상으로 한 장학사업이나 연수프로그램을 운영하고 있다. 그밖에도 다양한 시도들이 이 분야에서 이루어졌다. 프랑스 텔레비전에서는 자사의 다양성 및 소수자의 사회통합 증진 노력을 홍보하는 인터넷 사이트[15]를 개설하였다. 프랑스 텔레비전은 또한 프로그램 외주에 관한 계약 규정에 다양성 관련 조항을 포함시키기도 했다.

최근의 논의를 보면 이상과 같은 노력에도 불구하고 종족적 소수자, 주로 이민에 대한 재현에 있어서 양적인 측면에서는 진전이 있었지

15 http://integration.francetelevisions.fr, 2011년 11월 20일 검색

만 질적인 면에서는 여전히 답보상태에 있다는 의견이 많다. 특히 언론이 이민자들에 대해 다루는 방식에 가장 큰 문제가 있다는 것이다. 한 출판기념 토론회에서 "미디어가 프랑스 사회의 다양성을 잘 반영하고 있는가?"라는 질문에 대해 웅블로(C. Humblot)는 부정적으로 답하였다. 관련 연구, 그리고 '평등모임(*Le Collectif Egalité*)'이나 '아베로에스 클럽(*Le Club Averroès*)과 같은 단체의 압력으로 어느 정도 진보가 있었지만 아직 갈 길이 멀다고 평가했다. 그리고 그 원인으로 평등을 추구하는 프랑스 공화주의 전통으로 인해 현실에 존재하는 종족적 소수집단의 존재에 대한 관심 자체가 다른 나라에 비해 미약하다는 점이 지적되었다. 예를 들어 이 소수집단을 지칭하는 용어부터 적절한, 그리고 대중적으로 통용되는 것이 없다는 것이 문제라는 것이다. 미국이나 캐나다의 '눈에 띄는 소수자(visible minority)'와 같은 용어를 사용하는 것이 금기시되어 있어 차선책으로 상당히 다의적인 '다양성'이라는 용어 정도에 만족하고 있다는 것이다. 어떤 현상을 정확히 지칭하는 용어가 없을 때 이 현상의 내용을 잘 다루기는 불가능하다고 덧붙인다(Institut Panos Paris, 2008: 7).

4. 대안매체로서의 에스닉 미디어

1) 에스닉 미디어의 발전과 특성

1990년대부터 '에스닉 미디어'(ethnic media)에 대한 논의가 진행되어 왔는데 이 용어는 종족적 소수자의 위치에 있는 집단에 의해 시도되는 미디어를 의미한다. 보다 구체적으로 이 미디어의 주체를 보면 국제이주민이나 그 후손들, 그리고 집시와 같이 이동의 경험을 공유하는 사람들에 의해 또는 이들을 위해 만들어진 미디어가 여기에 속한다. 성격 면에서 볼 때 에스닉 미디어는 국제이주의 산물이거나 종족적 소수집단의 문화를 보존하기 위한 시도 또는 포스트식민주의적 관계의 산물로 볼 수 있다. 이러한 성격을 지닌 에스닉 미디어는 종족적 소수집단의 정체성을 보존하거나 재구성하는 역할을 수행한다. 또한 지역, 국가, 더 나아가 세계적 차원에서 자신들의 문화와 정체성을 제대로 인정받고 자신들이 겪고 있는 불평등한 현실을 매체를 통해 알리려고 한다. 에스닉 미디어는 국제이주 현상의 역사와 맥을 같이 해온 현상이기는 하지만 최근 정보통신기술의 발달로 인해 더욱 활성화되었다. 정보화 시대에 종족적 소수자들의 이해를 대변하는 문화적, 정치적 실천에 있어서 에스닉 미디어가 핵심적인 역할을 하게 된 것이다. 또한 이를 배경으로 학술적인 관심 역시 본격화되었다.

국제이주의 주요 대상지역인 유럽과 북미에 국한해 볼 때 에스닉 미디어는 수천 개에 달하고 있다. 예를 들어 '마이너리티미디어(*Minoritymedia*)'라는 연구팀의 조사결과를 보면 2007년 현재 8개 유럽국가의 경우 5,000개의 에스닉 미디어가 존재한다. 미국의 경우에도 미국신문발행인협회(American Newspaper Publishers Association)에 따르면 1990년 현재 언론산업 매출액의 18%, 종사자의 16%를 종족적 소수집단이 차지하고 있다(Rigoni, 2010a: 7-8). 역사적으로 보면 에스닉 미디어는 국제이주의 역사와 운명을 같이해왔다. 이미 19세기 중엽에 프랑스에 이주해 온 아르메니아인들 사이에서 최초의 에스닉 미디어가 등장했으며 당시 프랑스로 이주해 온 벨기에, 이탈리아, 폴란드 출신 이주민들 역시 자신들의 신문을 만들었다.

이러한 오랜 역사에도 불구하고 학계나 언론에서 에스닉 미디어에 대한 관심은 미미했다. 1990년대 영미권과 스칸디나비아 지역 학자들에 의해 이 분야 연구가 본격적으로 시작되었다. 이들에 의해 '*ethnic media*', '*ethnic minority media*'와 같은 용어들이 처음 사용되었다. 초기 연구에서 에스닉 미디어 현상은 하버마스의 공론장 개념이나(Husband, 1994; Husband, 2000) 이주민들에 대한 통합과 배제와 관련되어 다루어졌다(Georgiou et alii., 2007). 주류 미디어에서의 종족적 소수자들에 대한 재현이 왜곡 또는 낙인찍기의 경향을 보인 것이 소수자들이 자신들의 요구에 맞는 대안 미디어를 찾게 된 원인이라는 분석도 나왔다(Rigoni 2008, 2007a, 2007b). 특히 1990년대 중반부터 종족적 소수자들이 위성방송을 선호하게 된 현상에 관심이 집중되었다(Mattelart, 2007, 2002 ; Guaaybess, 2005 ; Lamloum, 2004, Rigoni, 2010a: 9-10에서 재인용).

한편 에스닉 미디어는 상업적인 전국방송에서 지역 소재 단체의 신문이나 방송에 이르기까지 매우 다양한 형태를 띠고 있다. 프랑스, 벨기에 등 불어권의 경우 에스닉 미디어가 '소수자미디어(*médias minoritaires*)', '이주민 미디어(*médias issus de l''immigration*)', '종족미디어(*médias ethniques*)', '공동체미디어(*médias communautaires*)', '다양성 미디어(*médias de la diversité*)'(Rigoni, 2010b) 등과 같이 다양하게 불리어지는 것도 바로 이 현상의 다양성과 이질성을 반영하고 있는 것이라고 볼 수 있다. 보다 최근에는 디지털 매체에 대한 관심이 커지고 있다. 이 새로운 매체는 이전 매체와는 비교할 수 없을 정도로 빠르고 많은 양의 정보를 전달하고 있으며 이주민이나 소수민족 등 종족적 소수자들은 이 새로운 매체를 가장 적극적으로 활용하는 집단의 하나라고 할 수 있다.

2) 프랑스의 에스닉 미디어: 집시, 흑인, 마그레브 출신 이주민들의 사례

프랑스의 경우를 보면 북아프리카나 사하라 사막 이남 아프리카 지역 출신 이주민을 비롯해 다양한 종족적 소수집단이 존재하고 소식지에서 방송에 이르기까지 이들이 운영하는 다양한 미디어가 존재한다. 먼저 역사가 오래되었고 주류사회와 구분되어 살아가는 집시의 경우를 보자. 집시는 주로 루마니아, 불가리아 등 발칸반도 출신 이주민들을 가리키는 용어인데 이들 중 동구권 붕괴 이후 프랑스에 이주한 사람들을 가리키는 '롬족'(*les roms*)의 경우에는 당초 정주민들이었다가 프랑스 등 유럽 국가들의 전략적인 대응으로 유목민화된 사례이다. 일종의 '강요된 유목민'이라고 볼 수 있으며 이러한 유랑생활이 이들이 사회적 배제에서 벗어나지 못하게 하는 결과를 낳았다(Nacu, 2010). 이들의 미디어는 종교적 미디어, 직업적 미디어, 정치적 미디어 등 세 가지 형태의 미디어로 분류할 수 있다. 이러한 집시 미디어의 다양성은 자신들이 집시를 대표하고자 하는 매체 간의 경쟁을 동반하기도 한다. 끌레르 꼬쎄(C. Cossée)는 블로그 등 집시들의 인터넷 사이트가 크게 늘어난 현상을 언급하면서 이를 거주 지역 및 출신 국가의 차이 등 내부의 다양성을 넘어 하나의 집단으로서의 초국적 집시 정체성을 만들어 보려는 시도로 보고 있다(Cossée, 2010).

마그레브 출신 이주민 집단과 더불어 프랑스의 대표적인 이주민 집단인 흑인들의 경우에도 다수의 미디어가 존재한다. 한 조사에 따르면 유럽의 경우 2006–2009년 최소한 500개 정도의 흑인 공동체 미디어가 창설되었는데 그중 인터넷 언론이 185개, 종이 신문이 163개, 라디오 채널이 140개, 텔레비전 채널이 41개, 인터넷 라디오 방송이 4개, 인터넷 텔레비전 방송이 4개였다. 조사된 흑인 미디어의 60%가 상업방송이었고 80% 이상이 주류사회의 언어를 사용하였고 78%는 광고수입이 있었다. 하산은 미국, 영국, 프랑스의 사례에 대한 연구를 통해 흑인 인터넷 사이트의 10개의 유형을 도출했다. 이 유형들은 미디어 운영이 민간단체, 종족공동체 차원의 활동인지 또는 공적인 활동인지와 연관성이 있다(Hassane, 2010: 121–122).

① 흑인을 대상으로 하는 종이신문이나 방송의 인터넷 사이트

② 흑인공동체의 이해를 대변하는 단체들의 사이트

③ 흑인들에게 교육 프로그램을 제공하는 사이트

④ 흑인들의 가족문제를 다루는 사이트. 이러한 유형의 프랑스 사이트들은 대개 미국의 유사한 사이트를 모방하고 있다.

⑤ 건강, 의료보험, 병원 등에 관한 정보를 제공하는 사이트

⑥ 흑인, 특히 미국 흑인들의 역사를 다루는 사이트

⑦ 종교 사이트로서 오순절교회 등 '새로운 근본주의자들' 또는 '전파복음주의자들'의 영향을 받은 미국과 영국 '흑인교회'의 인터넷 사이트가 대표적인 사례이다. 무슬림들에게서도 유사한 활

동을 확인할 수 있는데 인터넷 상에서의 종교활동은 국경을 가로질러 '무슬림공동체'가 존재한다는 인식을 기반으로 이루어진다. 이슬람의 경우에도 인터넷 사이트는 미국이 주도하는데 특히 '이슬람민족(Nation of Islam)'의 인터넷 미디어들이 주된 정보 공급원이 되고 있다. 프랑스의 경우 미국에 비해 크게 뒤쳐져 있는데 파리 북부 센 생드니 지역에 소위 '새로운 교회'들을 중심으로 온라인 활동이 이루어지고 있다. 이 프랑스의 흑인교회들은 '프랑스오순절교회연합(*Fédération des églises pentecôtistes unies de France, FEPU*)'과 같이 미국 오순절교회의 영향을 받는 단체의 지원을 받고 있기도 하다. 이들 교회의 인터넷 사이트는 일종의 가상 교회로서 사이버 상에서의 개종, 설교, 교리교육, 고해성사, 기도, 은사 등 다양한 서비스를 네티즌들에게 제공한다. 무슬림들의 경우에도 미국 '이슬람민족'의 프랑스 사이트[16]가 중심이 되고 있다.

⑧ 학자, 예술가, 스포츠인 등 명사들의 사이트. 이 유형의 사이트에서는 성공한 인물들을 이민 2세 청년들의 모델로 부각시키는 방식을 주로 취한다.

⑨ 법조인들이 법률적인 정보를 제공하는 사이트

⑩ 가장 많은 수를 차지하는 유형으로 흑인 여성들의 미용에 관한 사이트가 있는데 '종족 여성지(ethnic women's magazine)'의 온라인 판이라고 할 수 있다.

---

16 www.nationdelislam.com

한편 프랑스 흑인들이 이용하는 종족적 성격의 인터넷 사이트 중 가장 인기 있는 것은 흑인공동체와 관련된 정보를 제공하는 포털인 그리오[17]이다. 이 사이트는 미국 흑인들이 가장 많이 찾는 인터넷 사이트인 블랙패닛[18]처럼 프랑스 흑인들이 가장 많이 찾는 사이트이다. 흑인들의 인터넷 사이트는 인터넷이 그렇듯 국경을 넘어 흑인들의 정체성, 흑인들의 유토피아를 모색하는 성격을 지니고 있다. 미국이나 영국에서와 마찬가지로 프랑스에서도 흑인 인터넷 사이트는 아프리카 전통을 되살리고 흑인들의 경험을 국경을 초월해 공유하고자 한다. 한편 이들간의 경쟁도 존재한다. 노예제 등 역사에 대한 해석에서 현실에서의 차별구조에 대한 해석에 이르기까지, 또한 프랑스 거주 흑인들의 정체성 문제 등에 대한 입장에 있어서 다양한 입장이 경합을 벌이고 있는 것이다(Hassane, op.cit.).

마지막으로 프랑스 거주 외국인 중 가장 많은 수를 차지하고 있는 마그레브 출신자들의 경우를 살펴보면 이들의 종족 공동체에서 종교가 차지하는 비중이 큰 만큼 미디어 분야 역시 이슬람 색채를 띤 매체가 주를 이루고 있다. 종교 소식지, 설교내용을 담은 카세트 테이프나 동영상, 신문 등 다양한 매체들이 있지만 여기에서는 급진적인 이슬람 인터넷 언론인 '사피르 뉴스[19]'의 사례를 살펴보자. 사피르 뉴스는 프랑스뿐만 아니라 유럽 차원에서도 최초로 만들어진 이슬람, 그리고 프랑스 및 유럽 거주 무슬림들에 관련된 다양한 정보를 제공하는 인터넷 언론이다. '사피르'(Saphir)라는 말은 아랍어로 '대사(ambassador)'를 의미하며 중간에서 매개적

---

17 www.grioo.com

18 www.blackpanet.com

19 www.SaphirNews.com

인 역할을 하겠다는 취지가 이 용어에 담겨 있다. 사피르 뉴스는 대안언론을 표방하고 있으며 유럽에 거주하며 불어를 사용하는 무슬림들의 소식을 전하고 있다. 2006년 7월 14일 아프릭이라는 인터넷 매체가 이 언론의 발행인인 모하메드 꼴랑(M. Colin)과 행한 인터뷰 기사의 내용을 토대로 사피르뉴스에 대해 살펴보자.[20]

이 신문은 모하메드 꼴랑(M. Colin), 아마라 봉바(A. Bomba), 무라드 라트레스(M. Latrece) 등 세 명의 프랑스 거주 무슬림에 의해 2002년 11월 창간되었고 단기간에 이슬람과 유럽 거주 무슬림들의 대표적인 언론이 되었다. 이 신문이 대안 언론을 표방하는 것은 서구 미디어에 의해 만들어진 이슬람과 무슬림에 대한 왜곡된 이미지와 담론에 저항한다는 의미를 지닌 것이다. 이를 위해 이 신문은 주제별로 주요 소식을 전하고 심층보도와 조사, 분석 등을 통해 무슬림과 연관된 현실의 핵심이 무엇인지 보여주고자 한다. 편집장 꼴랑은 무슬림 사회활동가 출신으로 프랑스의 무슬림들이 필요로 하는 정보를 제공하는 매체가 없다는 사실에 착안해 인터넷 신문을 창설했다고 한다. 당시 프랑스 언론에서는 무슬림과 관련된 이슈들이 지면을 장식하고 있었지만 정작 무슬림 자신들의 입장에서 정보를 제공해 주는 매체는 없었던 것이다. 이로 인해 이슬람과 프랑스 무슬림들에 대한 프랑스 언론들의 현실에 부합하지 않은 왜곡된 시각이 무슬림들 자신에게도 강력한 영향을 미쳤던 것이다. 이 사이트의 성공은 무슬림들이 이러한 매체를 절실히 필요로 했다는 점을 보여준다.

20 http://www.afrik.com/article10081.html, 2011년 11월 20일 검색

7장

인종 담론과 안전 담론

7장
인종 담론과 안전 담론

계급 간의 불평등과 갈등, 또는 사회지리학적인 차별구조 등으로 설명되었던 종족적 소수자들의 문제가 최근 인종차별과 인종 간 갈등의 문제로 해석되기 시작했다. 소위 '인종문제'가 등장한 것이다. 그런데 이러한 담론 상의 변화는 그동안 은폐되었던 프랑스 사회의 인종주의를 폭로하고 적극적으로 해결한다는 긍정적인 의미와 더불어 과학적으로 근거가 박약한 인종 담론을 부활시키고 이민문제의 본질이 인종적인 측면에 있다는 인식을 확산시키는 위험성을 동시에 내포하고 있다. 이러한 점에서 현재 프랑스 사회에서 확산되고 있는 인종 담론은 단지 현실을 반영하는 것이 아니라 현실을 구성하는 적극적인 역할도 수행하는 것이다. 한편 인종 담론은 안전 담론을 동반하고 있으며 이는 현재의 인종 담론이 인종주의적이든 반인종주의적이든 토박이와 이방인 간의 구분, 그리고 후자에 대한 낙인찍기라는 권력의 작용을 함축하고 있음을 보여준다.

1. 인종 담론과 인종주의 현상

그 기원으로 거슬러 올라가 보면 인종주의는 17, 18세기 신대륙 식민지의 플랜테이션에서 노예노동을 이용하던 시기에 농장주와 노예상인들의 이데올로기로 출현하였다. 비유럽인들을 같은 인간으로 간주하면 식민지배나 비유럽인의 노예화는 받아들일 수 없게 되기 때문이다. 따라서 비유럽인을 '비인간화'시키는 것은 꼭 필요한 일이었다(강철구, 2002: 23). 이는 '오리엔트인'을 서구인들과는 질적으로 구분되는 존재로 만들고자 했던 서구 열강의 문제의식과 유사한 것이다(Said, 1979). 이후 제국주의 시대에는 세계의 서구화를 정당화하는 이데올로기로, 산업자본주의 단계에서는 인종에 따른 분열을 통해 노동자계급을 지배하는 효과적인 이데올로기로 작용했다. 보다 최근에는 인종주의가 문화 담론의 형태를 띤다. '신인종주의'라고도 불리는 현대적인 인종주의는 생물학적 우월성보다 민족 간 문화 차이를 강조한다(하먼, 2001). 인종주의에 대한 분석적인 설명의 예를 살펴보자. 테바니앙은 인종주의의 구성요소로 다음의 측면들을 제시하였다(Tevanian2008: 102-120).

① 차별화(*différentiation*): 인종, 문화, 종교, 피부색 등 자의적으로 선택된 기준에 따라 차이에 대한 사고를 형성하는 것이다.

② 경멸(*péjoration*): 이렇게 만들어진 차이에 대해 경멸하고 수치스

러움이나 열등함의 징표로 낙인찍는 것이다.

③ 자의적으로 선택된 기준에 초점을 맞추고 개인을 이 기준에 따라 만들어진 낙인으로만 인식하는 것: 흑인, 아랍인, 무슬림, 유대인의 정체성을 가진 개인들은 그의 모든 것이 그저 흑인, 아랍인, 무슬림, 유대인이라는 단일한 정체성으로만 설명된다.[1]

④ 자연화(*naturalisation*) 본질화(*essentialisation*), 뭉뚱그리기(*amalgam*): 동일한 낙인이 찍힌 사람들 간에 존재할 수 있는 시간, 공간, 계급에 따른 차이, 그리고 개인적인 차이를 무시하는 것: 예를 들어 흑인이면 그가 나이지리아의 부호이든, 1900년대의 콩고인이든, 미국에 사는 흑인이든 다 똑같게 생각하는 것을 말한다.

⑤ 불평등한 처우에 대한 정당화: 열등한 인종은 사회의 일원이 되기에 부적합하므로 배제되어야 하며 위험하므로 폭력이 행사되어도 무방하다는 인식을 말한다.

이 요소들이 결합되어 인종주의적 세계관, 철학, 이데올로기를 형성

1 사회학자 게오르크 짐멜(G. Simmel)이 사례로 드는 서구 중세 프랑크푸르트의 경험은 이방인에 대한 주류사회의 인식을 잘 보여준다. 그에 따르면 당시 이 도시에서는 기독교 시민들이 납부하는 세금은 때에 따라 달라지는 당사자의 재산 상태에 따라서 바뀌었던 반면에 유대인에 대한 세금은 고정되어 있었다. 이러한 고정성은 유대인은 특정한 객관적 내용들의 담지자로서가 아니라 유대인으로서의 사회적 지위를 지니고 있다는 사실에 근거하고 있었다는 것이다(짐멜, 2005: 87). 유사한 취지에서 데릭 젠슨(D. Jenson)은 인종주의자를 다음과 같이 묘사한다. "그들은 타인을 미워한다. 그 타인들의 행위 (또는 한 개인으로서 그들이 과거에 했던 행위) 때문이 아니라 그들의 존재 그 자체 (또는 인종주의자 자신이 인위적으로 규정한 특정 집단의 구성원이라는 점) 때문에 그렇게 한다. 훨씬 더 간단하게 말할 수도 있다. 인종차별이란 타자로서의 타자에 대한 증오다. 흑인으로서의 흑인, 경찰관으로서의 경찰관, 동성애자로서의 동성애자에 대한 증오인 것이다(젠슨, 2008).

하게 된다는 것이다. 그러면서 테바니앙은 반인종주의를 구상한다. 그는 인종주의에 대한 일반적인 인식과 다르다는 의미에서 역설적인 반인종주의, 그리고 근원적인 차원에서 접근한다는 의미에서 급진적인 반인종주의를 주창하면서 그 토대가 되는 핵심요소를 다음과 같이 제시하였다.

① 인종주의는 모르는 사람들에 대한 두려움이 아니라 아주 잘 아는 사람들에 대한 두려움이다.
② 차이가 인종주의를 야기하는 것이 아니라 인종주의가 차이를 만든다.
③ 타자에 대한 두려움은 문화를 통해 완화시켜야 하는 인간의 자연적인 성향이 아니라 문화에 의해 형성되는 것이다. 따라서 이 두려움은 (기성 문화를 통한 계몽이 아니라) 기성 문화를 해체하는 반문화를 통해서만 극복될 수 있다.
④ 평등과 차이는 상호적대적인 것이 아니라 동일한 현실을 지칭하는 두 가지 표현으로서 양립가능한 것이다.
⑤ 반인종주의 투쟁은 인종이 존재하지 않는다는 것을 주창하는 것이 아니라 인종이 존재한다는 것을 인정하는 것이다.
⑥ 관용은 반인종주의의 덕목이 아니라 인종주의의 덕목이다.
⑦ 관용이 인종주의의 덕목이기는 하지만 그 자체로 인정되어야 하고 더 나아가 인종주의 극복의 필요조건으로 인식되어야 한다.
⑧ 증오는 인종주의의 토대가 아니라 인종주의의 위기의 징표이다.

유럽과 미국의 역사적 경험이 잘 보여주듯이 인종주의 문제는 이민문제의 핵심적인 요소이다. 그리고 이러한 점은 단지 1930년대 유럽의 파시즘 시대에 국한된 것이 아니다. 20세기 초반의 미국이나 1980년대 이후 유럽과 같이 민주적인 시기에도 예외가 아니었던 것이다. 물론 이주민을 대상으로 한 인종주의의 양상은 시대에 따라 달라져 왔다. 영국의 경험은 최근 유럽사회에서 인종주의가 어떤 방식으로 변화하는지를 잘 보여주고 있다. 한편으로는 이주민에 대한 인식이 악화되었고 다른 한편으로는 이슬람이 반이민정서의 핵심에 놓이게 되었다. 영국에서 인종주의는 1979년 총선 결과 대처 총리가 이끄는 보수당이 집권한 이후 가시화되었다. 이후 1990년대부터 정치권 전반에 확산되었고 1998년부터 토박이가 아닌 사람들(non natives)은 보편적 복지의 대상에서 배제되었다. 이주민을 배척하는 이러한 사회분위기 속에서 2011년 폭동이 일어나기도 했다.

영국의 사례를 보면 인종주의는 제도화된 인종주의에서 새로운 인종주의로, 즉 특정 민족에 대한 인종주의(xeno-racism)로, 그리고 반이슬람 인종주의(anti-muslim racism)로 그 모습이 바뀌어 왔다. 물론 제도화된 인종주의가 사라진 것은 아니다. 영국 사회가 경험하고 있는 것과 같은 새로운 인종주의의 주된 특징은 문화에 초점을 두는 것이다. 그리고 이때 문화는 주로 종교를 의미했다. 특정 민족을 대상으로 하는 인종주의(xeno-racism)는 이주민으로서의 지위, 문화, 종교와 같은 측면들에 토대를 두고 있는, 피부색과 무관한 인종주의이다. 새로운 인종주의의 또 다른 특징은 중앙정부 차원에서의 인종주의에서 지방 차원의 인종주의로 주도권이 이동하는 것이다. 또한 이민이나 인종에 대한 논의가 어려운 처지에 있는 이들에 대해 우호적인 인도주의적인 프레임에서 이들이 주로 위험한 존재로 거론되는 범죄학적 프레임으로 이동하는 것도 인종주의의 최근 양상이다.

인종주의의 대상이 되는 집단에서도 변화가 나타나는데 난민에서 무슬림으로 표적이 바뀌는 양상이 나타났다. 인종주의를 표현하는 방법에서도 일련의 변화가 나타났다. 우선 이주민들을 주로 불법체류자들이나 더 나은 조건의 국가를 찾아다니는 '망명지 쇼핑족'(asylum shoppers, 망명신청자를 뜻하는 asylum seekers를 변형시킨 표현)과 같은 부정적인 이미지로 악마화하는 경향이 있다. 또한 복지의 수혜자에서 사법의 대상으로, 사회복지에서 이민 통제로, 복지제도가 현금에서 현물과 바우처로, 그리고 복지제도 자체의 폐지로 이주민들에 대한 처우가 악화되는 경향을 들 수 있다. 담론의 측면에서 보면, "영국의 일자리는 영국 노동자들에게", "우리는 하수관의 녹을 씻어내고 싶다", "우리는 당신들을 당신들의 나라로 돌려보낼 것이다"와 같은 표현들, "유럽은 대량 이민으로 인해 위협받고 있다"는 신화가 범람하고 있다. 이상과 같은 새로운 형태의 인종주의가 낳은 결과는 이주민들로 하여금 주류 사회의 대응이 부당하다는 인식을 갖게 하고, 특히 사회통합의 어려움이 큰 젊은 무슬림들이 주류사회에의 소속감이 약화되는 것이다(Feteke, 2013).

국가에 따라 이주민에 대한 부정적인 인식, 행위, 구조 등을 가리키는 용어를 사용하는 방식에 있어서 미묘한 차이가 있다. 프랑스는 '인종주의'라는 표현이 보편화되어 있으며 제노포비아(외국인혐오증)와의 구분에 덜 민감하다.[2] '인종주의 및 제노포비아 범죄'라는 표현에서

2 제노포비아에 해당하는 양상으로는 프랑스, 독일 등지의 이슬람혐오증, 한국의 경우에도 최근 부상하고 있는 외국인혐오증이 사례가 될 수 있다. 필자의 생각

처럼 용어의 구분은 있지만 양자를 엄밀히 구분하기보다는 관련된 다양한 양상을 포괄적으로 다루려는 경향이 더 강하다. 이와 달리 독일은 '제노포비아'를 주로 사용하면서 '인종주의'는 나치의 사례에만 국한시키는 경향이 있다. 이러한 용법은 나치의 경험과 범죄를 특정 시점에 국한된, 다른 현상과 명확히 구분되는, 예외적인 사례로 간주하려는 의도를 담고 있다. 부정적인 역사와 명확히 선을 긋고 싶은 것이다.

프랑스의 대표적인 인종주의 전문가 중 한 사람인 피에르 앙드레 따기예프는 프랑스 역사에 나타난 인종주의를 비관적 인종주의, 진화론적 인종주의, 생물학적 인종주의, 우생학적 인종주의와 같은 유형으로 구분한 바 있다(Taguieff, 2002, 이환식(2006: 131-140)에서 재인용).

첫째, '비관적 인종주의'는 혼혈에 따른 순수혈통 소멸의 위기감을 반영하는 사고인데, 혼혈 현상을 지적, 문화적 쇠퇴와 백인종의 생물학적 퇴화로 간주하여 '인종투쟁'을 역설하는 것이다.

둘째, '진화론적 인종주의'는 반복되는 정복전쟁이나 이민 또는 정책에 의한 혼혈의 결과로 출현하는 인종을 '자연적 인종'과 구분되는 '역사적 인종'으로 규정하는 것이다. 그리고 이 이질적인 인종들, 즉 열등인종과 우등인종 사이에서 생겨난 혼혈 인종은 문명을 쇠락시키는 위협요소라고 생각한다.

셋째, 생물학적 인종주의는 특히 아리안족과 유대인을 위계적으로

으로는 외국인혐오증은 인종주의의 한 양상으로 보는 것이 적합한 것 같다. 구조적, 생물학적, 제도적, 일상적 인종주의, 편견, 혐오 등 인종주의의 여러 양상 중 하나로서 외국인 또는 타 지역 출신자들에 대한 반감과 이러한 정서에서 비롯된 태도나 행위를 의미한다고 할 수 있다.

구분함으로써 반유대주의의 핵심, 즉 유대인을 적대적인 외국인종의 대표자로 인식하게 함으로써 반유대주의를 자극하는 이념이다. 이러한 사고에서 유대인은 고유의 생물학적, 문화적 특징으로 인해 유럽 사회에 동화될 수 없는 존재로 간주되며, 다른 한편으로 강력한 경제력을 바탕으로 세계를 지배하려는 존재로 여겨진다.

넷째, 우생학적 인종주의는 한 민족의 유전적 또는 인종적 질의 악화나 변질에 대한 강박관념을 내포하는 것으로 이를 막기 위해 국가의 개입이 필수적이라는 사고이다.

이환식은 제노포비아 개념을 통해 프랑스에서의 외국인에 대한 태도와 시기적 변화를 설명하고 있다. 그에 따르면 외국인에 대한 반감이 부상하게 된 배경으로 1980년대 이후 프랑스가 직면했던 주된 변화, 즉 산업사회의 해체, 보편주의와 공화주의 의식의 약화, 복지국가의 위기, 이민자들에 대한 인식이 착취당하는 노동자에서 사회 불안, 사회문제의 원천으로 변화된 점을 들었다(이환식, 2006: 141-142). 노동운동의 약화와 산업사회의 문화적 모델과 단절된 '차이의 권리'를 내세우는 다양한 사회운동이 등장하였는데 바로 이 차이의 권리를 주창하는 것이 다수의 토박이 프랑스인들에게는 프랑스 사회에 대한 위협으로 인식되었다는 것이다(이환식, 2006: 144).

또한 실제로는 1980년대부터 본격화된 경제위기의 최대 희생자인 이주민들이 복지재정이 축소된 상황에서 프랑스인들의 눈에는 복지 혜택을 가장 크게 누리는 집단으로 비춰지게 된 점도 반감을 키우는 데 일조했다. 극우세력은 이러한 토착 프랑스인들의 심리적 박탈감을 제노포비아적 담론으로 전환시키는 능력을 보여주었다. 열심히 일하면서도 최저생계비를 가까스로 상회하는 임금을 받는 프랑스 노동자들과, 실업자가 되어 각종 보조금 혜택을 받는 이민 노동자를 대비하는 방식으로 '토착 프랑스인들의 프랑스'와 '이민자들의 프랑스'로 갈등 구도를 만들고 이후 지속적으로 이 프레임을 확대·재생산해 왔다는 것이다(이환식, 2006: 147). 독일의 비스마르크식 요소와 영국 비버리지 모델의 보편주의 원칙 사이의 중간적인 형태를 취하는 프랑스 복지국가 모델의 핵심가치는 '사회적 연대'이다. 즉 '사회적 연대'의 이름으로 사회보험 체계를 마련한 것이다(송태수, 2006: 175). 이러한 '구호'의 원칙에 입각해 이주민들이 프랑스 토박이들과 대등한 복지혜택을 누리는 프랑스의 복지제도에 대한 반감이 늘어나고 이는 동시에 이주민에 대한 반감을 심화시켰다.

이민문제가 첨예한 정치적 쟁점으로 부각되면서 이주민 관련 법에도 변화가 나타났다. 과거에 자유롭게 허용되었던 가족들의 결합조건도 대폭 강화되었다. 법적으로 체류자격을 갖춘 외국인들, 즉 프랑스인의 외국인 배우자, 프랑스 국적 자녀의 외국인 부모, 10세 이전에 프랑스에 입국한 외국인, 10년 이상 거주한 외국인 등 사회당 정부가 추진한 1981년과 1984년 법[3]에 따라 자동적으로 체류자격이 부여되었던 외국인들조차 1986년 우파가 집권하면서 소위 '파스쿠아 법'을 통해 이러

3 1984년 법은 고용과 체류의 권리를 분리하고 3년 이상 프랑스에 거주한 모든 외국인이 취득할 수 있는 유효기간 10년의 장기 체류증인 '레지던스 카드'를 신설한 것이다. 레지던스 카드는 유효기간이 만료되면 자동적으로 갱신되기 때문에 실질적으로 영주권이라고 할 수 있다. 1984년 법은 이민자들을 노동력의 수요를 충족시키는 단순한 인적 자원이 아니라 프랑스 사회의 구성원으로 인식함으로써 이민자들의 본국 송환을 목표로 했던 과거의 이민정책과 실질적으로 단절하는 의미가 있었다(이환식, 2006: 152-153).

한 권리를 점진적으로 박탈당했다. 불법체류자들 역시 사회보장 혜택을 받기가 점점 어려워졌다. 1987년 법은 가족 재결합 이외의 방식으로 프랑스에 들어온 어린이에게 지급하는 가족수당을 폐지했고, 1993년 법은 체류증이 없는 외국인에 대한 모든 사회보장 혜택을 폐지했다(이환식, 2006: 151).

인간이 서로 다른, 위계적인 종들로 구분된다는 의미에서의 인종주의가 최근 한국 사회에서도 등장하고 있다. 지난 2016년 7월 8일, 교육부 정책기획관 나 모씨의 발언이 지배계층의 사회관, 인간관을 잘 보여주었다. 그는 '국민은 개, 돼지'라는 막말을 했고 시민들이 크게 분노한 바 있다. 그러나 인간을 우열이 있고 변화가 힘든 종으로 가르는 것이 비단 특정인에 국한된 사고는 아니다. 여행 중 필자의 경험도 이 점을 입증해 준다. 파리 13구 플라스 디탈리(*Place d'Italie*) 로터리에 있는 카페에서 지나가는 사람들을 보고 있었다. 정말 다양한 민족의 사람들이 보인다. 그런데 나는 한국인을 볼 때와는 다른 태도를 가지게 된다. 우리보다 열등하다고 생각하는 유색인종을 볼 때 그들의 학벌이 어떠한지에 대해 생각하기란 쉽지 않다. 지금 내 앞에 동남아시아 사람이 지나가는데 그가 어느 대학을 나왔는지, 지나가는 흑인이 어느 대학을 나와 지금은 어떤 직업을 가지고 있는지 생각하게 되지 않는다. 그보다는 그들이 나와 같은 수준의 인간인지, 위험한 존재는 아닌지, 식사는 제대로 하고 사는지와 같은 생각을 하기가 쉽다. 그러한 내게 인종은 명백히 존재한다. 생물학적 성의 내용과 차이에 대해선 의견이 분분할 수 있지만 사회적으로 형성된 성에 대한 관념인 젠더는 명확히 존재하듯이, 생물학적 인종이 존재한다는 것을 믿기는 어렵지만 사회적으로 구성된 인종은 분명하게 존재하며 더 나아가 사회에서 매우 중요한 역할을 한다. 따라서 이 사회적 인종에 대한 논의와 대응은 정당한 것이다.

흑인을 보면서 그들의 육체에 대해 관심을 가지지 않을 수 없다. 백인을 보면서 그들이 보유한 힘과 신체적, 지적 우월성에 대해 생각하지 않을 수 없다. 아시아인들을 보면서 그들의 왜소함과 양순함을 생각하지 않을 수 없다. 민족이 서로 다른 커플을 보면서 두 사람 개인이 아니라 둘의 인종을 생각하게 된다. 둘 간의 관계는 사랑보다 우열관계를 중심으로 해석된다. 대부분의 한국인에게 다른 민족에 속한 사람들은 상당부분 인종 관념, 즉 인간이 교정할 수 없는 위계서열을 가진 집단들로 나뉘어져 있다는 생각에 입각해 인식될 것이다. 여러 민족을 접한 경험이 많고 적음에 따라 다른 태도를 가질 수는 있다. 일반적으로 기대하듯이 접촉 경험이 많을수록 인종 관념이 약화된다고 해도 이미 그런 경험이 많은 사람들이 보이는 타 민족에 대한 인식도 상당한 정도로 인종 관념에 입각해 있다고 생각하는 필자의 평가가 틀리지 않다면 인종 관념을 불식시키는 것은 상당히 요원한 일이 될 것이다. 반대로 접촉 경험이 많을수록 인종 관념이 강해진다고 하면 앞으로 다른 민족을 접할 기회가 많아질 한국인들의 인종 의식에 대해 우려하게 된다.

2. '사회적인 문제'에서 '인종문제'로?

전통적으로 프랑스 사회는 종족적 소수자의 문제를 보편주의적 성격을 지닌 공화주의적 통합모델 및 민족 형성과정에서 나타날 수 있는 어려움 정도로 치부하곤 했다. 또는 완전히 다른 시각에서 이 현상을 계급투쟁의 산물 또는 지역에 따른 격차, 공간적 분리 현상의 결과로 간주하였다(Fassin et Fassin, 2006: 5). 그런데 이제 사회문제가 계급이나 지역, 민족 문제를 넘어 '인종문제'의 성격을 띠게 된 것이다. 2005년 가을 대도시 교외지역 소요사태는 기존에 히잡 착용 문제 등에서 제기되기 시작한 인종문제를 본격적인 사회문제로 만든 결정적인 계기였다.

이 극적인 사건이 담고 있었던 의미를 보면 한편으로는 최근 프랑스 사회가 안고 있는 일련의 핵심적인 문제들을 드러내 주었고 다른 한편으로는 프랑스 사회가 두 세계로 극단적으로 구분되어 있다는 것을 가시적으로 보여주었다. 이 사건에 대한 당시 프랑스 지식인들의 반응을 보면 공히 프랑스의 현실을 개탄하는 유사한 내용이면서도 미묘한 차이가 있었다. 인종문제 전문가 도미니크 비달은 이 사건의 배경에 '프랑스식의 아파르트헤이드'가 존재한다고 진단하였다. 많은 사람들이 비달과 유사하게 이 사건을 인종문제라는 시각에서 해석하였다. 일상적으로는 '보이지 않는' 소수자들이 이제 '눈에 띄는 소수자'(visible minority)로 인식된 것이다. 당시 내무장관이었던 사르코지 역시 인종차별을 '프랑스 사회의 독'(*poison de la société française*)으로 표현하는 등 '인종문제'는 이 사건의 지배적인 인식틀이 되었고 이제 프랑스 사회의 인종주의는 명백한 현실로 간주되기 시작했다.

그런데 이러한 사회문제의 '인종화'(*racialisation*)가 가지는 문제점 중 하나는 그것이 정반대의 인종 논리를 동반하였다는 점이다. 폭력사태가 전개된 지역과 관련해 폭력행위에 가담한 사람들이 '외부에서 온 프롤레타리아'(*prolétariat de l'extérieur*)라든가, 프랑스 사회에 통합되지 못한, '진정한 프랑스인이라고 하기에는 많이 모자란 주민'(*populations à peine françaises*)이라는 등의 표현이 등장하였던 것이다.[4] 이렇게 '인종주의'라는 용어는 이중적 기능을 수행했던 것이다. 한편으로는 종족 간의 전쟁의 양상을 띤 소요사태의 원인으로 언급되었고 다른 한편으로는 이들의 눈에 형식적으로만 존재하는 공화국이나 평등과 같은 가치를 거론하며 프랑스 사회를 비판했던 소요사태 참가자들의 냉소적인 행동을 규정하는 용어로 쓰였던 것이다(ibid.: 6). 후자는 우리, 즉 토박이들의 인종주의가 아니라 폐쇄적인 공동체주의(*communautarisme*)에서 기인한 그들, 즉 종족적 소수자들의 인종주의를 의미했다.

이와 관련하여 인종주의가 프랑스 사회의 주류에 존재해왔다는 역사적 측면을 상기할 필요가 있다. 인종주의가 대중화, 일상화되기 이전에도, 그리고 극단적인 세력이 아니라 프랑스 사회의 주류에 해당하는 세력 속에 존재해 온 것이다. 프랑스에서 지난 1세기 이상 동안 식민지배를 주도하거나 지지했던 사람들은 군주제의 복귀를 옹호하는 극우주의자들이 아니라 정통 공화주의자들이었다. "'열등한 인종'에 대한 '우월한 인종'의 권리와 의무"를 언급한 것은 쥘 페리였다. 1차 대전과 2차

---

4 프랑스에서 나타나는 인종주의를 수사학적인 면에서 살펴보면 다음과 같은 몇 가지 대립쌍을 발견할 수 있다(Tevanian, 2007: 14). (1) '질서' 대 '무질서', '안전' 대 '치안불안', '타인에 대한 존중' 대 '폭력', '법의 수호자' 대 '일탈', '법치국가' 대 '무법지대'. (2) '페미니즘'과 '남녀공존' 대 가부장제적 '전통'과 억압의 상징인 '히잡'. (3) '온건 이슬람' 대 '급진 이슬람', '계몽사상' 대 '몽매주의', '합리주의' 대 '광신주의', '근대성' 대 '시대착오적인' 전통, '내부'에 머무는 좋은 종교성 대 '과시적인' 종교적 표현과 '정치적 이슬람'의 공격적인 경향, '프랑스식 보편주의' 대 '영미식 공동체주의', '국민통합'과 '공생' 대 '분열', '은둔'과 '종족적 게토'.

대전 사이의 간전기에 '아무도 원하지 않는 사람들'(*indésirables*)이라고 불린 이들에 대한 혐오증을 주도한 이들도 극우주의자들이 아니었다. 권좌에 올라 이주민들을 특별히 다루는 치안조치와 수백만의 일자리, 정확히 말하자면 700만, 즉 전체 프랑스 사회의 일자리 중 1/3에 해당하는 일자리에 '민족 선호'(*préférence nationale*)의 법을 도입해 인종차별을 자행한 것도 극우주의자들이 아니라 공화주의를 신봉하는 이들이었다.

1976년 당시 "150만 명의 이민자만 없다면 150만 실업문제는 없을 것"이라고 했던 것도 당시 수상이자 공화주의자라고 할 수 있는 자크 시라크였다. 2년 후 그의 후임자 레이몽 바르 역시 기업들에게 이주민들의 일자리를 프랑스인들에게 주라고 주문했다. 이러한 발언은 프랑스에서 법으로 금지된 고용상의 인종차별에 해당하는 것이었다. 심지어 프랑스 공산당 역시 1981년 "관용의 한계를 넘어선" 이주민 노동자들의 가정에 대한 전쟁을 선포하였다. 이러한 일들은 국민전선이 정치적으로 거의 존재감이 없던 시기에 일어난 것이었다. 미테랑의 대통령 당선 이후 사회당 정권에서도 이러한 관행은 계속되었다. 1984년 당시 수상이었던 사회당의 로랑 파비우스는 장 마리 르팽이 옳은 문제 제기를 한다고 두둔했으며 미테랑 대통령 역시 1989년 "관용의 한계를 넘어선"이라는 표현을 진지하게 사용했다.

지난 수십 년 간 극우 세력이 아니라 일반적으로 존중받는 정치세력들이 인종주의적인 담론과 정책을 펴온 것이다. 더 심각한 것은 식민지 시대였다. 당시의 인종주의적인 위계질서는 바로 '공화국'의 이름으로 프랑스 '공화국'의 우월성을 근거로, 다시 말해 아프리카인들의 '봉건성'이나 이슬람법과 대조시키며 만들어졌다. 출신 종족에 따라 불평등한 현실을 정당화했던 것도 '공화국'의 이름으로 행해졌다. 질서를 강조하며 이주민들의 요구를 묵살하는데도 수호해야 할 절대적인 존재로서 '공화국'이 언급되었다(Ibid.: 5-8). 국가교육위원회 위원장 자비에 다르코스(Xavier Darcos)의 다음 언사는 프랑스 사회에서 인종주의의 위상을 잘 보여준다.

> "지난 15년간 변한 것은 아랍·이슬람 세계 출신 이민 3세의 무례함이다. 노동세계에 진입하기 어려운 이들은 9·11테러가 일어나자 "빈 라덴 만세!"를 외쳤다. 또한 이들은 매우 성차별주의자들이고 험한 말을 함으로써 프랑스 사회의 공공질서를 무시한다."(2003년 11월 14일 LCI 방송 중 발언, Tevanian(2007: 5)에서 재인용).

이러한 인종주의 전통의 연장선상에서 이제 '인종'이라는 개념은 더욱 노골적으로 주류 담론이 되었고 2005년 사건에 대한 논의를 획일화시키는 역할을 하였다. 청년들의 분노가 담고 있었던 '사회적 차원'의 이면에 인종적, 문화적 차원의 문제가 존재한다는 인식이 대중화되었다. "대부분의 시위 참가자는 흑인이나 무슬림 정체성을 가진 아랍인들"(*Alain Finkelkraut*)이라거나, 소요사태의 원인이 우리의 신앙, 풍습, 법에 매우 이질적이며 통제 밖에 있으며, 제대로 된 프랑스 사회에의 통합이 요구하는 과정을 거부하는 이민집단에 있다거나, 더 나아가 '쓰레기(*racaille*)'와 같은 모독적인 언사를 사용하거나 일부다처제와 같은 문화적인 차이를 거론하는 것이 이러한 양상을 잘 보여주었다.[5] 마

5 프랑스의 경우 이주민들에 대한 인식은 과거의 한 시기, 예를 들어 마그레브 이민의 경우 식민지 시절이었던 1950년대 이전에 형성된 이미지가 지속되는 양상을 띠고 있다. 예를 들어 20세기 전반부의 현실에서 비롯된 이주민에 대한 이미

치 프랑스 사회가 이제 극도로 위험한 인종갈등의 시대에 들어선 것으로 표상된 것이다. 정치가, 언론인, 지식인들에 의해 생산된 이러한 새로운 담론은 단지 복잡한 현실을 단순하게 재현했다는 문제와 더불어 유해한 역할을 하기도 했던 것이다. 왜냐하면 이 담론은 차별이 있었다는 것이 사회적으로 인정되자 마자 적반하장격으로 차별의 대상이 된 사람들을 통제해야 할 '위험한 계급'으로 간주했기 때문이다. 사회적 약자들을 비난, 통제, 감금의 대상으로 간주하는 미국적인 방식이 도입되고 있는 것이라고 말할 수 있다.

인종 담론이 객관적인 근거를 확보하고 있음에도 불구하고 보다 현실에 가까운 것은 사회문제에서 인종문제로의 변화가 아니라 현상적으로 강력하게 대두된 인종문제의 본질은 여전히 계급적인 성격의 '사회문제'라는 점이다. 프랑스 대혁명 이후 빈곤문제에 관한 정책과 담론을 의미했던 '사회문제'(*la question sociale*)라는 개념은 불평등, 빈곤, 배제 현상이 심화되던 20세기 말부터 다시 주목을 끌게 된다(Rosanvallon, 1995; Castel, 1995). 그러나 '인종문제'는 사정이 달랐다. 비록 2차 대전 종전 이후 유네스코가 인류가 하나임을 표방했던 1950년 7월 18일 선언을 이끌었던 연구 프로젝트의 이름에 '인종문제'가 사용되면서 이 표현이 확산되었지만 프랑스의 경우에는 사정이 달랐다. 무엇보다도 반

지는 지속적인 물갈이, 항상 새로운 사람들로 충원되는, 한시적인 체류를 목적으로 하는 농촌출신 남성을 중심으로 한 것이었다. 이러한 현실과 유리된, 환상적인 인식이 지속되는 데에는 양측 모두 이득을 누리기 때문이기도 하다. 즉 이러한 인식은 이민에 대한 이분법적 사고를 강화시켜왔다. 다수의 순박한 이민 대 불량한 소수의 구분이 그것이다. 이러한 식의 표상이 주류사회에 가져다주는 이점은 어려움을 참고, 불만과 문제를 적극적으로 제기하지 않게 되고 주류사회 내의 사회문제로 제기되지 않는 것이다.

유대주의의 기억이 뚜렷한 전후 프랑스 사회의 맥락에서 '인종'이라는 표현이 야기할 수 있는 위험성이 표현의 사용을 억제했던 것이다. 또한 '문제'라는 표현 역시 특정 집단을 표적으로 삼는 측면이 우려되었다. 따라서 현재 프랑스의 상황을 '인종문제'라는 개념으로 설명하는 것이 적절한지에 대한 논의는 우선 이 표현 자체에서부터 시작되어야 할 것이다.

우선 다음과 같은 꼴레뜨 기요망의 말처럼 인종의 존재 유무는 오랜 논란거리였다. "인종은 존재하지 않는다. 아니다 인종은 존재한다. 물론 우리가 생각하는 인종은 존재하지 않는다. 그럼에도 불구하고 인종은 실재로 존재하며 가장 명확하고 극적인 현상이다." "인종은 존재하지 않는다. 그렇지만 인종은 죽음을 야기한다. 그리고 지금 여기에 인종은 다시 등장하고 있다."(Guillaumain, 1981) 수십 년 동안 수많은 학자와 국제기구가 인종이란 과학적 근거를 가지지 못한 허구이며 따라서 이 존재하지 않는 '인종'에 근거를 둔 인종주의는 어떠한 정당성도 가지지 못하는 것이라는 점을 성공적으로 입증해왔다. 특히 현재 우리가 생각하는 의미에서의 '인종'과 '인종주의' 개념이 등장한 것은 겨우 19세기부터였으며 생물학적 인류학을 중심으로 서구의 세계지배와 비서구사회에서의 원주민 절멸을 정당화하려는 목적에 이용되었다는 점이 이러한 비판의 근거가 되었다.

인종 담론이 지니는 의도하지 않은 위험성은 모두드(Modood, 2006)의 다음과 같은 지적에서 잘 표현되고 있다. 인종문제에 대해 적절히 대응하기 위해서는 '인종' 개념 자체의 해체가 필요함을 강조하면서 그는 인종이라는 범주가 백인 인종주의자들의 믿음일 뿐이라는 점을 강조하고 있다. 따라서 '인종'의 존재를 전제로 한, 차별과 불평등이 인종에 따른 것이라는 사고에 바탕을 두고 '인종간 평등(*the equality of races*)'을 주창하는 사람들은 백인 인종주의자의 전략에 기여하는 것이라고 지적한다. 그러면서 인종 담론을 종족 담론으로 대체하기를 제안한다. 인종의 존재를 전제하는 인종 담론은 백인에게나 유색인종에게나 이 '인종'을 순수하게 지켜야 한다는 믿음을 낳을 수밖에 없다는 것이다.

이러한 역사적 배경을 근거로 한 인종 담론 비판으로 인해 인종에 대한 논의 및 인종주의 담론이 약화될 것으로 생각되었지만 현실은 그렇지 않았다. '인종 이후의 인종주의'(*le racisme après les races*)라는 에티엔 발리바르의 적절한 표현처럼(Balibar, 2005) 과학적 근거의 부족으로 입지를 잃은 '인종' 없이도 인종주의는 여전히 중요한 사회 현상으로 남아 있다. 그리고 이 인종주의 현상에 대한 논의는 정당한 것이다. 과거와 달리 인종주의를 언급하는 것이 필연적으로 인종의 존재를 상정하는 이데올로기적 함의를 지니는 것은 아니다. 이렇게 새로이 지적 논쟁의 대상이 된 인종주의가 인종과 맺는 관계는 과거와 다르다. 예를 들어 인종의 존재를 인정하지 않으면서도 강한 인종주의자인 사회집단이나 개인들이 적지않게 존재하는 것이다.

3. 안전 담론의 부상

특히 2000년을 전후해 치안문제는 전 세계적으로 중요한 정치적 이슈가 되었다. 루돌프 쥴리아니 뉴욕 시장의 치안정책은 세계적인 관심사가 되었고 2003년 멕시코 총선, 2002년 프랑스 총선 등의 예처럼 선거 결과를 좌우하는 핵심적인 주제가 되기도 하였다. 좌우를 막론하고 범죄에 대한 보다 강력한 대응이 득표율을 높이기 위해 활용되었고 유권자들 역시 이에 호응하였다. 치안, 제로 관용, 작은 범죄, 범죄와의 전쟁과 같은 표현이 사회의 한 영역이나 소수의 사람들에 국한된 것이 아니라 사회 전체를 설명하는 중심적인 역할을 부여받은 것이다(Roché, 2004). 범죄나 치안정책 등에 관한 연구는 '범죄학'을 중심으로 이루어져 왔고 한국의 경우에도 미디어를 통해 '범죄', '범죄심리' 등에 관한 관심이 커졌고 이와 관련된 전문가, 직업, 학과 등이 호황을 누리고 있다.

최근 치안정책이나 범죄에 대한 연구가 부상하게 된 배경에는 실제 범죄가 증가했던 점도 있다. 1980년대 이후 프랑스의 범죄율의 변화를 보면 폭력을 동반한 대인 범죄의 증가가 두드러졌다(Ibid.: XI). 상대적으로 프랑스는 살인사건이 적고 절도사건이 많고 최근에는 대인폭력과 풍기문란죄가 늘어났다(Ibid.: XIII). 그리고 범죄가 증가하는 현상에 대해 다양한 설명이 제시되었다. 도시의 공적 영역에서 개인 간 관계가 점점 더 익명화됨으로써 가족들이 개입할 수 있는 가능성이 약해지는 점도 거론되었다. 이와 함께 도시적인 조건에서 점점 더 무관심해지고 개입하지 않게 된 점이 원인으로 지적되었다. 또 다른 설명으로는 학교적응의 실패나 사회통합의 어려움, 경제 상황의 변화로 일자리 얻기가 어려워지는 점 등이 지적되기도 했다. 또한 풍요로운 도시가 주는 유혹도 범죄 증가의 원인으로 간주되었다.

프랑스에서는 치안문제에 대한 최근 국가의 대응방식이 다음과 같은 새로운 양상을 띠었다(Ibid.: XXIX-XXXI).

첫째, 예방이 강조되면서 한편으로 기존의 치안 분야 간 경계를 약화시킴으로써 혼란을 야기했고 다른 한편으로 치안 담당 기관 및 직원의 수를 늘렸다.

둘째, 정부의 치안정책은 교통, 주거, 스포츠, 은행 등의 영역에 '치안'의 측면을 강화시킴으로써 기업이 자체적으로 담당하는 보안의 비중이 커지는 결과를 낳았다.

셋째, 치안분야에서 국가와 지방자치단체 간의 협력이 중요해졌고 치안정책에 있어서 지방의 역할이 커지는 분권화 경향이 나타났다. 중앙정부는 또한 유럽경찰(Europol) 등 유럽연합의 위상이 강화되고 유럽 차원의 치안이 등장함으로써 이러한 변화에 적응해야만 했다.

프랑스의 예에서 알 수 있듯이 최근 치안은 국가나 시장 중 어느 한 쪽이 독점하는 것이 아니라 다양한 주체들이 복합적으로 관여하는 방향으로 나아가고 있다. 다만 아직 이 주체들의 역할이나 상호관계가 명확하게 규정되어 있지 않은 상태이며 이것이 여러 문제점을 낳고 있는 것이다(Ibid.: XXXI). 호세는 다음과 같은 질문을 제기한다. 2차대전 종전 이후 서구사회에서 (치안)불안이 증가한 원인이 무엇인가? 왜 빈곤, 불평등과 같은 문제가 상대적으로 적은 부유한 사회에서 일탈 및 작은 범죄 현상이 빈번하게 나타나는가? 그는 그 원인을 개인주의, 민주주의와 같은 서구사회가 자랑하는 요인들에서 찾고 있다. 치안불안 문제를 구성하는 두 가지 요소는 작은 범죄와 두려움이다. 폭력 현상

중에는 자동차 사고와 심장마비와 같이 작은 범죄보다 더 치명적인 결과를 가져오는 현상이 있다. 그러나 이 현상들은 개인적인 문제, 개인이 위험을 감수해야 하는 문제로 간주되어 큰 사회적 반향을 일으키지 않는다. 치안문제는 사회적 연대나 사회화의 결핍과 같은 문제를 제기하는 사회 현상이자 사회에 대한 국가 개입의 주요 통로로서의 정치적인 현상으로 간주된다. 그에 따르면 치안불안 문제는 사람들이 폭력현상을 민감하게 느끼고 폭력을 제어하는 사회적인 장치가 약화되는 순간에 나타난다. 치안불안 문제에 대한 관심은 구성원의 사회통합이 이루어지는 사회화 방식에 대한 논의로 이어지게 된다(Ibid.: 2). 또한 치안불안 문제는 국가가 관심을 두는 그 어떤 사안보다 오래된 주제이다. 최근 프랑스의 상황과 관련해 중요한 점은 치안불안에 대한 관심은 근대 초기부터 국가를 구성하는 핵심요인 중 하나였다는 점이다. 따라서 치안불안은 정치화되기 쉬운 주제인 것이고 최근 현실이 이를 입증해주고 있다.

사회문제의 치안문제화 경향 속에서 프랑스 사회의 다양한 소수자 중 이주민 집단은 안전 담론의 가장 유용한 표적이 되었다. 유럽의 경우 유럽연합의 확대와 심화라는 대전환의 과정에서 맞이한 9·11테러는 자연스럽게 엔포폴(ENFOPOL) 설립과 같은 범유럽 차원에서의 정보분야의 협력, 대테러 로드맵으로 이어졌다. 프랑스의 경우 치안문제 또는 안전문제의 부상은 2000년을 전후해 나타난 현상이었고, 그 주된 양상은 소수민족집단을 위시한 배제된 집단에 대한 형사 처벌이 강화되는 경향이었다(Bonelli et Sainati, 2004). 극소수 좌파 정치인들을 제외하고는 모든 정치세력이 이에 동조하였다. 2002년 대선 기간 중 치안문제를 전면에 부각시키면서 치안위원회(*Conseil de sécurité intérieure*)를 창설했던 우파 시라크 대통령뿐 아니라 사회당 정부 역시 도시치안문제를 정책의 두 번째 우선순위로 삼았다.

이러한 분위기에서 주로 소수민족 출신자 및 저소득층을, 그리고 일상적인 활동을 겨냥한 일련의 조치들이 취해졌다. 2001년 10월 제정된 '일상적 안전에 관한 법'은 무임승차 처벌 강화, 불심검문 및 차량수색 강화 등을, 2003년 2월의 '국내치안에 관한 법률'은 구걸, 오랫동안 비어 있는 아파트의 불법점유 등에 대한 처벌 강화를, 2004년 2월 '범죄에 대한 사법체계의 효과적 적응에 관한 법은 경찰의 도청, 압수수색 등을 용이하게 하였다. 그리고 2005년 제정된 '작은 범죄 예방에 관한 법률'은 1980년대부터 '작은 범죄'라는 범주에 의해 인식되어 왔던 소수민족 출신 청년들을 겨냥한 것이었다. 이런 사법 영역에서의 변화 속에서 2000년대 들어 매년 재소자 수가 사상 최고의 기록을 경신하는 '처벌 인플레' 현상을 보여 왔다(Bonelli, 2004: 52). 언론 역시 그간 프랑스의 언론문화에서 극히 낯선, 흉악범죄 보도의 강화를 통해 불안의식을 심화시킴으로써 이러한 위로부터의 통제사회화 경향을 지지해 주었다. 극우주의와 인종주의에 대한 투쟁에서 선봉에 섰던 이 나라에서 르팽이 대선 2차 투표에 진출할 수 있었던 것은 바로 이러한 맥락에서였다.

보다 근본적인 면에서 보면, 이주민들이 치안문제의 핵심대상이 된 데에는 이들이 위험하다든가 또는 위험에 처해있다든가 하는 상황적 요인을 넘어 근대국가에서 이민이 갖는 의미라는 구조적 요인이 작용하고 있다. 근대국가에서 이주민은 노숙자처럼 근대사회의 근간으로 여겨지는 노동, 가족, 명확한 거주지 등이 결여된, 존재 그 자체가 이미 작은 범죄(delinquency)인 범주인 것이다. 근대국가에서 이민은 근본적으로 결핍된, 병적인, 아노미적인 현상인 것이다. 그리고 이 결함은 근대국가체제에서 결코 완전히 치유될 수 없는 성격의 것이다. 이민은 애초부터 일탈자, 혐의자인 셈이다. 이러한 의미에서 작은 범죄를 중심으로 치안문제를 부각시키는 최근 프랑스의 이민정책은 이민 그 자체에 대한 부정을 함축하고 있으며, 이런 차원에서 치안 담론은 이민 문제에서 본질적 차원을 획득한다. 이런 점에서 보면 정치인들의 근거 없는 자극적 언사, 이민집단의 범죄인화는 일탈이 아니라 프랑스 국가의 구성원리에서 기인하는 절대적인 근거를 갖는 것이다. 그리고 『감시와 처벌』(Foucault, 1975)에서의 푸코의 논의에서처럼, 소수민족에 속한 개인은 그의 행위 자체에 국한된 감시, 심판, 처벌을 받는 것이 아니라, 그의 존재 전체, 특히 그가 속한 집단 전체의 근본적인 원죄가 매번 덧씌워지는 것이다. 소수민족집단에 대한 인식에서 개인은 없다. 이 집단의 구성원은 다만 그가 속해 있는 것으로 간주되는 집단의 모든 특성, 사실은 극히 단순화된 스테레오 타입의 특성이 부여될 뿐이다(모스, 2004).

자료 7-1: 푸코의 안전 담론

법과 다른 훈육의 특수성에 대한 연구의 연장선상에서 법, 훈육과도 다른 '안전장치'의 특수성에 대한 강의록인 "안전테크놀로지에 대한 강연"에서 푸코는 훈육과 안전의 구분을 제안하면서 공간을 다루고 조절하는 방식, 사건을 다루는 방식, 정상화를 다루는 방식의 차이점을 제시하고 있다. '안전 테크놀로지'는 그 자체의 의미와 더불어 기존의 법과 훈육의 장치들이 더 잘 작동하게 하는 기능을 한다고 설명한다. 안전 테크놀로지는 사회통제의 주요한 기제가 되었으며 이를 통해 근대 권력은 점차 안전 차원의 것으로 되었다는 것이다(Foucault, 2004: 12). 이렇게 사회는 '안전사회'(*société de sécurité*)가 되었는데 이 사회는 권력이 바로 안전 테크놀로지에 의해 주도되는 사회를 의미한다(Foucault, 2004: 12–13).

푸코는 중세에서 근대에 이르는 시기 안전 테크놀로지의 성격이 어떠한 변화를 겪었는지를 통해 이 점을 조명한다. 먼저 중세시대 한센병(나병) 환자에 대한 권력의 대응방식을 보자. 당시 질환에 대한 대응의 주요 기제는 한센병 환자와 일반인 두 유형으로 구분한 후 한센병 환자들을 사회로부터 절대적으로 배제시키는 것이었다. 다음으로 중세 말에서 16–7세기에 있었던 페스트에 대한 대응방식을 보면, 그 내부에 페스트 환자가 발생한 지역 출입에 대한 통제, 그 지역 내부에서의 활동에 대한 관리, 음식과 특정 유형의 접촉에 대한 조사, 경찰보고 의무화, 검문검색의 일상화와 같은 다양한 '훈육장치'를 통해 격리하는 것이 주요 기제였다. 그러다가 18세기 천연두의 경우에는 접종이라는 보다 적극적이고 과학적인 방식이 사용되었다(Ibid.: 11–12).

푸코는 그가 『감시와 처벌』에서 거시적, 미시적 차원의 근대 권력의 특징으로 다룬 '주권'이나 '훈육'과 또 다른 근대 권력의 기제인 '안전' 장치의 차이점을 공간의 차원에서 설명한다. 즉 주권은 특정 영토 내부에 한해 작동하고 훈육은 개인의 몸에 작동하는 데 비해 안전은 인구 전체에 작동하는 것이다. 이렇게 상호 구분되기는 하지만 안전은 주권이나 훈육에 의존하기도 한다. 즉 안전 테크놀로지는 해당 사회에 존재하는 사법적 기술과 훈육기술의 동원과 변형으로 만들어진다(Ibid.: 11). 법이 금지하고 훈육이 처방, 강요된다면, 안전은 금지, 처방함이 없이 안전이 대응하려는 현실을 제거, '조절'한다는 특수성을 가진다. 안전장치의 핵심은 현실에 이미 존재하는 요소들을 조절함으로써 문제를 해결하는 것이라고 할 수 있다. 법은 가상적인 것에 관계하고, 가상적인 것을 가정함으로써만 형성될 수 있다. 그런가 하면 훈육은 현실을 보조하는 기능을 수행한다. 부정적인 현실과 사악한 인간에 대한 보조제로, 처방약으로 기능하는 것이다. 현실의 악, 모순이 해소되기 어려운 성격의 것일수록 훈육은 더욱 작위적이고 강제적이 된다. 주권 또는 법, 그리고 훈육과 달리 안전은 현실을 구성하는 요소, 집단들 간에서 문제가 다루어지게 한다(Ibid.: 48-49). '안전'의 이러한 존재 형태에서 예상할 수 있듯이 안전 테크놀로지가 수행하는 기능을 보면, 그 자체의 의미와 더불어 기존의 법과 훈육의 장치들이 더 잘 작동하게 하는 기능을 한다. 안전 테크놀로지는 사회통제의 기제이며 안전 기술의 발전과 함께 근대권력은 점차 안전 차원의 것으로 된다(Ibid.: 12).

그렇다면 근대 서구사회의 주된 이념인 자유주의의 헤게모니 속에서 일견 대척점에 있어 보이는 안전은 어떻게 사회에 확장될 수 있었는가? 자유주의는 사람들과 사물들이 자유롭게 행동하고 이동하게 하려는 것이라는 점에서 우리는 이러한 의문을 제기할 수 있다. 자유주의와 안전의 관계에 대한 이러한 의문에 대한 답은 이 자유가 실제로는 현실의 법과 윤리, 논리에 따라서 이루어지는 것이라는 점에서 찾아질 수 있다. 즉 이 자유는 아이, 군인, 노동자 등 사회의 성원을 그들이 있는 곳에 고착시키고 그들의 자유를 극도로 제한하는 훈육기술을 동반한 것이었다. 이런 의미에서 자유는 안전장치 형성의 보조자에 다름 아닌 것이다. 이러한 의미에서 근대 이후의 서구사회에서 자유는 역설적으로 통치기술이자 통치이데올로기인 것이다(Ibid.: 49–50).

푸코는 정상화에 대해서 훈육에 의한 정상화와 안전장치에 의한 정상화를 비교한다. 먼저 훈육에 의한 정상화에 대해 다음과 같이 설명한다. 훈육은 개인, 공간, 시간, 행위들을 분석, 해체한다. 인지 가능하고 수정 가능한 요소들로 분해하는 방식을 채택한다. 이 분해된 요소들을 명확한 목적에 따라 분류한다. 부적절한 사람들을 가려내어 정상과 비정상을 구분하고 훈육에 의한 정상화를 시도한다. 푸코는 규범적인 것에 대한 규범의 우선성을 강조한다. 규범이 중요하며 이로부터 정상적인 것(*le normal*)과 비정상적인 것(*l'anormal*)의 구분이 가능하다는 것이다. 훈육에 의한 정상화는 규범에서 출발해 정상적인 것과 비정상적인 것의 구분으로 나아가는 것이다. 따라서 표준화(*normalisation*)이기보다 규범화(*normation*)라고 하는 것이 보다 정확하다는 것이다.

다음으로 천연두를 예로 들면서 안전장치에 의한 정상화에 대해 설명한다. 천연두를 사례로 선택한 이유는 한편으로는 이 병은 아기가 태어나면 셋 중 둘이 이 병에 걸릴 확률이 있어서 이 병은 모든 주민들이 생래적으로 지닌 병이고 사망률도 매우 높은 병이고, 다른 한편으로는 이와 동시에 매우 강한 전염성이 있는 병이라는 점 때문이었다 그에 따르면 천연두 처방법의 특징은 다음과 같다.

① 절대적인 예방 위주의 처방이고, 이 예방이 가능하다.
② 절대적인 예방의 성공이라는 확실성을 가지고 있다.
③ 경제적인 차원에서 볼 때 모든 지역주민들에 적용가능한 처방이다.
④ 당시의 모든 의학이론과 모순된 것이다.

이러한 천연두 예방법이 사회에 미친 영향은 바로 사회전체를 통계적, 확률적으로 사고하도록 하였다는 점이다. 안전에 관한 푸코의 논의와 관련해 중요한 것은 천연두 예방법이 안전에 의한 정상화의 특징을 잘 보여준다는 것이다. 즉 백신에 의한 천연두 예방법은 전통적인 전염병 예방법인 병 자체의 퇴치, 즉 천연두균을 퇴치하는 처방이 아니라 작은 병을 인위적으로 만들어 큰 병을 치유하는 방식을 택한 것이다. 천연두균을 통해 천연두를 사라지게 하는 방식인 것이다. 이는 기근에 대한 근대적 대응방식에서도 발견할 수 있다. 즉 기근의 근절보다는 기근이라는 현실에서 이에 대한 처방을 찾는 것이다. 기근과 풍요의 주기적 변화에 주목해 현실의 요소들 간의 관계에서 자체적으로 해결책이 나오도록 한 것이다. 안전 담론과 안전 장치에 의한 문제 해결은 또한 사례, 위험, 위기(*cas, risque, danger, crise*)와 같은 새로운 개념의 부상을 동반하였다. 페스트와 같은 일반적인 전염병의 경우나 한센병의 경우처럼 병자를 분리시키는 해결책이 아니라 구분, 단절 없이 연속성 속에 전체, 즉 주민 전체를 고려하는 것이다. 이제 위험은 정상적인 것이 되었고 정상적인 공간과 집단 속에 존재하는 것이 된 것이다. 위험은 비정상적인 특정 집단과 공간에 국한된 예외적인 것이 아니라 나이, 지역 등에 따른 연속적인 차이로 인식된 것이다. 이러한 성격을 지닌 안전이 추구하는 목표는 특정집단의 경우를 정상적인 위험률(사망률)로 낮추는 것이며 여기에서 문제는 미묘한(*subtile*) 차이의 문제가 된다. 훈육과 달리 안전에 의한 정상화는 규범에서 출발하지 않는다. 정상과 비정상을 확인하고 '정상적인' 다양한 커브를 확인한다.

정상화는 서로 차이가 나는 사례들 간에 이루어지며, 열악한 집단이 양호한 집단에 근접하도록 처방한다. 여기에서는 현실의 분포도가 규범의 역할을 한다. 이 규범은 유동적인 것이다. 따라서 안전테크놀로지에 의한 정상화가 훈육에 의한 규범화(*normation*)에 비해 보다 온전한 의미의 정상화인 것이다.

여기에서 우리는 도시가 안전과 관련된 주된 공간이며 도시의 문제가 안전 기제의 중심에 있다는 푸코의 진단을 이해할 수 있다. 시장으로서의 도시, 반역의 장소로서의 도시, 질병의 근거지로서의 도시는 안전장치에 의한 권력이 관심을 가지는 주된 대상인 것이다. 도시적인 현상인 전쟁, 테러, 위험이 가져다주는 사회심리적 효과도 중요하다. 즉 나는 그곳에 있지 않다는 사실이 주는 쾌감과 그에 따른 현

국가 및 사회체제에 대한 고마운 감정을 낳는 이데올로기적 기능을 하는 것이다. 보다 일상적인 면에서도 도시에서 안전 문제는 주민들의 삶에 큰 영향을 미친다. 도시에서는 분위기, 기후 등 자연적, 사회적 요인이 이곳에 거주하는 사람들의 성격, 정신을 형성하는 역할을 수행한다는데 안전은 그가 말하는 밀리유(milieu)에 작용하는 정치적 기술이라는 것이다. 여기에서 밀리유란 공적 행위가 도시를 구성하는 다양한 사람들에게 작동하는 데 필요한 토대, 자연적, 인위적인 것, 사람들, 집 등 그 공간에 거주하는 모든 사람에 작용하는 요소들의 집합이다. 안전장치는 밀리유를 형성하고, 밀리유에 작용한다. 안전장치는 경계가 정해져 있는 '훈육 공간'의 정교한 건축가이자 동시에 (경계, 위치보다 순환이 중요한) 밀리유의 조절자이기도 하다는 것이다(Ibid.: 13).

1. 브레이비크의 사고

2011년 7월 22일 노르웨이 수도 오슬로에 위치한 정부청사 건물 앞 차량에 장치되어 있던 폭탄이 터져 7명이 사망하였고 이 테러의 범인인 아네르스 베링 브레이비크는 약 600명 정도의 청소년들이 참여한 노동당 청년부 여름캠프가 열리던 우토야 섬으로 이동해 77명을 살해한 혐의를 받았다.

언론 정보 및 브레이비크가 남긴 글을 보면 이 사건이 정신이상자의 순간적인 광기에서 비롯된 것이 아니라 상당부분 유럽의 극우주의자들이 공유하고 있는 사고에서 비롯된 것이고 수년 동안 치밀하게 계획된 것이었음을 알 수 있다. 브레이비크에게 이번 범행은 다문화주의와 '문화적 맑스주의'의 경향을 띤 정권 및 주류사회에 대한 응징이자 이슬람의 침략과 식민화의 위협에 대한 저항운동의 일환이었다. 그는 노동당이 추진한 다문화주의 정책의 결과 이주민의 수가 늘어나고 다문화적 상황이 심화됨으로 인해 노르웨이의 전통적인 삶의 방식과 정체성이 위협받고 있다고 생각했다.

노동당의 이민정책에 대한 평가에는 이견이 있을 수 있지만 이주민의 수가 늘어난 것은 사실이다. 탈냉전 이후 동유럽, 중동, 아프리카 등 세계 여러 지역의 지역분쟁이 양산해 낸 난민의 수용, 유럽연합 가입에 따라 요구받은 개방정책 등으로 이주민의 수가 급증하여 현재 470만 명인 전체 인구의 12% 정도로 추산되고 있다. 브레이비크는 이러한 '잘못된' 상황을 교정해야 하며 응징의 방법으로 정부청사나 노동당 청년당원 등 노동당을 테러의 대상으로 정했던 것으로 보인다.

자신의 행위로 시작될 새로운 시대를 알리는 일종의 선언문 성격을 지닌 장문의 글 '2083년 유럽 독립전쟁'에서 브레이비크는 자신의 기독교 신앙에 대한 언급은 거의 없었지만 성과 가족과 관련된 언급에서는 보수적인 기독교 사상에 충실하고자 하는 모습을 보였다. 따라서 외부에서 해석하듯이 근본주의적인 기독교 신앙이 그의 행위에 어떻게 작용했는지를 검증하기는 어려울 것이다. '문명의 충돌'(S. Huntington)이든 또는 '근본주의의 충돌'(T. Ali)이든 10년 전에 발생한 9·11테러에 적용되었던 문화적 차원의 해석은 성급한 것이라 할 수 있다.

다만 그의 사고가 근본주의와 상당한 공통점이 있다는 점을 말할 수는 있다. 인터넷 문서에서 브레이비크가 적으로 규정한 페미니즘, 맑스주의, 타 문화와 타 인종에 대한 개방적인 태도는 1세기 전 미국 개신교 근본주의를 촉발시킨 바로 그 요인들이다. 19세기 말 미국 기독교 집단에서 태동한 근본주의는 무엇보다도 당시 후발 자본주의국이었던 미국사회가 경험한 급격한 사회변동의 산물이었다.

근본주의는 변화와 새로운 것에 대한 거부이다. 개방적인 신학, 전통적인 가부장제를 위협하는 페미니즘, 전통적인 위계질서, 종교, 관습에 대한 위협으로 여겨진 맑스주의, 새로운 존재로서의 이주민들에 대한 증오는 근본주의의 일반적인 특징이다. 20세기 말 이슬람 근본주의 역시 맑스주의를 비롯한 좌파에 대한 전쟁이자 프리섹스와 퇴폐적인 대중문화로 인식된 서구문화의 유입에 대한 거부였다.

2. 지배적인 사고의 표현

비록 몇몇 사례에 국한된 것이지만 이 사태에 대해 유럽 극우파는 테러라는 방법은 틀렸을지라도 브레이비크가 추구했던 대의에는 공감한다는 입장을 표명하였다. 이탈리아의 베를루스코니 정부에서 장관을 지내기도 한 북부동맹의 중진 의원 프란체스코 스페로니는 "유럽이 유라비아가 되어가는 상황에서 서구 기독교 문명을 지켜야 한다는 게 브레이비크의 생각이라면 나는 그에게 동의한다"고 했다(『한겨레』 2011년 7월 29일자).

그런데 유럽 극우파의 이러한 대담한 입장 표명은 브레이비크의 견해가 이미 상당 정도 대중화된, 심지어 극우파뿐만 아니라 온건한 우파 정치인들도 어느 정도 동의하는 내용을 담고 있기 때문일 것이다. 보다 정확히 말하면 그의 견해는 이중적인 성격을 띠고 있다. 한편으로는 공식적으로 사회에서 허용되지 않는 '정치적으로 올바르지 않은' 견해였지만 이 견해의 상당 부분은 현 유럽사회의 지배적인 담론에서 빌려온 것이다. 자신의 일기에서 주변에 있는 사람들의 '정치적으로 올바른' 태도에 대한 환멸을 표현했지만(『Le Monde』 2011년 7월 28일자), 그의 견해는 탈냉전 · 세계화 시대 유럽에서 지속적으로 지지자들을 넓혀와 이제는 그다지 새롭지도 않게 된 지배적인 사고라고 할 수 있다.

다문화주의가 백인사회의 전통을 훼손한다거나 인구학적으로 문화적으로 서구사회가 이슬람의 위협(green threat)에 직면해 있다거나 하는 그의 논리는 정치가들이 선거 등 공론장에서 효과적인 수단으로 사용해온 오래된 것들이다. 유럽의 경우 탈냉전과 함께 이데올로기의 시대가 가고 이민문제가 좌우를 확연하게 가르는 중요한 잣대가 되었다. 고용, 국방, 환경, 복지 등 대부분의 분야에서 좌파와 우파는 수렴의 경향을 보이며 이들 간의 차이는 상반되는 철학에 입각한 질적 차이가 아니라 대중이 쉽게 판단내리기 어려운 양적 차이가 되었다.

그런데 핵심적인 정치적 이슈가 되어 버린 이민문제는 우파, 특히 극우파에게 유리한 사안이었다. 국민들이 자신들의 상황을 어렵게 만드는 원인을 파악하기가 점점 더 어려워지고 투쟁의 대상으로 삼아야 할 세력이 불분명해지는 상황에서 만병통치약과 같이 제시되는 우파의 단순화된 이민 담론은 좌파의 정교하고 난해하고 다소 계몽적인 담론보다 더 감동을 주었다.

유럽에서 극우주의는 담론뿐 아니라 현실적으로도 이제 주변이 아니라 중심에 위치하고 있다. 여러 나라에서 이들은 정권을 쥐고 있거나 제2당, 제3당으로 제도권 정치에 안착했다. 1980년대 경 부활한 이후 선거제도나 언론 등 자신들에게 불리한 조건에도 불구하고 괄목할만한 성장을 거두고 있는 것이다.

세계적인 차원에서 전개되고 있는 대테러전쟁이 호전적인 문명 담론을 지속시키고 있는 상황에서 극우주의의 반이민, 반이슬람, 반맑스주의는 결코 주변적인 위치에 있지 않다. 노르웨이의 반이슬람·반이민 경향, 그리고 아프간 전쟁 참여, 리비아 공습 참여는 이러한 최근 세계의 흐름에 부합하는 것이다.

브레이비크 및 극우세력의 사고가 주변적인 것이 아니라는 점을 고려할 때 이 사태에 대한 논평에서 볼 수 있는 이민에 관용적인 선한 백인 대 악한 백인의 이분법은 문제의 본질을 왜곡하는 기능을 할 수 있다. 유럽의 비유럽 이주민들에게 적용된 선한 무슬림 대 위험한 무슬림의 이분법을 닮은 이 논리는 이 사태를 노르웨이의 노동당 정권과 이 정권의 이념인 사회민주주의에 대한 공격으로 축소시킬 수 있다.

3. 어떻게 인종주의에 대처할 것인가?

이번과 같은 사태의 재발을 방지하지 하기 위한 방안들이 언급되었다. 우선 치안 차원의 논의들이 제기되었다. 무엇보다도 노르웨이 경찰의 관행이 도마 위에 올랐다. 경찰조차도 왕가나 유력 정치인의 경호를 맡고 있는 경우를 제외하면 일상적인 무기 소지가 금지되어 있는 노르웨이의 정책에 대한 비판, 이와 함께 아직은 세계에서 가장 낮은 범죄율을 가진 나라 중 하나이지만 최근 범죄율이 늘어나고 있는 상황에서 경찰력의 증강과 무기소지 허용 등이 필요했었다는 비판도 제기되었다. 또한 최근 이민자의 수가 증가하는 상황에서 이슬람 단체에 치안활동이 집중되어 이번 경우와 같은 다른 형태의 위험에 대한 대비가 미약했다는 지적도 있었다(『Le Monde』 2011년 7월 27일자).

다른 한편으로 브레이비크가 비판한 관용적인 이민정책이 오히려 더 강화되어야 한다는 지적도 있었다. 최근 관용이 약해졌고 이번 사태도 이러한 변화의 결과이며 따라서 더 관용적인 되어야 한다는 것이다. 희생자 추도식에서 더 많은 관용을 호소하고 개방적인 이민정책을 재확인한 옌스 스톨텐베르크 총리 및 국민들의 절제된 태도에 대해 외부세계는 9·11테러 당시 부시의 미국이 보여준 호전적인 대응과 대조적이라며 경의를 표했다. 보다 근본적으로는 극우주의 및 인종주의의 부상을 막을 방안에 대한 논의가 필요할 것이다. 구조적으로는 배제된 세계에 대한 고려만이 극우주의의 확산을 막을 수 있을 것이다. 사회적 배제의 문제를 해결하고 배제된 계층의 상황과 심리에 대한 관심이 요구된다.

이민자들에게 폭력을 행사한다거나 이들의 집을 방화한다거나 모스크, 시나고그, 묘지 등 이슬람이나 유대교 관련 시설을 파괴하는 인종주의 범죄만이 인종주의의 전부는 아니다. 인종주의 범죄는 제도적인 인종주의, 동네, 학교, 가게 등 일상생활이 이루어지는 공간에서의 일상적인 인종주의, 경찰 인종주의, '창구의 권력'이라고 불리는 이주민 관련 기관 담당자들의 억압적이고 차별적인 태도 등 사회 전반에 확산되어 있는 다양한 형태의 인종주의를 토양으로 해서 자라나는 것이다.

보다 기술적인 차원에서 극우주의나 인종주의의 확산이나 이 사상이 폭력적인 방식으로 표현되는 것을 막는 방법이 강구되어야 할 것이다. 위에서 언급한 대로 사실 상당수의 주류 정치인들과 그들의 지지자들도 극우파의 견해를 상당부분 공유하지만 극우파는 제도권 정치나 주류 언론 등에서 상당한 배제를 경험한다. 브레이비크도 '2083 유럽 독립선언'에서 폭력의 사용이 합법적인 수단이 주어지지 않은 상황에서 불가피한 것이라고 말했다. 자신의 글을 보낼 대규모 메일링 리스트를 오랜 시간을 들여 준비한 점도 자신의 사상을 확산시킬 공론장이 중요했음을 보여준다. 또한 그가 민족문화를 지키는 데 장애물로 거론한 대상에는 노동당과 더불어 국영언론사와 언론인도 포함되어 있다. 그의 블로그 기사에 따르면 "국영언론사의 100%"와 "노르웨이 언론인 98%"가 이 장애물에 포함된다("The slaugter in Oslo" www.wsws.org, 2011년 7월 25일자 기사).

그렇다고 이들의 언로를 열어주고 이들을 정상적인 집단으로 간주하는 것이 극우주의의 폭력적인 표현을 예방하는 길인가? 바로 이러한 점에서 "어떻게 인종주의에 대처할 것인가?"에 대한 딜레마가 존재한다. 해악적인 존재로 간주해 무시해버리고 시민사회와 공론장에서 배제해야 하는가? 아니면 통합시킬 것인가?

근대 이후 세계는 종족간 공존이 얼마나 어려운 과제인지를 잘 보여준다. 같은 한민족이라도 출신 지역이 다른 사람과 함께 일하거나 가정을 이루기가 쉽지 않다. 하물며 말도 잘 통하지 않고 외모도 다르고 종교나 사고방식도 다른 사람과 이웃이 된다는 것은 부담스런 도전임에 틀림없다. 이 이방인이 우리보다 훨씬 못사는 나라에서 온 사람일 경우 문제는 더욱 심각해진다. 이제 같은 인간으로서의 동질감에 호소하는 것에도 한계가 생기고 개개인들의 의식적인 노력이 요구된다. 그러나 이러한 노력조차도 토박이들의 삶이 팍팍해지면 순식간에 물거품이 된다. 따라서 종족간 공존이 얼마나 어려운 과제인지를 자각해야 한다. 단순한 계몽으로 해결될 수 없는 종합적인 과제이며 어설픈 계몽은 인종주의의 도화선이 될 수도 있다.

이와 함께 인종주의에 대한 진화론적 시각에서 벗어나야 한다. 전 세계에서 1인당 국민소득이 가장 높은 나라이자 소위 스칸디나비아 모델로 칭송받는 나라들 중 하나인 노르웨이에서 야만적인 일이 일어난 점에 대해 외부세계는 매우 의아해했다. 그러나 유럽의 역사는 경제나 복지 수준과 인종주의가 반드시 반비례의 관계에 있는 것이 아니라는 점을 잘 보여주고 있다. 브레이비크의 테러와 함께 이제 인종주의 및 인종주의 폭력이라는 몹시 해결하기 어려운 과제가 현대를 사는 인류 모두에게 제기된 것이다.

8장
반이민·반이슬람 현상과 이슬람주의 테러리즘

8장
반이민·반이슬람 현상과 이슬람주의 테러리즘

이 장에서는 프랑스 사회에 확산되어 있는 반이민·반이슬람 현상을 살펴보고 최근 전 세계적인 이슈가 되었던 이슬람주의 테러리즘을 반이민·반이슬람 현상 등 프랑스 사회 내적 요인을 도입해 설명하고자 한다. 그리고 반이민 및 반이슬람 현상과 이슬람주의 테러리즘 양자를 극복할 수 있는 방안을 모색해 본다.

1. 프랑스 사회의 반이민·반이슬람 현상

국가와 시민사회 모두에서 프랑스의 인종주의 현상은 반이슬람의 양상을 강하게 띠고 있다. 이민문제는 대선 등 선거 국면에서 단골 메뉴로 등장하는데 그 중에서도 이슬람 관련 주제가 이민 논의를 압도하고 있다. 학교 등 공공영역에서의 히잡 착용 문제, 학교 급식에서의 할랄 음식 제공, 무슬림들의 게토화 현상, 이슬람주의 세력의 위협 등 다수의 주제들이 TV, 신문 및 SNS를 중심으로 시민들의 관심을 끌고 있다. 이러한 이슬람 중심의 논의 경향은 유럽과 미국 등 전 세계적으로 나타나는 현상이지만[1] 특히 소위 '공화주의'의 나라 프랑스에서 두드러지게 나타나는 현상이다. 프랑스 시민사회의 인종주의 현상은 독일, 덴마크, 노르웨이 등과 달리 극우단체의 독점물이 아니다. 극우정당인 국민전선 정도를 제외하고는 특정 세력이 주도하기보다는 일상적인 인종주의나 언론, 학계 등에서 표현되는 반이민·반이슬람 담론의 양상을 띠고 있다. 이 장에서 다룰 이슬람주의 테러 역시 그 배경 중 하나는 이슬람주의 세력이나 무슬림 이주민사회의 공동체주의에 대한 프랑스 언론의 비판적인 태도였다.

전통적으로 프랑스 사회는 반이슬람 및 반아랍 정서가 강했다. 그리고 프랑스에서는 이슬람과 아랍을 동일시하는 시각이 제국주의 시대부터 강하게 자리잡고 있어서 반이슬람은 상당부분 반아랍을 의미한다. 무슬림은 1950년대 북아프리카로부터 노동이민이 유입되면서 그 수가 늘어났고 신규 유입이 미미했던 1980년대부터 그 비율이 안정화되어 대략 프랑스 인구의 10% 정도를 차지하고 있다. 프랑스 무슬림의 종교생

1 전 지구적으로 확산된 이슬람 혐오 현상의 배경 중 하나는 문명 담론의 부상이었다. 냉전 종식 이후 문명 담론을 배경으로 이슬람이라는 새로운 적이 창출되었다. 이는 1차대전 종전 직후 사회주의와 개방적인 사고를 적으로 만들었던 미국 기독교세계의 근본주의나 냉전 시대에 사회주의자를 척결한다며 마녀사냥을 했던 미국의 매카시즘과 맥을 같이 하는 현상이었다.

활은 2,000여 개의 크고 작은 모스크들에서 이루어지고 있다. 프랑스 사회와 이슬람의 관계가 갈등의 양상을 띤 것은 1974년 이민들의 자유왕래를 금지함에 따라 기존에 이민 온 사람들이 정주하면서부터였다. 이후 프랑스 국가는 인구의 10% 정도를 차지하고 있는 주요한 사회 세력으로서 이슬람신자들을 무시할 수 없었다. 이러한 맥락에서 프랑스의 공화주의, 즉 정치, 교육, 의료 등 공적 영역에서 종교적, 종족적 표현을 금지한다는 원칙 때문에 이슬람적 요소들이 외적으로 드러나는 것을 용인하지는 않았지만 다른 방식으로 무슬림들과의 관계를 모색하게 된다.

공적 영역에서는 공영방송에 이슬람을 포함한 종교 프로그램을 일요일 아침에 내보내는 정도였다. 모스크나 이슬람 학교의 설립에 대한 허가와 지원에도 매우 인색했다. 극우주의 정당인 국민전선뿐 아니라 많은 프랑스인들이 모스크나 이슬람 학교의 설립이 민주주의, 정교분리 등 프랑스 사회가 존중해온 가치와 모순되며 극단적인 이슬람주의자들을 양성하는 산실이 될 것이라며 비판하고 있다. 1990년대부터는 공립학교에서의 히잡 착용 문제를 중심으로 이슬람적 요소가 프랑스의 공화주의를 침해한다는 인식이 확산되었다.

사실 이주민의 종교생활이 정치적 논의의 대상이 된 것은 매우 오래된 현상이다. 프랑스의 경우, 이민 현상이 본격화된 1880년대부터 이러한 현상을 찾아볼 수 있는데 당시에는 이슬람이 아니라 폴란드와 이탈리아 출신 이주민들의 '가톨릭'이 관심의 대상이었다. 이는 당시 주된 국제이주민이 이 양국 출신자들이었다는 점에서 그리 놀라운 일은 아니다. 프랑스 역시 가톨릭 사회였지만 폴란드와 이탈리아의 가톨릭은 낯선 것이었고 프랑스인들은 이 '다른' 가톨릭이 이들의 통합을 어렵게 하는 장애요인이라고 간주하였다(Tersigni, Simona, 2014: 165). 물론 시기에 따라서는 정권이 이들의 가톨릭을 통합의 자원으로 홍보하기도 했다. 2004년 '국공립 초중등학교에서의 공화주의 원리의 적용에 관한 법'의 제정을 가져오기까지 한 무슬림의 히잡 착용 문제를 연상시키는 것이다. 즉 이 관행이 지나친 종교적 표현이며 무슬림 여학생들의 공화국 공교육 이수에 장애요인이 된다는 인식이 다른 종교에 대해서도 이미 오래전에 적용되었던 것이다. 즉 단지 이슬람만이 아니라 종교 자체가 공화국과 갈등을 야기하는 요소였던 것이다.

이슬람과 함께 난민문제는 최근 프랑스의 반이민정서를 심화시키는 요인이 되고 있다. 난민을 포함해 이주민이 한 사회에 미치는 긍정적인 효과는 과거 미국이, 그리고 이제는 유럽 최고의 외국인 비율을 자랑하는 독일의 사례에서 확인할 수 있다. 그런데 문제는 이러한 식의 변호와 무관하게 반감은 줄어들지 않는다는 점이다. 인종주의의 역사가 이 점에 대해 답해 주고 있다. 즉 이방인에 대한 반감은 합리적인 사유가 아니라 존재와 마음에서 비롯되고 많은 외부 요인에 의해 영향을 받는 것이다. 교육과 계몽이 반인종주의 전략에서 가지는 한계는 바로 이 점에 기인한다고 볼 수 있다.

2. 프랑스 언론사 테러사건과 이민문제

1) 언론사 테러사건과 그 배경

2015년 1월 7일 프랑스의 주간지 샤를리 엡도(Charlie Hebdo)에 이슬람국가(IS) 지도자 알 바그다디 등 이슬람주의자들을 풍자하는 만평이 포함된 1177호가 발행된 날 편집진 다수가 테러로 사망했다. 사건 당일 11시 30분 무장한 쿠아시 형제가 신문사 사무실에 난입해 11명을 사살했고 그중 8명이 편집진이었다. 희생자들은 만평 작가인 까뷔, 샤흐브, 오노레, 띠뉴, 볼린스키, 그리고 정신분석학자 엘사 꺄야, 경제학자 베르나르 마리, 살해위협을 받고 있었던 편집장 샤흐브의 보호를 맡은 경찰관 프랑크 브항솔라로, 교정일을 보던 무스타파 우라, 손님으로 우연히 그 자리에 있었던 미셸 흐노, 그리고 건물 관리를 맡고 있던 회사 직원 프레데릭 부와소 등이었다. 신문사에서 숨진 11명 이외에도 순경이었던 아흐메드 메라베가 히샤 르느와르 거리에서 도주 중이던 테러범인 쿠아시 형제 중 한 명이 쏜 총에 맞아 숨졌다. 결국 12명이 사망했고 11명이 부상을 당했다. 쿠아시 형제는 이틀 후 파리 북쪽 지역에서 경찰과의 총격전에서 사망했다. 쿠아시 형제와 테러 모의에 가담했던 아흐메디 쿨리발리 역시 다른 2건의 테러를 저질렀다. 그는 언론사 테러가 일어난 다음날인 2015년 1월 8일 파리 남부 몽후쥬에서 여성 경찰관 1명을 살해했으며, 1월 9일에는 뽀르뜨 드 뱅센느에 있는 유대인 식품점에서 인질극을 벌인 후 4명의 유대인을 살해했다. 그 역시 1월 9일 경찰과 대치하던 중 사살된다.[2]

이 사건이 발생하기 전에도 샤를리 엡도는 이슬람과 관련된 사건들을 겪었다. 샤를리 엡도는 1970년에 창간된 좌파 성향의 풍자 주간지로 기사보다 만평을 위주로 하는 신문이다. 그동안 주로 신흥종교집

---

2 https://fr.wikipedia.org/wiki/Attentat_contre_Charlie_Hebdo, 2017년 7월 12일 검색

단, 극우주의, 가톨릭, 이슬람, 유대교, 정치, 문화 등의 주제를 다루어왔고 이념적 성향은 좌파에 가깝지만 이념적인 측면보다는 성역 없이 모든 것을 풍자한다는 '샤를리 정신'이 이 신문의 성격을 잘 보여준다. 군, 보수적인 가톨릭교회, 코르시카와 바스크 지역의 분리독립운동 등 다양한 집단이 풍자의 대상이 되어왔는데, 1990년대까지는 극우주의와 가톨릭을 주로 겨냥했다가 2000년대 이후에는 이슬람, 테러리즘 등으로 주요 소재가 바뀌게 된다.[3] 사실 풍자는 전통적으로 프랑스 저널리즘을 특징짓는 요소라고 할 수 있다. 18세기 왕족들에 대한 풍자로 시작해 정치권, 경찰, 금융, 종교에 대한 풍자로 이어져 오고 있다.[4] 공화주의 전통과 함께 학계 및 언론에서 강력한 헤게모니를 지녀온 좌파의 전통은 그 어느 나라보다도 종교에 대한 자유로운 논의의 토양이 되어 왔다. 이러한 독특한 지적 풍토는 현실적 토대를 가지는 것이다. 2008년에 실시된 한 서베이 결과를 보면 18-50세 프랑스 거주자 중 45%가 무신론자 또는 불가지론자라고 답하는 등 49%가 자신을 무종교인이라고 답했다(INED et INSEE, 2008). 서구사회에서 프랑스는 높은 수준의 무종교인 비율을 보이는 종교적으로 예외적인 국가이다. 종교에 대한 비판적인 태도, 이슬람의 일부 양상에 대한 강한 반감, 또는 역으로 이슬람권이 보이는 강한 반프랑스 정서는 부분적으로 이러한 프랑스 사회의 특수성으로 설명될 수 있다.

---

3 http://www.bbc.com/news/world-europe-15551998, BBC News Europe, 2015년 1월 8일자, 2015년 3월 2일 검색

4 *BBC News Europe*, 2015년 1월 8일자(http://www.bbc.com/news/world-europe-15551998).

프랑스 언론사 중에서도 샤를리 엡도가 급진 이슬람주의 세력의 표적이 된 것은 이러한 프랑스 언론의 전통을 계승한 측면도 있지만 보다 직접적인 이유도 있다. 2001년에 발생한 9·11테러를 계기로 이 언론사의 반이슬람주의 행보가 본격화되었기 때문이다. 이 사건 직후 테러리스트를 옹호하는 극좌파에 반대하는 입장을 표명함으로써 정치적 이슬람과 이슬람 테러리즘에 대해 유보 없는 강경한 입장을 취했다. 2002년 11월에는 이슬람주의를 비판하는 책의 입장에 동조하는 칼럼을 게재하였고 2003년 11월에는 극좌파 다수의 입장과 달리 무슬림 형제단의 이론가이자 유럽 이슬람의 대표적인 인물인 타리크 라마단(T. ramadan)을 반유대주의자로 비판한 바 있다. 참고로 이슬람주의에 대한 프랑스 좌파 일부의 우호적인 입장은 이슬람주의가 미국 등 제국주의 세력에 대한 저항에 있어서 선봉에 서 있다는 평가에 기인한다. 2006년 2월에는 2005년 덴마크 보수성향 일간지 율란트 포스텐이 게재되어 전 세계적으로 파문을 일으켰던 마호메트 풍자 만평을 연대의 차원에서 게재했던 유럽 언론의 행보에도 동참했다.

이렇게 반이슬람주의 행보를 이어온 샤를리 엡도는 중동 및 북아프리카 지역 여러 나라에서 진행된 민주화운동인 '아랍의 봄'과 그에 뒤이은 아랍세계의 혼돈 상황에서 이슬람주의 세력의 표적이 된다. 2011년 11월에는 '샤리아 엡도(Charia Hebdo)'라는 제목과 마호메트 풍자 만평 게재를 통해 '아랍의 봄' 이후 실시된 튀니지 총선에서의 이슬람주의 세력의 승리를 풍자한 직후 언론사 사무실에 방화사건이 발생하였다. 이러한 압력에도 불구하고 2012년 9월에는 또 다시 마호메트 풍자 만평을 게재하였다. 이러한 맥락에서 2013년 '알카에다 아라비아반도 지부'라는 단체가 반이슬람 행위로 수배한 11명의 서구인 중 하나로 샤를리 엡도의 편집장이었던 샤흐브(Charb)가 포함되기도 했다.[5]

이러한 전사를 거친 후 2015년 샤를리 엡도는 프랑스에서는 전례가 없었던 언론인 테러를 당하게 된다. 2015년 1월 7일 이슬람국가 지도자 알 바그다디 등 이슬람주의자들을 풍자하는 만평이 포함된 1177호가 발행된 날 편집진 다수가 테러로 사망한 것이다. 테러도 충격적인 것이었지만 테러에 대해 프랑스 사회가 보여준 강력한 대응 역시 화제가 되었다. 2015년 1월 10–11일 샤를리 엡도를 지지하는 가두시위에 파리에서만 2백만 명, 프랑스 전체에서는 400만 명 이상이 참가하였다. 국외에서의 반응도 뜨거워 여러 지역에서 샤를리 엡도를 지지하고 테러를 규탄하는 집회와 입장표명이 이어졌다. 연대의 표시로 한국에서도 프랑스 국기로 SNS 프로필 사진을 바꾸는 사람들이 많았다. 파리에서만 150만 명이 참여한 11일 집회에는 44명의 외국 국가원수가 참여하기도 했다.

테러 발생 1주 후인 1월 14일에는 1면 전체에 예언자 마호메트가 〈I am Charlie〉를 들고 있는 만평을 실은 1178호 신문이 7백만 부 이상 판매되기도 했다. 당시 첫 100만 부 판매수익금 전액이 희생자 가족에게 전달되기도 했다. 한편 일부 영미권 언론사들은 마호메트를 그림으

5 참고로 당시 프랑스 월간지 르몽드 디플로마티크(『Le Monde diplomatique』)의 프랑스 언론사 테러 특집 코너에는 이 사건을 이해하는 데 필요한 주제와 이 주제를 다룬 자사의 기존 기사들이 소개되었다. 관련 주제에는 테러리즘과 대테러리즘, 지정학, 근본주의, 반유대주의이슬람혐오주의인종주의, 도시빈민지역, 정교분리주의, 미디어, 사상이 포함되어 있었다. 이 목록에서 우리는 테러리즘이나 극단적인 행태에 대한 이해를 위해 어떠한 접근방법을 채택해야 하는지에 대한 교훈을 얻을 수 있다.

로 표현하지 않는 이슬람의 전통을 존중해야 한다는 명분으로 연대 차원의 만평 게재에 참여하지 않기도 했다. 종교에 대한 풍자를 금기시하는 영미권의 전통이 반영된 것이었다. 테러를 당한 프랑스에서조차 이 부분에 대한 논란이 없지는 않았다.

이 사건은 앞에서 살펴본 2006년 마호메트 만평사건과 매우 유사했다. 동일한 성격의 사건에 테러리즘이 결합된 것이라고 할 수 있다. 테러리즘은 9·11테러를 계기로 2000년대 국제정세의 핵심적인 요인으로 자리잡았다. 테러리즘은 시대에 따라 상이한 모습을 띠었다. 1960년대 후반에서 1980년대까지 테러리즘은 주로 유럽과 일본의 극좌파 테러리즘을 의미했다. 이는 19세기에 이후 유럽사회를 지탱해 온 한 축이었던 사회운동이 쇠퇴하고 그 공백을 파시즘이 채우려하는 상황에 대한 우려에서 비롯된 측면이 크다. 마치 파시즘이 노동을 제압하고 자본과 민족을 지키기 위한 것이었다면 극좌 테러리즘은 이러한 파시즘으로부터 노동과 개인을 구하려는 시도라고 할 수 있을 것이다. 1990년대 이후 테러리즘의 주도권을 가져간 이슬람주의 테러리즘은 1970년대 후반 이후 이슬람 사회들에서 급속히 세력을 키운 이슬람주의가 결과적으로 정권 장악에 실패하는 등 위기에 처하면서 나타난 현상이다. 외세의 개입이 강화되고 역으로 국가의 사회장악력은 크게 떨어지면서 야기된 불만과 불안정 역시 테러리즘을 키운 토양이 되었다.

2) 프랑스에서의 이슬람주의 테러리즘

테러 하면 떠오르는 사례들은 주로 20세기 후반 이후에 발생한 사건들일 것이다. 1960년대부터 1980년대까지는 일본의 적군파, 이탈리아의 붉은 여단, 독일의 적군파, 프랑스의 직접행동, 중앙아메리카 여러 나라들의 좌파 반군, 팔레스타인 해방운동 단체, 바스크 분리독립운동 단체나 북아일랜드 민족해방운동 단체가 저지른 테러가 떠오를 것이다. 1980년대 이후에는 팔레스타인 민족해방운동이나 중동의 무장세력이 사용한 자살폭탄테러가 주목을 받았다. 그리고 2001년 9·11테러는 테러리즘을 일부 세력이 예외적으로 사용하는 드문 사례에서 다수의 저항세력이 흔히 사용하는 익숙한 수단으로 바꾸어 놓았다.

그런데 왜 테러라는 극단적인 폭력이 등장하게 되는 걸까? 쉽게 생각할 수 있는 것은 어떤 개인이나 사회집단이 자신들의 요구를 표현하고 관철시키는 데 기존 방식으로는 불가능하다고 판단하기 때문일 것이다. 법이나 국가 권력에 호소하거나, 시민사회나 사회운동의 힘을 이용하거나, 대중을 동원하거나, 선거를 이용하거나, 국제사회에 호소하거나 하는 방법이 실효성이 없는 상황에서, 그리고 대부분 사회 현실이 극한 상황에 처해있을 때 테러리즘에 의존하게 될 것이다. 조금 다른 방식으로 설명하자면, 테러라는 방식으로 자신들의 의지를 관철시키는 전략이 등장하게 되는 주된 배경은 국가나 사회운동 등 기존에 한 사회를 위로부터, 또는 아래로부터 묶어 주던 기제가 한계를 드러냈기 때문일 것이다. 그래서 국가의 쇠퇴나 와해, 사회의 해체라는 상황에 의해 가장 타격을 많이 받는 집단, 경제적으로 어렵거나 차별을 받거나 불우한 처지에 있는 사회의 주변부 세력이 테러리즘에 의존할 가능성이 클 것이다.

테러리스트의 프로필은 매우 다양하다. 또한 테러를 저지르게 되는 과정도 다양하다. 단지 이슬람 급진주의를 통해 극단적인 행동에 나서는 것은 아니다. 최근 프랑스, 독일, 미국, 일본 등지에서 벌어진 테러에서도 종교적인 측면이 그리 중요한 역할을 하지 않은 사례가 대부분이었다. 따라서 테러리스트에 대해 어떤 고정된 이미지를 상정하는 것은 현실에 부합하지 않는다. 이들 테러리스트들의 상당수는 청년 또는 청소년이다. 유럽에서 테러를 시도한 자들의 평균 연령은 23-25세 정도이다. 물론 10대 후반도 존재한다. 이들의 절망적인 물질적 삶과 일상에서 반복적으로 겪는 참을 수 없는 모멸감 등이 극단적인 행동의 배경인 것이다. 외부의 영향이나 사주는 부차적인 역할을 하는 경우가 대부분이다. 따라서 급진화된 세력에 대해 전문가들은 장기간에 걸친 상담, 동반 등의 대응이 필요하다고 조언한다. 덴마크에서 효과를 본 감옥에서의 탈급진화 프로그램은 이러한 입장에 근거를 제공해 준다.

1990년대를 장식한 이슬람주의 테러리즘은 1991년 걸프전으로 이슬람의 땅(*Dar al Islam*)에 외국 군대가 진주한 사건이 상징적으로 보여주었듯이 외세의 개입이 강화되고, 아랍 정권의 정당성과 사회장악력은 약화되는 시대적 흐름에 대한 저항이었다. 이 저항이 극단적인 양상을 띠게 된 것은 이슬람주의 세력의 정권 장악 시도가 국내외의 저항에 부딪혀 좌초된 데 따른 것이었다. 따라서 이슬람주의 테러리즘은 유럽이나 일본의 극좌파 테러리즘과 달리 노동이나 계급보다는 국가, 민족, 종교를 중심에 둔 것이었다. 이런 의미에서 한 아랍세계 전문가는 이슬람주의를 '새로운 민족주의'로 평가한 바 있다. 이슬람주의 테러리즘의 이러한 성격은 2000년대 이후 지금까지 크게 달라지지 않았다. IS의 사례가 잘 보여주듯이 외세의 개입과 국가의 와해, 그리고 이슬람주의의 정치적 실패가 여전히 현재의 이슬람주의 테러리즘을 생산하는 토양이라고 할 수 있다.

자료 8-1: 이슬람국가(IS)

IS라는 독특한 현상에 직면해 우리는 다음과 같은 질문을 던지게 된다. 첫째, 어떻게 IS와 같은 극단적인 존재가 등장하게 되었을까? IS가 등장하고 세력을 얻게 된 주된 배경은 2003년 미국의 이라크 침공과 그 이후 지금까지 지속되고 있는 이라크 사회의 혼돈 상황이라고 할 수 있다. 이라크의 독재정권을 붕괴시키고 민주주의를 정착시키겠다는 명분으로 미국이 전쟁을 일으켰지만 결과는 민주적이고 자유로운 사회가 아니라 수니파, 시아파, 쿠르드족으로 사회가 분열되고 내전 상태가 지속되는 폭력과 무질서였다. 원인 제공은 미국이 했지만 결과적으로 이라크인들끼리 싸우는 양상이 되었다. 더 나아가 미국, 프랑스, 영국, 러시아 등 이 지역 정세와 연관이 있는 국가들은 분열과 폭력의 상황을 자신들의 이득을 실현하기 위해 이용하기까지 했다. IS는 바로 이 동족상잔의 비극에 참여한 수니파 무장세력의 일부이다. IS가 태동한 것은 이라크였지만 2011년부터 이웃 나라 시리아가 겪게 된 내전 상황은 이들이 상당한 영토를 확보함으로써 기존 이슬람 무장세력과 달리 안정적인 기반을 갖추고 장기간 세력을 유지할 수 있게 한 주된 계기로 작용했다.

둘째, 이슬람을 중심에 두고 활동하는 수많은 정치세력 중 특히 IS가 세계의 관심을 독점하게 된 이유는 무엇일까? 아무래도 언론과 SNS를 통해 전 세계에 알려진 이들의 극단적인 행태가 IS가 관심을 끌게 된 주된 배경이라고 할 수 있다. 기존 어떤 세력보다 잔인하고 야만적인 면모를 보인 측면도 있지만 과거와 달리 이 끔찍한 행위들이 무차별적으로 수많은 사람들에게 보여지게 된 기술적인 측면도 이러한 관심에 기여한 바가 크다고 할 수 있다. IS가 현재의 세계에 대해 사람들이 가지고 있는 다양한 불만과 욕구를 대변해주는 상징적인 존재로 인식된 점도 IS가 큰 관심을 끄는 데 기여했다고 볼 수 있다. 가깝게는 외세와 독재정권에 대한 아랍인들의 오랜 불만이 IS에 많은 사람들이 합류하게 만들었고 다른 지역에서도 빈곤문제, 독재, 이주민에 대한 차별 등 해당 사회가 안고 있는 문제에 대한 분노가 IS에 대한 관심으로 전환된 측면이 있다.

셋째, IS가 유독 테러와 같은 극단적인 행태를 취하는 이유는 무엇일까? 우선 IS가 보여주는 극단주의의 배경에는 극단적인 현실이 존재한다. 즉 IS가 아니더라도 1991년 걸프전 이후 20여 년 이라크 사회가 경험한 극단적인 상황은 극단적인 세력과 행태를 낳을 수밖에 없었을 것이다. 자국을 무차별 폭격하고 금수조치를 통해 한 사회의 경제와 일상생활을 질식시키고 내정에 무제한적으로 개입하고 자국의 종교를 모욕하는 등의 경험을 수십 년 겪으면서 사회가 병들고 갖가지 극단적인 모습들이 나타나는 것은 어쩌면 당연한 일일 것이다. 테러 행위는 여성을 억압하는 등 병적인 모습을 보이는 극단적인 이슬람과 함께 아랍세계가 처해 있는 출구 없는 상황의 산물이다. IS 등 이슬람 무장세력이 테러 전술을 사용하는 것에는 물론 관심을 끌려는 현실적인 측면도 있겠다. 그러나 우리는 그보다는 자신을 파괴하고 세계를 파괴하게 만들 정도의 오래된, 그리고 깊은 분노와 절망에 관심을 가져야 할 것이다.

3) 왜 프랑스인가?

샤를리 엡도 테러 현상에서 언론 그 자체보다 더 관심을 끄는 요인은 이슬람과 연관된 국내외의 현실일 것이다. 현실의 어떤 문제가 이러한 극단적인 사건을 야기했는가? 그리고 왜 프랑스에서 이러한 일이 발생하는가? 모든 나라가 다 자신만의 고유한 특징을 지니고 있기 때문에 프랑스만 특별하다고 말하는 것은 별 의미가 없을 것이다. 그보다는 프랑스에서 이슬람과 관련된 현상이 민감하게 대두된 배경을 살펴보아야 할 것이다. 먼저 프랑스에 대해 얘기할 때 자주 언급되는 공화주의에서 답을 찾을 수 있을 것이다.

프랑스는 미국과 함께 공화주의의 대표적인 사례로 언급되는데 이 나라에서 공화주의 체제가 발달하게 된 배경은 강한 중앙집권주의 전통과 프랑스대혁명에서 찾을 수 있을 것이다. 작고한 경제학자 정운영 선생의 수업에서 들었던 얘기가 생각난다. 그는 프랑스가 혁명의 나라가 된 배경을 지정학적인 측면에서 설명했다. 즉 적어도 절대왕정 시대 프랑스를 보면 왕족, 귀족들은 방대한 토지를 토대로 막대한 부를 소유하고 있었다. 유럽 전체가 '유럽대평원'이라고 불리지만 그중에서도 프랑스는 알프스와 피레네, 중남부 산악지대를 빼놓고는 국토의 대부분이 평야지대이다. 국토를 나누는 지형적인 장벽이 적은 것이다. 이러한 지리적인 특성으로 인해 광대한 지역을 소유한 귀족들이 많았다. 또한 중앙권력이 각 지역을 통제하는 것도 수월했기 때문에 일찍이 큰 규모의 국가가 발달하였다. 이는 지형적인 장벽이 큰 독일이나 이탈리아가 수많은 작은 지역으로 나뉘어져 상대적으로 통일성 있는 큰 규모의 국가를 이루기 어려웠던 것과 대조된다. 정운영 선생은 이러한 지리적, 지정학적 요인으로 인해 소유의 불평등과 그로 인한 민중의 박탈감이 커서 혁명적인 상황이 도래할 가능성이 컸다고 설명했다. 지배집단과 피지배집단 간의 격한 갈등은 막대한 희생을 초래하곤 해서 프랑스 평지를 흐르는 강들이 피로 붉게 물들었다는 얘기를 덧붙였다.

프랑스가 공화주의 전통이 강한 것은 이렇게 유럽에서 드물게 중앙집권적인 전통이 강했던 것과 연관성이 있다. 여기에 프랑스 대혁명이 중요한 계기로 작용했다. 이 역사적 사건으로 세상에 모습을 드러낸 사상과 제도가 많지만 그중 하나가 바로 공화주의였던 것이다. 사회가 일부 엘리트가 아닌 사회성원 전체의 것이라는 관념이 구체제를 공격하는데 효과적인 무기였던 셈이다. 공화주의는 오래 정주해 온 사회의 여러 집단들과도 연관된 개념이지만 새로이 이주해 온 사람들과도 관련이 있다. 이들을 주류사회에 어떻게 통합시킬 것이가에 관한 논의에서 공화주의 모델은 외국 출신 국민의 완전한 문화적 동화에 기초한 통합 모델을 의미했고 한국의 다문화 논의에서 다문화주의와 경합하는 대표적인 방식으로 인식되었다. 그런데 히잡 논쟁이 잘 보여주었듯이 공화주의적 이주민 통합방식은 학교, 직장, 거리 등 공적인 또는 많은 사람들이 함께 하는 공간에서 이주민들이 자신들의 종교를 드러내는 것을 허락하지 않았다. 하물며 이슬람주의자들과 같이 이슬람이라는 종교를 프랑스에 거주하는 이주민 집단이 겪는 문제에 대한 해법으로 제시하는 세력을 공화주의가 용인하기는 어려울 것이다. 이러한 이유로 공화주의 전통이 강한 프랑스가 특히 이슬람주의와 적대적인 관계를 맺게 된 것으로 볼 수 있다.

공화주의적 전통과 함께 중동 및 북아프리카 지역과 오랫동안 맺어온 긴밀한 관계가 프랑스를 이슬람주의 테러리즘의 표적이 되게 한 측면이 있다. 영국과 비교할 때 프랑스의 식민정책은 해당 지역의 언어와 문화를 프랑스식으로 바꾸는 데 적극적이었다. 그 결과 프랑스의 식민지배를 겪은 중동과 북아프리카 나라들은 사회 제반 영역에서 프랑스화 현상이 두드러졌다. 불행하게도 대부분의 경우 프랑스화가 경제 발전으로 이어지지 못했고, 그래서 프랑스의 식민지배가 영국의 식민지배에 비해 부정적으로 평가되는 경향이 있지만, 프랑스의 지배를 받은 사회들은 상당한 서구화를 경험했던 것이다.

알제리, 튀니지, 모로코 등 프랑스의 지배를 받은 국가들에서 특히 이슬람주의가 세력을 키울 수 있었던 배경도 바로 이러한 서구화, 과도하다고 간주된 서구화에 대한 반발이라고 할 수 있다. 독립 이후 '발전'이 기대한 만큼 이루어지지 못한 상황에서 발전을 동반하지 못한 서구화는 쉽게 실패의 원인으로 간주되었다. 서구, 그리고 그 서구를 이식하는 데 적극적이었던 프랑스가 표적이 된 것은 이런 점에서 이해될 수 있다. 여기에다가 독립 이후에도 프랑스의 식민지배를 받았던 나라들에 대한 프랑스의 적극적인 정치군사적 개입도 반프랑스 정서를 키우는데 한 몫을 했다. 이 측면은 1830년대부터 프랑스의 식민지배를 경험한 이후 줄곧 프랑스의 가장 가까운 식민지였던 알제리의 경우에 두드러지게 나타났다. 이슬람주의자들이나 베르베르 민족주의 세력과 같은 알제리의 반정부 세력들에게 프랑스는 독립 이후 알제리를 독점 지배하고 있는 소수 지배층의 후원자 역할을 하는 존재로 여겨졌다. 특히 알제리의 정치적 민주화의 시발점이었던 1991년 알제리 총선이 군부 쿠데타로 무산되고 10년 간의 참혹한 내전(1992–2001년)으로 치닫게 되는 과정에서 프랑스가 수행한 역할이 마치 1980년 광주의 민주화운동을 좌절시키는 데 미국이 개입한 것과 유사하게 인식되었다.[6] 프랑스는 알제리의 변화를 가로막는 장애물로 인식되었고 이미 1990년대부터 북아프리카 이슬람주의 세력에게 적으로 간주되고 공격 대상이 된 것이다.

1995년 프랑스에서 발생한 일련의 테러는 프랑스가 이슬람주의 테러의 표적이 되었음을 명확하게 보여주었다. 1995년 7월부터 10월까지 프랑스의 여러 지역에서 다수의 테러가 발생해 8명이 사망하였고 200여 명의 부상자가 발생했다. 이 사건은 이슬람주의자들과 정권이 내전을 치르고 있던 알제리의 이슬람주의 무장단체인 '무장이슬람조직'(GIA)의 소행으로 추정되었다. 프랑스에서 테러가 발생하기 1년 전인 1994년 알제리에서 먼저 프랑스인들이 테러에 희생되었다. 그리고 이때에도 무장이슬람조직(GIA)가 범행을 저질렀다. 이어서 같은 해 12월에는 같은 조직에 의해 에어프랑스 비행기 승객을 인질로 잡은 사건이 발생하기도 했다.

1995년에 자행된 일련의 테러는 우선 이슬람의 금요예배를 주관하는 이맘 역할을 하던 사라우이의 암살로 시작되었다. 사라우이는 알제리 이슬람주의 단체들 중 무장이슬람조직(GIA)과 경쟁관계에 있던 이

6 1991년 12월 26일에 치러진 알제리 총선 1차 투표의 결과는 이슬람구국전선(FIS)이 50%에 육박하는 득표율로 231석 중 188석을 얻어 정권교체를 이루고 더 나아가 2/3 이상의 의석으로 이슬람원리를 통치에 반영하는 식의 개헌도 가능한 상황이었다. 이러한 변화를 용납할 수 없었던 군부가 쿠데타를 일으켜 2주 후에 치러질 예정이었던 2차 결선 투표가 무산되었다.

슬람구국전선(FIS)의 창설을 주도했던 사람이었다. 따라서 이 테러는 알제리에서의 갈등 관계가 프랑스로 이전된 것이었다. 7월 15일 브롱(Bron)에서 경찰을 대상으로 한 총격사건이 있고 난 후 7월 25일 파리의 생미셸 노트르담 전철역에서 폭탄이 터져 8명이 죽고 117명이 부상을 당하는 사건이 발생했다. 이어서 8월 17일에는 파리의 명소 개선문 광장 쓰레기통에서 폭탄이 터져 16명이 부상을 당했다. 8월 26일에는 리용에 폭탄이 설치되었지만 사전에 발견되어 무산되었고 9월 3일과 4일 파리에서 폭탄 테러가 미수에 그치기도 했다. 9월 7일에는 리용 근처 소도시 빌러반느의 한 유대인 학교 인근에서 폭탄이 터져 행인과 학부모 14명이 부상을 당했다.

같은 해 9월 24일 이상의 테러를 주도한 것으로 알려진 할레드 켈칼(K. Kelkal)이 경찰과의 총격전 끝에 사망하게 된다. 그러나 주범의 사망 이후에도 테러는 계속되었다. 할레드 켈칼의 장례식이 있었던 10월 6일 파리 전철역에서 폭탄이 터져 12명이 부상을 입었고 10월 17일에도 전철 차량에 폭발이 발생해 30여 명이 부상을 입었다. 9월 23일자로 발표된 무장이슬람조직(GIA)의 성명서에는 자신들이 기도한 범행이며 알제리 정권을 지지하는 프랑스를 응징하기 위한 것이었다고 밝혔다. 이어서 1996년에도 알제리의 티비린 소재 수도원의 수도사 7명이 납치되어 모두 살해된 사건이 있었으며 같은 해 12월에는 파리의 한 전철역에서 폭발물 테러가 발생했다.[7]

켈칼을 비롯해 테러에 가담한 범인들은 대부분 알제리 출신의 이

7 https://fr.wikipedia.org/wiki/Attentats_de_1995_en_France#6_octobre_:_attentat_avenue_d.27Italie_.C3.A0_Paris, 2017년 6월 10일 검색

주민이나 이주민 후예들이었다. 물론 1995년 테러를 주도한 단체인 무장이슬람조직(GIA)의 조직원으로 테러 발생 몇 년 전에 테러를 목적으로 프랑스에 입국한 경우도 있었지만 대부분은 프랑스에서 나고 자란 사람들이었다. 따라서 테러가 알제리 등 북아프리카의 갈등이 프랑스로 확장된 측면과 함께 프랑스 거주 이주민들의 상황에서 비롯된 측면에도 주목해야 한다. 프랑스 이주민 세계에 1980년대부터 확산된 이슬람의 열풍은 무엇보다도 프랑스 내적 요인에 기인한 바가 크다고 할 수 있다.

유럽과 미국의 경험은 또한 이러한 사건들을 이해하는데 역사적 관점이 필요함을 잘 보여준다. 2016년 7월 초 라마단 기간에 발생한 니스 테러에 대한 설명에서 프랑스의 테러 전문가는 알제리의 무장이슬람조직(GIA), 알카에다 등 과거의 대표적인 이슬람주의 단체 역시 라마단 기간에 테러를 자행했던 점을 상기시켰다. 같은 시기에 미국 텍사스 주 댈러스에서 발생한 총격사건에 대한 설명에서도 1960년대 마틴 루터 킹 목사 암살사건, 1980년대 수십 명의 사망자를 낸 인종갈등 등 예전 사례를 상기시키며 최근 상황이 제 3의 흑백 충돌이 될 수 있음을 상기시켰다. 50년 전 흑표범(자율적인 방어) 전통이 부활하는 측면이 있다는 것이다. 반세기 전과 다른 점이 있다면 킹 목사 같은 지도자가 존재하지 않고 집단적인 움직임이 약하다는 것인데 이는 시대의 변화를 반영하는 것이다. SNS의 역할이 크다는 것이 과거와는 다른 방식을 보여주는 것이다.

2015년 11월 13일에는 또 다시 파리에서 유럽 사상 최악의 테러가 발생했다. 파리 11구에 위치한 바타클랑 극장과 파리 시내 곳곳에서 동시다발 테러가 일어나 130명이 숨졌다. 연쇄테러는 생드니 축구경기장 밖에서 세 명이 자살폭탄 테러를 시도하였다가 실패한 것으로 시작되었다. 이어서 파리 시내에 소재한 카페와 레스토랑 여러 곳에서 총격사건이 발생하였고 콘서트가 진행되고 있던 파리의 바타클랑 극장에서는 총격과 인질극이 발생하였다. 경찰이 극장에 진입하면서 범인들은 경찰에 의해 사살되거나 자살로 사망했다. 이 연쇄테러로 바타클랑 극장에서 살해된 89명을 포함해 총 130명이 죽음을 당했으며 413명이 부상을 당했다. 범인들 중 7명이 사망했다. 사건 직후 IS가 자신들을 겨냥한 프랑스의 공습에 대한 복수로 자신들이 저지른 것이라고 주장했다.

이 사건은 벨기에에 기반을 둔 테러 조직이 기도한 것으로 밝혀졌으며 범인들은 프랑스, 벨기에, 이라크의 국적을 가지고 있었다. 그리고 이들 모두가 시리아 내전에 참전한 경험이 있었던 것으로 밝혀졌다. 범인들 중 유일하게 살라 압데슬람(S. Abdeslam)이 파리를 빠져나가는데 성공했고 그는 사건 발생 4개월 만인 2016년 3월 벨기에에서 체포되었다. 압데슬람은 파리 테러의 준비 과정에서 핵심적인 역할을 한 것으로 드러났다. 벨기에 출신 프랑스 국적자인 그는 다른 범인들의 입국과 차량 대여, 거주지 마련 등을 지원했다. 하지만 압데슬람의 침묵으로 인해 파리 테러가 구체적으로 어떻게 조직되고 이행됐는지는 아직도 미궁에 빠져 있다.

한편 압데슬람이 태어났고 범행 후 체포된 몰렌비크(Molenbeek) 지역은 이후 테러집단의 온상으로 전 세계의 주목을 받게 된다. 벨기에의 수도 브뤼셀 외곽에 위치한 이 작은 도시에 대해 50개 이상의 테러조직이 활동하였으며 모스크는 신자들에게 급진적인 이슬람을 주입시키고 적지 않은 주민들이 시리아와 이라크의 전쟁에 참여하기 위해 떠났다가 사망하거나 귀국했다는 등의 얘기들이 전해졌다. 몰렌비크가 '유럽 지하드의 수도'로 간주되었다. 그러나 이후 이 도시와 그곳 주민들을 악마화하는 것이라는 비판이 제기되기도 하였다. 몰렌비크와 벨기에에 대한 다양한 평가가 있지만 프랑스와 함께 벨기에가, 그리고 양국 모두 파리, 리옹, 브뤼셀 등 대도시 교외지역이 이슬람의 급진화를 경험하였다는 점에는 이견이 없다.

이 지점에서 우리는 앞에서 제기한 '왜 프랑스인가?'와 함께 "왜 벨기에인가?"라는 의문도 가지게 된다. 국토 면적이나 인구가 적고 잘 알려지지 않은 나라, 유럽연합의 수도 브뤼셀이라는 도시로 더 잘 알려진 나라가 어떻게 급진 이슬람과 테러의 거점으로 언급되는 상황에 처하게 되었는가? 여기에서는 필자의 단편적인 인상을 소개하는 정도에 만족하고자 한다. 필자는 마침 2017년 1월에 학생들과 함께 벨기에로 해외현장실습을 떠난 적이 있다. 여행 초기에 브뤼셀에서 리에쥬까지 기차를 탄 적이 있었다. 그리고 기차역과 기차 안에서 피상적이나마 벨기에의 민족 상황을 맛볼 수 있었다. 언어와 외모에 있어서 정말 다양하다는 생각이 들었다. 작은 나라이면서도 서로 다른 언어를 쓰는 세 지역으로 나뉘어진데다 대도시를 중심으로 상당한 수의 이주민들이 존재하고 여기에 유럽연합의 수도 역할을 하는 국제적인 모습까지 가미되어 있으니 다양하다는 인상을 받은 것은 당연하다고 할 수 있다.

이렇게 민족적인 다양성이 강한 나라에서 정체성 문제가 제기되는 것은 충분히 이해가 된다. 그리고 프랑스 등 주변 국가 역시 정체성에 대한 관심이 큰데 이 역시 유사한 배경을 가진 것이라고 할 수 있다. 인간이 삶의 의미를 가지게 되는 중요한 근거 중 하나는 바로 동질성, 즉 생물학적으로 가까운 가족이나 민족의 일원이라는 인식일 것이다. 이러한 소위 '정체성'이 중요한 가치로 간주되는 곳에서 다양성, 이질성이 해당 집단 구성원에게 궁극적인 의미를 부여하고, 그들의 삶을 만족시킬 수 있을까? 우리는 너무 쉽게 다양성을 찬미하고 다양성에 대한 인정을 요구하는 것은 아닐까? 파편화되고 부분적이고 유동적인 상황에서 만족이 가능할까? 이러한 의문을 제기하면서 개인들이 삶에 만족을 느끼는데 최소한의 안정성, 지속성, 동질성이 필요해 보인다는 생각을 하게 되었다. 당시 필자는 브뤼셀에서 리에쥬로 가는 기차 객실 내의 민족적 상황이 이러한 논의와 관련된 전형적인 사례가 아닐까 하는 생각을 했다. 미국과는 다른 것 같았다. 뉴욕이나 L.A.에 존재하는 '미국'이 없어 보였다. 벨기에에는 미국과 같은 '벨기에'가 없다. 그래서 벨기에의 극단주의와 테러가 이해되기도 하였다. 이러한 양상이 단지 대도시 외곽지역 이주민 거주지역의 빈곤에 기인하는 것만은 아닌 듯했다. 파리와도 달랐다. 즉 이질성과 다양성이 위축되거나 숨어있지 않았다. 브뤼셀에서는 다양성의 표현들이 파리보다 더 잘 보이고 더 떳떳한 모습이었다.

3. 동질화에 대한 반발로서의 극단주의[8]

극단주의 현상은 사회변동의 산물로 설명할 수 있다. 노르웨이 테

8 이 부분은 엄한진(2015a)의 126-132쪽을 수정한 것이다.

러사건의 배경에는 비백인 이주민 비율의 급속한 증가가 있었고, 프랑스 언론사 테러사건은 프랑스에 거주하는 이주민들의 열악한 조건이 배경이 되었다. 그런데 "왜 이런 극단적인 현상이?"라는 의문에 대한 답으로 쉽게 떠올릴 수 있는 것은 분노, 증오 등의 용어일 것이다. 그리고 대부분 이 분노와 증오는 이를 야기한, 그리고 이러한 감정을 표출할 대상을 가지고 있다. 실제 21세기의 극단주의는 이제 이념, 사상의 시대에서 특정 집단을 대상으로 하는 증오의 시대로 이행하였다는 인상을 준다. 계급구조나 정치체제에 대한 비판보다 다른 민족이나 국가, 국제이주민, 여성, 동성애자 등 구체적인 '타자'에 대한 부정적인 감정이 현재의 많은 사회 현상의 배경에 존재하는 것이다. 한국의 경우에도 이주민과 이들에 우호적이라고 여겨지는 국가에 대한 반감, 여성 및 여성주의에 대한 반감, 퀴어 축제나 인권조례에 대한 거부에서 볼 수 있는 동성애자들에 대한 반감, 주변국에 대한 반감 등이 평등이나 민주주의와 같은 가치를 옹호하는 실천 못지않게 큰 관심을 끌고 있다.

그런데 소수민족, 국제 이주민, 원주민, 유색 인종, 타 종교 신자, 여성, 동성애자, 장애인, 집시 등 다른 사회집단에 대한 증오와 폭력은 매우 익숙한 현상이지만 당연한 것만은 아니다. 왜냐하면 부자, 백인, 주류 민족, 남성, 양성애자 등에 비해 위의 집단이 불리한 위치에 있다는 점에서 증오는 반대 방향으로 향하는 것이 더 자연스러운 현상일 수 있는 것이다. 따라서 설명이 필요하고 인종주의, 파시즘, 폭력, 증오범죄 등을 주제로 이에 관한 설명이 제시되었다. 아래에서는 증오를 설명하는 여러 요인 중 공존, 동화, 혼합, 보편화 등 동질화에 대한 반발의 측면을 살펴본다.

일반적으로 종교나 민족이 다른 집단들 간에 나타나는 극단적인 양상에 대해 그 원인이 이질성에 있으며, 집단 간에 존재해 온 초역사적인 적대 관계의 산물이고 그래서 앞으로도 지속될 수밖에 없는 숙명적인 현상이라는 인식이 지배적이다. 그러나 폰팅에 따르면 이에 관한 대표적인 사례라고 할 수 있는 홀로코스트의 경우 증오가 이질성이 아니라 유사성에 대한 반발이었음을 보여준다. 독일 유대인은 1867-1869년에 공식적으로 해방되었고, 비록 보수집단들 사이에 반유대주의 정서가 남아 있었지만 이것은 서유럽에서 이례적인 일이 아니었다(폰팅, 2007: 626). 독일에서 유대인들은 고도로 동화되어 있었고, 대다수가 도시에서 상업활동에 종사한 중산층이었다. 그들 중 1/3이 다른 종교를 가진 사람과 결혼했다. 비록 어느 정도의 사회적 편견과 차별은 있었지만, 독일에서 유대인 공동체가 직면한 주된 위험은 오히려 동화에서 기인하였다는 것이다. 그러다가 독일에서 반유대주의가 널리 확산된 것은, 패전과 제국의 붕괴, 바이마르공화국의 수립을 겪고 난 직후인 1918년 11월부터였다. 단지 몇 달 전만 하더라도 독일의 승리가 임박한 듯이 보였다. 동부 전선에서는 브레스트-리토프스크 조약으로 러시아와만 별도로 강화함으로써 동부전선에서 전쟁 목표를 달성했고, 서부전선에서는 춘계 대공세로 큰 성공을 거두었던 것이다. 많은 독일인이 다음과 같이 자문했다. 과연 누구 때문에 정세가 그토록 파국적으로 바뀐 것인가? 독일 국경 밖에서 군대가 여전히 전투를 하고 있었음에도 불구하고 베를린에서 '등에 칼을 꽂는 행위'가 일어난 이후 전쟁이 종결된 이유는 무엇인가? 독일인들은 볼셰비키당 내부에 유대인 비율이 높다는 근거로부터 러시아 혁명이 유대인의 음모로 일어났다고 생각했고, 유대인이 독일의 패배를 씻을 희생양이 되었다. 반유대주의 정당의 수가 늘어났는데, 당시에 지지기반이 바이에른 지방에 국한되어 있던 나치당도 그런 정당 중 하나였다(Ibid.: 630).

르네 지라르(R. Girard)도 다른 집단에 대한 증오의 원인에 대해 유사한 설명을 제시하였다. 그는 현대사회를 '차이의 해체'로 특징지으면서 원시사회에서의 '희생위기(sacrificial crisis)' 현상을 현대사회를 설명하는 데 활용한다. 동물에서 인간으로의 진화과정을 다루면서 그는 인간이 동물보다 더 서로를 모방한다는 점을 강조했다. 이 모방은 서로를 유사하게 만들어 멸종의 가능성이 커지게 된다. 이러한 문제를 해결하기 위해 인간은 다시 자신들 내부에 차이를 도입하는 것이 필요했고 이를 위해 만든 방안이 바로 '희생'이었다. 무질서의 원인으로 지목된 희생양의 처형은 질서회복을 위한 처방이었다. 이 죽음의 의례는 인류의 생존을 위해 현대사회에까지 이어져 왔다(Girard, 2007). 유사한 방식으로 장 피에르 뒤퓌(J.-P. Dupuy)는 폭력의 확산을 막은 것이 바로 자유경제였다고 주장한다. 그에 따르면 "경제는 이 단어가 지닌 두 가지 의미에서 폭력을 포함하고 있다. 안정적인 질서와 영원한 위기상태를 통합시키는 데 성공한 것이 바로 상품사회이다." 왜냐하면 경제는 희생의 합리적인 경영"이기 때문이다(Hassner, 1995: 59-60). 그렇다면 경제가 평화 문제에 대한 해결책이라고 할 수 있는가? 이에 대해 뒤피는 '희생사회'로부터의 이탈이 인간 간 경쟁의 분출로 이어졌다고 설명한다. 피에르 포쉐(Pochet, 1991)는 어떻게 전체주의의 종말이 분할과 경쟁의 두려움으로 인해 박해, 추방, 희생양 찾기라는 현상을 부활시켰는지 잘 보여주었다. 그는 이러한 현상을 다음과 같이 표현한다. "과거가 여전히 우리를 기다리고 있다. 개인의 지배, 정교분리주의, 경제의 지배, 민주주의, 사상의 자유의 뒤편에 괴물이 우리를 지배하려고 한다."

동질화에 대한 반발은 유럽 극우 세력의 경우에서 명확히 확인된다. 이들이 인종주의, 방화, 린치, 무력시위 등 발전된 서구사회에 어울리지 않는 담론과 행위를 보이게 된 직접적인 원인에는 세계화와 다문화사회화가 존재한다. 국제이주민들이 자신들과 영원히 함께 살게 되는 것에 대한 거부감, 이들이 주류 민족에 동화되는 것에 대한 반감, 즉 주류사회의 언어를 사용하고 주류사회 출신과 혼인하는 등 장기적으로 주류사회 성원과 차이가 사라지게 되는 것에 대한 반감이 극단주의의 한 배경이 되었던 것이다. 자신들의 삶의 조건이 악화된 것이 이러한 이주민의 유입, 정착, 그리고 동화 때문이라는 생각을 가지게 된 것이다.

캐나다에서 정부 정책으로 태동한 다문화주의는 하나의 주류사회 문화에 대한 동화보다는 이주민들의 출신 지역 고유의 문화를 유지하는 것을 강조한다. 그런데 한국 사회에서는 다문화주의를 본래 의미와는 다른 의미로 해석하는 경향이 있었다. 즉 이주민에 대한 관용으로 이해하거나 또는 역설적으로 한국 사회와 문화에 동화되도록 지원하는 것을 의미하는 경향이 강했다. 이러한 방식의 다문화주의 수용방식이 비단 한국의 경우만은 아니다. 위에서 살펴본 노르웨이 테러 사건에서도 범인 브레이비크와 같은 극우주의자들은 다문화주의를 이주민의 유입에 개방적인 정책을 편다거나 이들이 노르웨이 사회에 동화되어 백인사회와 융합되는 것으로 이해했던 것이다. 즉 다문화주의의 기원을 보면 백인들이 비백인들이 자신들과 동질화되는 것에 대한 반발의 측면도 있는데 거꾸로 동화를 촉진시키는 것으로 인식해 반발했던 것이다.

유럽의 극우주의보다는 덜 명확하지만 IS의 사례에서도 이들의 극단주의와 이에 대한 대중의 동조는 부분적으로 동질화, 보편화에 대한 반발로 설명될 수 있다. 유럽에서 가장 가까운 타자로서의 오리엔트 사회와 이 사회를 대표하는 아랍인들은 오래전부터 개방적인 전통을 가지고 있었다. 그러나 20세기 후반 석유를 계기로 한 강대국들의 개입은 이전과 비교할 수 없을 정도로 아랍사회를 심도 있게 변화시켜 나갔다. 석유를 매개로 한 세계경제에의 편입과 정치군사적인 개입의 강화는 문화의 서구화를 동반했고 이를 둘러싼 갈등이 야기되었다. 결과적으로 탈식민화 이후 진행된 세속화 경향이 재이슬람화에 역전당하는 양상이 전개되었다. 세속화, 서구화에 대한 거부와 '순수한' 이슬람을 수호하려는 의지는 외세의 압력과 개입이 극단적인 양상을 띠었던 9·11 테러 이후의 중동 지역에서 극단적인 양상으로 표출된다. 특히 멀게는 걸프전 이후, 가깝게는 2003년 이라크 전쟁 이후 지속적인 내전과 사회해체의 상황을 겪게 된 이라크 사회는 극단적인 세력이 성장할 조건을 갖추고 있었다. 국가 권력의 사회장악력이 극도로 약화되고 사회적으로도 기존의 사회적 유대와 정체성이 와해되는 상황은 IS와 같은 극단적인 세력의 부상을 가져온 중요한 배경이었던 것이다.

또한 서구의 극단적인 행태도 한 원인으로 작용했다. IS 등 이슬람 극단주의의 등장과 성공에는 외적 요인이 중요하게 작용했다. 조르쥬 꼬름은 국제사회의 개입에서 이슬람 세계의 분노와 파행의 원인을 찾는다. 그에 따르면 유고 내전 당시 이 사태와 관련된 수많은 요인들 중 세르비아의 밀로셰비치의 독재만 강조되었고, 이 한 가지 요인에 유럽의 지성과 국민들이 열광하였다. 이와 마찬가지로 중동의 경우에도 이라크, 레바논 등 그간 외세의 군사적 개입이 있었던 지역의 경우 외부의 인식은 극도로 단순한 모습을 보였다. 후세인과 같은 독재자의 악행이 해당 국가 국민들의 고통의 근원이라고 여겨진 것이다. 이러한 낙인은 이후 리비아의 카다피, 시리아의 알 아사드 대통령에게로 이어졌다. 이것은 자유, 민주주의, 인권 등 각종 가치를 내세우면서 외부 세계가 중동에서 저지른 수많은 악행을 은폐하는 기능을 수행하였다. 내적 요인을 극단적으로 강조함으로써 그 못지않게 중요한 외적 요인에 눈을 감게 한 것이다. 유고 내전 종식 후 체결된 데이튼 조약, 레바논 전쟁 직후 체결된 타에프 조약, 인티파다가 촉발시킨 이-팔 분쟁에 대한 평화안이었던 오슬로 조약 모두 문제를 해결하기보다 내부의 갈등을 더욱 심화시키고, 외세의 개입을 정당화하는 기능을 하였다.[9] 알카에다와 같은 세력의 분노와 복수는 바로 이러한 실망스러운 국제사회의 행태가 초래한 반응이었다(Corm, 2002: XIV-XV).

---

9 레바논 내전 이후 1989년 체결된 타에프(Taëf) 조약의 사례를 살펴보자. 이 조약은 권력 분점을 레바논 문제 해결의 대안으로 간주했다. 즉 대통령은 마론파 기독교인이, 상원의장은 수니파 출신이, 하원의장은 시아파 출신이 나누어 가지는 안을 제시한 것이다. 이럼으로써 레바논이 안정되고 주변국과의 관계에서 자주성을 되찾을 수 있다는 것이었다. 이러한 인식의 저변에는 다음과 같은 가정이 있었다. 즉 레바논 사회의 분열과 갈등의 주된 원인은 레바논 사회 내부에 있다는 것이다. 즉 기독교 공동체가 다른 종교 공동체에 대해 주도권을 행사했기 때문이라는 것이다. 사실상 이 나라의 불안정을 초래한 어떤 외적 요인, 특히 이스라엘 군대의 레바논 남부 점령이나 레바논에 대해 시리아가 행사해온 정치적 영향력과 같은 요인들은 이 조약 어디에서도 고려되지 않았다. 이 조약이 체결되면서 곧바로 레바논에서는 폭력적인 상황이 심화되었다. 그리고는 곧 이어 전개된 소련의 붕괴와 걸프전으로 이 작은 나라는 미국의 후원 아래 사우디아라비아와 시리아의 간섭에 놓이게 된다(Corm, 2002: XII-XIII).

극단주의가 적어도 표면적으로는 이질성에 대한 반발이라는 점에서 동질화에 대한 반발로만 설명하는 것은 무리가 있다. 따라서 여기에서 강조하고 있는 '동질화'는 동화, 동질화, 통합, 통일성 등 다양한 양상을 포괄하는 의미로 쓰인다. 이슬람주의의 경우에는 미군과 외국 기업으로 대표되는 외세의 개입, 위성안테나가 상징하는 서구 문화에의 동화와 같은 글로벌 정치, 경제, 문화에의 통합이 가져오는 문제에 대한 반발을 의미한다. 유럽 극우 세력의 경우에도 세계화, 유럽화에 따른 경제적 통합, 문화적 세계화에 따른 획일화 등 통합과 동질화에 대한 반감이 배경에 존재한다. 물론 이슬람주의와 달리 이주민에 대한 반감이 유럽 극우의 중요한 동력이 되고 있는데 이 정서는 보다 복합적인 성격을 지닌다. 점점 더 가시화되는 이질성에 대한 즉자적인 반발이기도 하고, 노동시장에서의 위계적인 관계가 아니라 이제 국민이 된 이주민과 경쟁관계에 놓인 것에 대한 반발, 그리고 무엇보다도 이방인들과 같은 국민으로 살아가야 한다는 것에 대한 원초적인 거부 등 동화, 동질화, 통합에 대한 반발의 측면도 있다.

유럽으로 온 이주민의 역사를 보면 대략 1970년대부터 일시적으로 체류할 '손님노동자'로 생각했던 비유럽 이주민들이 영구히 체류하게 된다. 토박이들에게 이것은 재앙과도 같은 것으로 받아들여졌다. 노예나 식민지 주민으로 표상되었던 이방인들이 자신들의 언어를 유창하게 구사하고 자신들의 라이프 스타일을 따르고 자신들과 동등한 권리를 누리고 자신들과의 차이가 희석되고 그래서 서서히 자신들의 일부가 되는 것은 참기 어려운 것이었다. 그러면서 일시적으로 함께하는 이질성에 대한 여유있는 관용은 동화, 동질화에 대한 공포로 바뀌게 된 것이다. 표면적으로 국제이주민과 그 후손들에 대한 반감은 무슬림 이주민으로 대표되는 문화적 이질성에 관한 것이다. 그러나 문화적 이질성에 대한 반감보다 더 중요한 것은 공존하게 된 이방인의 존재 자체에 대한 거부이다. 문화적 이질성은 이러한 표현될 수 없는 거부감을 은폐하는 알리바이의 측면이 강하다. 이주민의 종교 등 문화적 이슈가 선거가 치러지는 시기에 유독 강조된다는 점 역시 이질성 자체보다 이질성에 대한 담론이 핵심이라는 것을 보여준다. 특히 프랑스와 같이 공적 영역에서 종족적, 종교적 특수성이 표현되는 것을 거부하는 공화주의 전통이 강한 나라에서는 무슬림이라고 해서 불어를 못한다거나 프랑스 대중음악을 거부한다거나 프랑스인들의 일반적인 직장 생활이나 일상 문화를 따르지 않는 것은 아니다. 물론 2000년대 들어 무슬림으로서의 종교생활을 보다 적극적으로 실천하려 하고 이것이 무슬림을 위한 종교 공간이 절대적으로 부족한 상황에서 노상에서 예배를 본다거나 하는 눈에 띄는 모습이 늘어나기는 했다. 그러나 이것이 이 시기에 특히 무슬림의 종교성이 강화되었다는 것을 입증해 주는 것은 아니다. 종합적으로 볼 때 달라진 것은 이주민들 자체보다는 이주민들의 존재에 더욱 민감해진 토박이들인 것이다.

4. 니스 테러의 사례

2016년 7월 14일, 니스에 거주하던 튀니지인 모하메드 라우아이에지-부렐은 19톤의 트럭을 몰고 사람들이 운집해 있던 '영국인 보도'

(*Promenade des Anglais*)라는 이름의 인도를 약 2km 정도 돌진해 많은 사상자를 냈다. 당시 그곳에 있던 사람들은 프랑스 혁명 기념일을 맞아 열린 불꽃축제가 끝난 직후 자리를 뜨고 있었다. 불꽃놀이는 22시에서 22시 20분까지 진행되었고 축제 현장에는 3만 명 정도의 사람들이 모여 있었다. 감시카메라의 영상에 따르면 트럭 운전사는 자전거를 타고 와서 트럭에 올라타고는 불을 끈 채 22시 32분 인도로 차를 몰기 시작했다. 처음 400m는 차량 통행을 막기 위해 경찰이 설치한 차량, 행인들, 바리케이트를 통과하기 위해 시속 90km의 속도를 내며 달렸다. 이 구간을 통과하고 나자 트럭은 인도를 좌우로 왔다갔다하며 행인들을 들이 받았다. 한 남성이 트럭을 저지하기 위해 운전석에 올라타려 했지만 실패하고 만다.[10] 결과는 사망 86명, 부상 458명이었다. 범인은 경찰과의 총격전 끝에 사망했다. 이틀 후인 7월 16일 IS가 자신들의 소행이라고 발표했다.

마침 당시 파리에 제류하고 있던 필자는 테러가 발생한 다음 날로 예정된 귀국 비행기를 타러 샤를 드골 공항에 가면서 검문검색이 강화되고 출국 수속이 까다로워지는, 긴장감 도는 공항 분위기를 예상했다. 그런데 그런 모습은 없었다. 전철에서 공항 대합실로 들어가는 통로에도, 대합실에도 무장한 군인이라던가, 검문검색이라던가 하는 것은 전혀 없었다. 예상치 못한 상황을 겪으면서 프랑스인들이 우리보다 훨씬 더 외부의 위협에 익숙해 있을 것이라는 생각을 했다. 최근 심각한 양상을 띠고 있는 중동발 이슬람주의 테러 이전에도 프랑스 등 유럽 국가

10 『Le Monde』 2016년 7월 21일자: "Attentat de Nice: l'homme en scooter qui a tenté d'arrêter le camion raconte."

들은 극우, 극좌, 분리독립운동, 아랍주의, 이슬람주의 등 다양한 성격을 띤 극단주의와 폭력을 경험했다. 더 근본적으로는 수백 년 간 유럽인들이 세계를 정복해가면서 경험한 수많은 저항과 그에 대한 대응의 경험이 유럽인들의 유전자에 각인되어 있다고도 할 수 있다. 이들은 자신들의 위대한 역사와 풍요로운 현실이 피의 대가로 이루어졌음을 잘 알고 있을 것이다. 또한 희생을 감수하면서라도 지켜내야 하는 것임을 잘 알고 있다. 이들에게 저항 폭력은 황당한, 비정상적인 것이 아니라 구조적이고 언제라도 일어날 수 있는 것이다. 이와 함께 이 사회들이 우월한 지위를 누리게 된 것이 얼마나 되었는지에 대해서도 생각이 미치게 된다. 또한 유럽과 미국을 대상으로 한 극단적인 태도의 구조적인 원인이라고 할 수 있는 국가 간의 매우 큰 격차가 상당한 정도로 완화될 가능성이 있는지 자문하게 된다. 최근 동남아시아와 중국에 이어 아프리카조차 경제성장의 조짐을 보이는 점을 고려할 때 세계적 차원의 양극화가 다소 주춤해지지는 않을까 하는 기대를 가지게 되기도 한다. 또는 인간 집단 간 격차가 과도한 현실을 자연의 이치가 교정하지는 않을까 하는 공상을 하기도 한다. 격차의 완화 없이 폭력적 상황에 대한 해결은 어렵겠지만 폭력, 증오, 좌절을 극복할 차선책에 대해서도 생각해야 할 것이다.

그리고 테러는 이어졌다. 7월 18일 뷔르츠부르크 열차 도끼테러 사건, 7월 22일 뮌헨 맥도날드쇼핑몰 총격사건이 발생했다. 그리고 언론은 '외로운 늑대'로 이들을 표현했다.

"불과 아흐레 사이에 발생한 세 차례 사건들은 그 형태가 조금씩 다르나 사회에 섞이지 못한 외톨이 청년들의 광기가 일반 시민, 불특정 다수를 향한 극단적 폭력으로 치달았다는 공통점이 있다. 니스 테러는 정신적으로 불안정한 튀니지계 니스 거주자(31세)가, 독일 도끼 만행은 아프가니스탄 출신의 17세 청년이 저질렀다. 이번 뮌헨 총격은 과거 총기난사 사건들을 집중적으로 연구한, 우울증을 앓았던 18세 이란계 독일인 학생 소행이다. 이 때문에 최근에는 뚜렷한 정치적·종교적 목적을 가지고 인명 살상을 자행하는 전통적인 테러의 개념이 무너지고 테러와 광기가 구분되지 않을 만큼 뒤섞인 형태로 발현되고 있다고 전문가들은 지적한다. 유럽연합(EU)의 공동 경찰기구인 유로폴은 20일 내놓은 보고서에서 미국 올랜도 나이트클럽 총기난사, 프랑스 마냥빌 경찰관 부부 살해, 니스 트럭 돌진, 독일 도끼 난동 등 올해 일어난 테러 모두 IS가 배후를 자처했지만, IS가 기획·지원·실행을 직접 한 테러는 한 건도 없었다고 분석했다. 개인적 광기와 테러의 경계가 모호해질수록 안전을 보장하는 일은 그만큼 더 어려워진다는 것이다."(『연합뉴스』 2016년 7월 24일자 기사: 니스부터 뮌헨까지…테러광기 뒤섞인 시대 "안전지대 없다")

이후에도 최근까지 유럽에서는 몇 차례의 모방범죄가 발생했다. 그리고 이 테러들은 모두 IS가 자신들의 소행이라고 주장했다. 2016년 12월 19일에는 베를린의 크리스마스 장터에서 한 튀니지 남성이 트럭을 몰고 돌진해 12명의 죽고 48명이 다쳤다. 범인은 며칠 후 이탈리아에서 경찰의 검문을 받던 과정에서 사살당했다. 2017년 3월 22일 런던에서는 한 남성이 웨스트민스터 브리지 위에서 승용차를 몰고 행인들에게 돌진해 4명의 목숨을 앗아갔다. 이어서 그는 경찰을 칼로 찔러 죽이기까지 했다. 결국 의회 근처에서 경찰에 의해 사살당했다. 2017년 6월 3일, 또 다시 런던에서 유사한 방식의 테러가 발생했다. 이번에는 런던 브리지에서 세 명의 범인이 작은 트럭을 몰고 인도로 돌진한 후 칼로 행인들과 당시 템즈강 강변에서 열린 장터에 왔던 사람들을 공격했다. 결국 8명이 죽고 50여 명이 다치는 피해가 발생했다. 범인들은 역시 경찰에 의해 현장에서 사살되었는데 당시 이들은 가짜 폭탄조끼를 착용하고 있었다.

2017년 4월 7일, 이번에는 스웨덴에서 트럭 테러가 발생했다. 트럭 운전사는 시속 100km 정도의 속도로 인도에 돌진해 5명이 죽고 15명 정도가 부상을 당했다. 범인은 사건 발생 몇 시간 후 체포되었는데 우즈베키스탄 출신 이주민으로 밝혀졌다. 우즈벡 경찰에 따르면 범인은 2015년 IS에 가담하려고 시리아행을 시도했었다고 한다. 2017년 6월 19일, 다시 한 번 프랑스에서 차량 테러가 발생했다. 파리 샹제리제 거리에서 IS에 충성서약을 한 이슬람주의자로 분류되어 감시를 받고 있던 남성이 승용차로 경찰 차량을 들이받았고 이 충격으로 자신의 차량에 불이 붙어 현장에서 사망하였다. 이 차량에는 2개의 가스통과 다량의 총기 및 수천 발의 탄약이 실려 있었다.[11]

11 https://fr.news.yahoo.com/v%C3%A9hicule-b%C3%A9lier-contre-foules-dautres-attaques-europe-154250185.html). 2017년 7월 13일 검색

표 8-1. 2016년 이후 유럽에서 발생한 주요 차량 테러 일지

발생 일시	지역	양상	사망자 수	배후 또는 배후 주장
2016년 7월 14일	프랑스 니스	화물차 테러	86명	IS
2016년 12월 19일	독일 베를린	크리스마스 시장 트럭 테러	12명	IS
2017년 3월 22일	영국 런던	의사당 차량 돌진	6명	이슬람 극단주의자 단독 범행
2017년 4월 7일	스웨덴 스톡홀름	드로트닝 거리 트럭 테러	4명	IS 동조자
2017년 6월 5일	영국 런던	런던브리지 승합차 돌진 테러	7명	IS
2017년 8월 17일	스페인 바르셀로나 및 인근 지역	바르셀로나 라스람브라스 거리에서 승합차 돌진 테러, 바르셀로나에서 120km 떨어진 캄브릴스에서 승용차 테러	14명	IS

출처: 『한겨레』 2017년 8월 19일자

5. 대안적인 통합과 반인종주의의 구상

19세기 이후 프랑스는 지속적으로 다양한 지역으로부터 밀려오는 이주민들을 받아왔다. 그리고 프랑스로 이주한 외국인들은 다른 국가로 떠난 이들보다 더 잘 주류사회의 문화를 받아들였고 크게 배제되지 않고 사회에 편입되었다고 평가된다. 이민 현상은 프랑스의 경제발전과 새로운 문화의 유입, 그리고 세계에 대한 이해를 증진시키는 데 기여했다. 미디어, 학교, 직장에서 다양성에 관한 내용이 비중있게 다루어지고 있는 것은 이민 현상이 프랑스 사회에서 중요한 비중을 차지하

고 있음을 보여준다(Bleich, 2003).

이러한 프랑스 사례의 긍정적인 측면에도 불구하고 스위들러와 기어츠가 '본질적인 경계'(*lignes essentielles*)라고 표현한 문제, 즉 인종, 종족적 기원, 언어, 지역, 종교를 구분하는 선이 야기하는 문제가 이민 현상을 계기로 부상하게 된다(Swidler & Geertz, 1973). 이러한 이민문제는 매우 오래된 문제이자 매우 복잡한 문제이다. 오래전부터 이민자들은 줄곧 위협적인 존재로 여겨져 왔던 것이다. 그들은 불결한 존재, 범죄의 원천, 국가에 대한 충성심이 의심되는 존재, 국민의 일자리를 위협하는 경쟁자 등으로 여겨져 왔다. 즉 그들은 프랑스 민족, 프랑스적 정체성에 해가 되는 존재였던 것이다. 인종주의자는 태어나는 것이 아니라 만들어지는 것이라는 생각을 받아들일 때, 이상의 인종주의적 편견은 특히 공적 담론에 의해 만들어졌고 역으로 인종주의적 차별, 종족 간 분리를 유발하고 인종주의적 폭력을 자극하는 정치 담론의 효과적인 기반으로 작용해왔다(Noiriel, 2007).

프랑스는 이렇게 인종주의 현상이 오래전부터 존재해 왔고 역시 오래전부터 이러한 인종주의에 대한 대응이 전개되어 왔다. 특히 인종주의를 근절시키기 위한 법적 장치가 주변 유럽 국가들보다 발달하였다. 이미 프랑스 대혁명 시기에 이러한 사고가 제시되었다. 〈모든 인간은 권리에 있어서 자유롭고 평등하게 태어나 생존한다〉는 내용의 프랑스 인권선언 1조가 인종주의에 대한 거부를 표명하고 있는 것이다. 이후 많은 법들이 이러한 프랑스 인권선언의 정신을 계승하고 있다. 언론의 자유에 관한 1881년 7월 29일 법은 공적 공간에서 인종차별적인 표현을 하는 것을 위법행위로 규정한 최초의 법이었다. 인종주의에 대한 투쟁에 관한 1972년 7월 1일 법은 인종적인 이유로 어떤 물건을 인도하기를 거부하거나 직원을 해고하는 등 일상생활에서 행해지는 많은 행위들을 위법 행위로 처벌할 수 있게 하였다.

1990년 7월 13일 법은 반인도주의적인 범죄를 부정하는 행위 역시 범죄로 간주하게 된다. 1994년 3월 1일 도입된 개정 형법은 인종주의 범죄에 관한 규정을 강화했으며 2003년 2월 3일 법은 인종주의 및 외국인혐오증에 해당하는 범죄에 대한 형량을 늘렸다(Ministère des Affaires étrangères, 2007). 최근 교육과학부가 자유, 평등, 박애라는 인권선언의 전통을 수호하기 위해 더 단호하게 대응할 것이라고 밝혔던 것도 인종주의에 대한 프랑스 사회의 관심을 잘 보여주었다.

다음으로 교육 영역에서 인종주의적인 차별을 없애기 위해 시도된 방안들을 살펴보자. 학교는 시민권이나 관용과 같은 덕목이 매우 중요한 공간이다. 아주 어린 나이부터 아이들이 인종주의적 편견을 가질 수 있으며, 역으로 인종주의에 대한 대응이 더 효과적일 수 있는 공간이기도 한 것이다. 유럽, 특히 프랑스에서 교육은 반인종주의 실천에 있어서 매우 중요한 역할을 수행한다. 교육은 관용이라는 가치를 증진시키는 데 있어서 중요한 수단이다. 또한 소수자의 지위에 있는 개인이나 공동체의 사회통합에 기여함으로써 이들의 발전에 기여한다. 초등 및 중등 교육 분야와 관련된 프랑스의 교육정책은 평등과 비차별의 증진이라는 목적을 실현하고자 한다(Hopkins, 2007). 낙후지역에 소재한 학교에서의 프랑스어 교육과 전반적인 학업역량 증진은 모든 학생을 위한 프랑스 교육정책의 핵심적인 목표 중 하나이다. 출신 국가와 무관하게 저소득층 학생들이 학업부진을 만회하기 위한 프로그램의 혜택을 받도록 되어 있다. 이와 관련해 2001년부터 교육투자우선지역(*Zones d'éducation prioritaire, ZEP*)을 대상으로 한 정책이 기회의 평등 정책을 실현하는 핵심적인 공간이 되었다(Hopkins, 2007).

인종주의적 양상에 대한 예방과 감시 장치에 대해 살펴보면, 2003년부터 교육부는 학교에서의 인종주의적 성격의 폭력을 예방하고 감시하는 장치를 강화하게 된다. 이를 위해 학교에서 발생하는 인종주의적 행태에 대한 정확한 정보를 수집하고 상담을 강화하며, 이 행태들이 처벌되지 않고 넘어가지 않도록 감시하는 활동에 주안점을 두었다. 인종주의적 행위에 대한 정보를 처리하는 SIGNA라는 프로그램이 모든 중등학교와 일부 초등학교에 보급되어 행위와 행위자, 피해자, 장소 등이 체계적으로 수집되었다(Ministère de l'Education Nationale, 2005). 인터넷에서의 인종주의 예방책도 도입되었다. 교육부는 인터넷에 유포되는 인종주의적 성격의 정보가 대상 학생에 미치는 영향에 주목하면서 이와 관련된 예방 및 교육 사업을 실시하게 된다. 그 결과 현재 90%의 초중등 교육기관에 인터넷 정보 중 인종주의 성격의 정보를 걸러내는 프로그램이 설치되었고 전국적인 차원의 블랙리스트가 만들어져 누구나 검색할 수 있게 되었다. 이 리스트는 검색이 차단된 사이트, 검색어 등을 포함하고 있다.

한편 아랍세계 연구자 이브라힘 타베의 다음 글은 프랑스에서 주기적으로 이슈가 되는 히잡사건의 경우처럼 의복과 같은 일상적인 것을 이슬람적 요소로 간주해 탄압하는 것의 무용함을 역사적인 사례를 들어 잘 보여주고 있다(Tabet, 2016). 통합과 정체성의 문제에 대한 해법으로 그는 '유럽 이슬람', 즉 유럽사회에 뿌리내린 유럽적인 이슬람의 형성을 제시한다. 현실적으로 달성하기 어려운 억압적인 방식보다는 인정과 지원이 현재 프랑스 사회를 갈라놓고 있는 갈등을 해결하는 효과적인 방안이라는 것이다. 또한 이슬람주의 테러리즘은 유럽만을 위협하는 것이 아니라 이슬람 세계도 위협하는 것임을 강조하며 이슬람 세계 내부에서 진보적이고 개방적인 운동이 필요함을 역설하고 있다.

자료 8-2: 〈아타투르크가 시도한 것과 같이 이슬람을 탄압하려는 시도들은 실패하고 말았다〉

서기 407년, 당시 서로마제국의 황제였던 호노리우스는 제국 내에 그 수가 점점 많아지고 있던 프랑크족들이 그들의 전통의상으로서 피부에 밀착되는 형태의 긴 바지인 브레(braies)를 착용하는 것을 금지하는 조치를 내렸다. 상의와 하의가 분리되지 않은 로마인들의 전통 의상에 대한 문화적 도전이라고 간주된 바지 착용에 대해 취해진 다소 때늦은 이 조치는 당연히 로마제국의 운명에 어떤 의미 있는 영향도 미치지 않았다. 3년 후인 410년, 제국의 수도 로마는 [내부의 적도, 일상문화도 아닌][12] 서고트족에 의해 점령당하게 된다.

유럽의 쇠퇴와 이슬람의 위협이라는 측면에서 과거 로마제국의 운명과 현재 인구 감소의 위기에 처해있는 유럽의 운명 간에 상당한 유사성이 있다. 토인비의 개념을 빌리자면 무슬림들은 서구의 문명을 위협하는, '내부의 프롤레타리아'이자 '외부의 프롤레타리아'의 대표적인 집단일 것이다. 로마의 전통 종교를 유지하고자 했던 사람들에게 로마의 쇠퇴가 기독교의 등장과 그로 인해 로마의 전통적인 수호신들이 버림받은 것에 기인하는 것으로 여겨졌다면, 오늘날 일부 지식인들은 한나 아렌트가 쓴 책의 제목이기도 한 '유럽문화의 위기'는 유대-기독교 가치를 굳건히 함으로써만 이겨낼 수 있다고 주장하고 있다. 그리고 그들은 상호 이질적인 여러 요소들, 즉 탈기독교화, 개인주의, 쾌락주의, 개방성, 물질주의, 그리고 심지어 [한국의 레드 콤플렉스를 연상시키는 요소인] 사회주의가 유럽 문명의 골격을 만들어 왔던 가치들이 와해된 원인이라며 강하게 비난하고 있다.

한편 더 우려스러운 것은 [최근 유럽에서 확산되고 있는] 이슬람혐오증에 편

12 [ ]로 표시된 부분은 글의 이해를 돕기 위해 필자가 추가한 것임.

승하고 있는 페기다(Pegida, 서양의 이슬람화에 반대하는 애국적인 유럽인들)와 같은 단체들의 행동이다. 문화적, 인구학적 도전에 직면해 있다는 우려는 이주민의 유입이 늘어나면서 심화되었다. 그러나 사실 전 세계에서 인구 및 국토 면적 대비 가장 많은 난민을 받아들이고 있는 레바논의 경우를 보면 이 나라가 겪는 생존의 위기는 이주민의 유입과 거의 아무런 관계가 없다. [그럼에도 불구하고] 이주민에 대한 반감에다가 유럽을 대상으로 이슬람주의 테러리즘이 야기하는 치안문제가 덧붙여져, 일부 정치 지도자들은 심지어 유럽이 이제 전쟁 상태에 놓이게 되었다고 말하기까지 한다.

영미식의 공동체주의와 프랑스식의 정교분리주의 모두 유럽 거주 무슬림들의 수가 늘어나고 이들의 통합이 어려움에 따라 제기되는 문제를 해결하는 데 어려움을 겪고 있다. 무슬림들의 대부분은 새로운 나라에 통합되기 위해 노력하지만 일부는 새로운 풍습과 가치를 받아들이기를 거부하고 있다. 공공기관에서의 히잡 착용 금지 조치(당사자들에게는 자신들의 자유가 침해되는 것으로 생각하지만 히잡 착용이 여성을 복종시키기 위한 수단인 측면도 있다)는 일부 무슬림들이 자신들의 정체성을 드러내고자 하는 욕구를 막아내기에 역부족이다. 보다 효과적인 방안은 '유럽 이슬람'이 모습을 갖출 수 있게 해주는 조치들일 것이다. 예를 들어 이슬람에서 예배를 인도하는 역할을 하는 이맘을 양성하는 것을 지원해 주거나, 외국의 정부나 단체가 이슬람 종교시설에 재정지원을 하지 못하도록 하는 것 등을 생각해 볼 수 있다.

결코 쉽지 않은 유럽 무슬림들의 통합을 이뤄내기 위해서는, 그들이 느끼는 박탈감, 모욕, 배제의 감정, 특히 심각한 실업문제를 겪는 청년들이 겪는 심리적 어려움의 배경이 되는 요인들을 다루는 것으로부터 시작해야 할 것이다. 그리고 만약 이슬람주의 테러리즘에 대한 투쟁이 치안의 강화를 필요로 한다고 할 때, 성공의 관건은 자유와 안전 간의 균형을 확보하는 것이다.

IS를 패퇴시킨다 해도 서양에 대한 깊은 증오를 나타내고 있는 이 범죄 조직과

여타 무장 이슬람 세력이 의존하고 있는 이데올로기를 사라지게 할 수는 없을 것이다. 급진 이슬람의 부상을 막아내는 과제는 무엇보다도 무슬림 자신의 과제일 것이다. 왜냐하면 이 세력들은 서양뿐 아니라 현재 전쟁과 퇴행적인 사고에 갇혀 고난을 겪고 있는 이슬람 세계 자신도 위협하고 있기 때문이다. 급진 이슬람의 부상은 정치, 경제, 종교 등 여러 측면에서 이슬람세계가 겪고 있는 뿌리깊은 요인들에 기인하는 것이다.

이 현상은 이슬람과 인권의 양립불가능성이나 이교도들에 대한 무력 사용을 언급한 코란의 문구들로만 설명될 수 있는 것이 아니다. 물론 이 구절들은 명백하게 존재한다. 이슬람 세계 내부에 가톨릭과 같은 위계적인 교단조직이 존재했었더라도 이 조직이 해당 구절들을 없앨 수는 없을 것이다. 코란이 근대성이나 자유주의와 양립할 수 있다는 입장을 표방하는 진영이 존재하기는 하지만 무슬림들에 대한 이들의 영향력은 극히 미미할 뿐이다. 또한 [세속적인 근대 터키를 만들기 위해 노력한] 아타투르크의 경우처럼 이슬람을 억압하는 시도들이 있었지만 실패하기만 했다. 그렇다고 기독교세계가 경험한 것처럼 기존과의 단절의 문을 여는 이슬람 세계의 루터가 출현하기를 기대해야 하는가? [아니다] 이것은 수니파와 시아파 간의 전쟁과 같은 무슬림들 간의 새로운 종교전쟁을 야기하게 될 것이다.

보다 글로벌한 차원에서 보면, [헌팅턴 식의] '문명의 충돌'이라는 예언이 허구임을 드러내기 위해서는 진보적이고 자유주의적인 운동을 추진하고 지중해 세계에서의 공존을 촉진시키는 것이 필요하다. 이 공존은 레바논의 사례에서 교훈을 얻어야 할 것이다. 이 나라는 유럽과 아랍세계, 이슬람과 기독교, 수니파와 시아파 간의 공존, 그리고 지중해 차원에서 국가를 초월한 코스모폴리타니즘의 최후의 보루인 것이다.

출처: Tabet, Ibrahim, 2016, "Islamisation de l'Europe ou islam européen?", *L'Orient le jour*. 2016년 7월 10일자.

프랑스 이주민의 사례가 잘 보여주듯이 국가 간 관계가 중요하며 이러한 측면을 이민 논의에 도입해야 한다. 이주민과 토박이의 공존은 이주민 출신 국가와 수용국 간의 공존 없이는 불가능한 것이다. 다문화 현상은 국제이주의 산물이며 국제이주는 국가 간 관계, 세계의 경제적, 정치적 질서의 산물이다. 노동이민이나 '경제난민'은 경제질서의 산물이며, 전쟁이나 박해 등에 기인한 일반적인 난민은 정치질서에 기인한다. 또한 이 두 측면은 상호 연계되어 있다. 따라서 다문화 현상이 제기하는 문제 역시 근본적으로는 글로벌한 측면 또는 국제적인 측면에 대한 고려를 필요로 한다.

최근 가장 극적인 양상을 띠고 있는 프랑스 등 유럽의 사례는 이민 문제가 세계질서의 문제임을 잘 보여준다. 유럽 국가들에서는 이슬람주의 세력의 극단적인 분파가 주도하는 유럽 무슬림의 급진화와 테러리즘, 그리고 히잡 착용 금지 등 소위 '이슬람의 위협'을 방지한다는 명분으로 시도되는 국가의 대응이 이주민과 관련된 갈등의 주된 양상이다. 또한 이주나 출산 등으로 무슬림의 수가 늘어난다는 인구학적 진단도 갈등을 부추기는 역할을 한다. 또한 이민문제나 이슬람의 위협은 민족 정체성의 위기, 더 나아가 유럽문명의 위기에 대한 논의와 연결되어 여러 국가들에서 핵심적인 사회적 이슈와 정치적 논쟁의 주제가 되고 있다. 20세기가 끝나갈 무렵부터 이민 분야에서 유럽이 위기에 봉착하게 된 원인에 대한 논의가 부상했고 그 원인으로 소위 '이슬람의 위협'이 유력한 원인으로 거론되었다. 이슬람의 위협 담론의 내용을 보면 한편으로는 무슬림 인구의 비율이 늘어나고 이 집단의 상대적으로 높은 출산율로 인해 멀지 않은 장래에 기독교 인구를 능가할 것이라는 인구학적인 측면이 있다. 다른 한편으로는 중동 및 북아프리카의 극단적인 이슬람 세력의 영향으로 유럽에서도 이슬람의 급진화가 진행되고 테러 위협이 증가할 것이라는 진단이 9·11테러 이후, 특히 IS의 부상과 함께 설득력을 얻었다.

이러한 맥락에서 따베는 유럽 무슬림을 둘러싼 갈등을 해결하는 방안으로 지중해 공간, 즉 이 바다를 둘러싸고 있는 프랑스 및 남유럽 국가들과 중동 및 북아프리카 국가들 간의 공존을 촉진시키는 것을 제안하였다(Tabet, 2016). 우리에게는 국제이주민들의 문제를 그들의 출신 국가의 문제, 출신 국가와 한국 간의 관계의 문제로 접근하는 것이 낯설다. 그러나 이 책에서 살펴본 프랑스의 경우뿐만이 아니라 국제이주민의 존재가 트로이의 목마로, 전쟁의 빌미로 또는 정반대로 국가 간 정치경제 관계의 윤활유 역할을 하는 많은 사례들이 있다. 우리도 대아시아 정책의 일환으로 국제이주민의 문제를 다루어야 할 때가 왔다.

참고 문헌

『데일리한국』 2015년 1월 2일자
『미주중앙일보』 2007년 3월 12일자
『연합뉴스』 2015년 5월 12일자
『연합뉴스』 2015년 6월 16일자
『연합뉴스』 2016년 7월 24일자, "니스부터 뮌헨까지…테러 · 광기 뒤섞인 시대 "안전지대 없다""
『연합뉴스』 2015년 8월 4일자, "독일 작년 이민자수 사상최대-주민 5명 중 1명 외국출신"
『연합뉴스』 2015년 8월 23일자
『이데일리』 2015년 8월 19일자
『중앙일보』 2012년 10월 31일자
『한겨레』 2008년 10월 17일자
『한겨레』 2011년 7월 29일자
『한겨레』 2015년 9월 7일자: "우리가 외면해 온 우리 안의 난민"

강철구, 2002, 「서론: 서양문명과 인종주의」, 『서양문명과 인종주의』(한국서양사학회 편), 지식산업사.
김남국, 2004, 「영국과 프랑스에서 정치와 종교: 루시디 사건과 레드스카프 논쟁을 중심으로」, 『국제정치논총』 제44집 4호: 341-362쪽.
김수경, 2015, 「이주민 문제의 정치적 탈이념화: 미디어의 이념적 성향에 따른 이주노동자와 결혼이민자 프레임 분석(1990-2009)」, 『한국사회학』 49(1): 77-110쪽.

김진웅, 2013, 「2004년 미국 대통령 선거를 둘러싼 '44% 논쟁'」, 『미국사연구』 제38집: 219-248쪽.
모스, 조지, 2004, 『남자의 이미지』(이광조 옮김), 문예출판사.
밀스, 찰스 W., 2006, 『인종계약』(정범진 옮김), 아침이슬.
바캉, 로익, 2010, 『가난을 엄벌하다』(류재화 옮김), 시사IN북.
박단, 2005, 『프랑스의 문화전쟁: 공화국과 이슬람』, 책세상.
박단, 2009, 『현대 서양사회와 이주민』, 한성대학교 출판부.
박단, 2013, 『프랑스공화국과 이방인들』, 서강대 출판부.
박선희, 2010, 「프랑스 이민정책과 사르코지: 2002-2008」, 『국제정치논총』 제50집 2호: 193-211쪽.
부르디외, 피에르 편, 2000, 『세계의 비참』 I, II, III (김주경 옮김), 동문선.
서울대학교 불어문화권연구소, 2004, 『프랑스 하나 그리고 여럿』, 강.
송태수, 2006, 「제노포비아 현상과 원인: 영국, 프랑스, 독일 비교연구」, 『유럽의 제노포비아』, 문화과학사: 159-194쪽.
스토리, 존, 1994, 『문화연구와 문화이론』, 현실문화연구.
엄한진, 2003, 「2차 인티파다에 비친 이스라엘과 팔레스타인 사회」, 『사회진보연대』 2003년 9월호.
엄한진, 2006a, 「마호멧 만평사태의 본질」, 『참세상』 2006년 2월 21일자.
엄한진, 2006b, 「전지구적 맥락에서 본 한국의 다문화주의 이민논의」, 한국사회학회 편, 『동북아 "다문화" 시대 한국사회의 변화와 통합』(동북아 시대위원회 용역과제 06-8): 13-43쪽.
엄한진, 2007, 「프랑스 이민통합 모델의 위기와 이민문제의 정치화: 2005년 '프랑스 도시외곽지역 소요사태'를 중심으로」, 『한국사회학』 41집 3호: 253-286쪽.
엄한진, 2008, 「한국 이민담론의 분절성」, 『아세아연구』 51권 2호: 112-140쪽.
엄한진, 2009, 「프랑스 사회통합모델의 특수성과 다문화주의의 도전」, 『호모미그란스』 창간호, 57-86쪽.
엄한진, 2011, 『다문화사회론』, 소화.
엄한진, 2014, 『이슬람주의: 현대 아랍세계의 일그러진 자화상』, 한국문화사.
엄한진, 2015a, 「동질화에 대한 반발로서의 극단주의 현상: IS와 유럽 극우의 사례를 중심으로」, 『경제와 사회』 107호: 107-139쪽.

엄한진, 2015b, 「시리아 난민 사태와 국민국가 체제의 상대화」, 『모심의 눈』 (모심과살림연구소 웹진) 2015년 9월 24일자.

엄한진, 2017, 「인종주의의 징후와 공존의 방법론」, 『한국사회와 미래의 사회통합』(이종수 편), 법문사: 65-119쪽.

윤수종, 2002, 『자유의 공간을 찾아서』, 문화과학사.

이승현, 2016, 「유럽의 시리아 난민 유입과 독일의 노동정책」, 『국제노동브리프』 14권 3호, 한국노동연구원: 66-81쪽.

이주노동자와 연대하는 전일본 네트워크, 2007, 『이주민과 함께 살아가기』 (이혜진 · 이한숙 옮김), 산지니.

이혜경. 2007. 「이민정책과 다문화주의: 정부의 다문화 정책 평가」, 『한국적 '다문화주의'의 이론화』(동북아시대 위원회 용역과제 07-7). 한국사회학회: 219-250쪽.

이환식, 2006, 「프랑스의 제노포비아」, 『유럽의 제노포비아』, 문화과학사: 127-158쪽.

일리, 제프 2008, 『The Left 1848-2000: 미완의 기획, 유럽 좌파의 역사』(유강은 옮김), 뿌리와 이파리.

임태근, 1999, 「유럽국가의 난민보호제도에 관한 연구」, 『민주법학』 15호: 162-191쪽.

젠슨, 데릭. 2008. 『거짓된 진실』. 이현정 역. 아고라.

짐멜, 게오르그. 2005. 『짐멜의 모더니티 읽기』(김덕영 · 윤미애 역), 새물결.

폰팅, 클라이브. 2007. 『진보와 야만』(김현구 역), 돌베개.

하먼, 크리스, 2001, 『민족문제의 재등장』(배일룡 역), 책갈피.

한명숙, 2009, 「프랑스 국적법 개정과 북아프리카 이민자 문제, 1986-1993」, 『프랑스사연구』 20호: 153-184쪽.

『Le Monde』 2005년 10월 30일자

『Le Monde』 2005년 11월 1일자

『Le Monde』 2005년 11월 8일자

『Le Monde』 2005년 11월 9일자

『Le Monde』 2005년 11월 17일자

『Le Monde』 2006년 2월 9일자

『Le Monde』 2011년 7월 27일자

『Le Monde』 2011년 7월 28일자
『Le Monde』 2016년 7월 21일자: "Attentat de Nice: l'homme en scooter qui a tenté d'arrêter le camion raconte"
『Libération』 2005년 10월 31일자

Abdallah-Pretceille, Martine, 2004, *L'éducation interculturelle*, Que sais-je? no.3487, PUF.
Allouche, A., 1992, "Les jeunes des banlieues et la mémoire des crimes sécuritaires"(pp.6-9), *Hommes & Migrations*, no.1158, oct. 1992.
Balibar, Etienne, 2005, "La construction du racisme"(pp.11-28), *Actuel Marx*, no.38.
Barats, Christine, 1999, "Immigration: carrefour de la suspicion(discours présidentiels et juridiques)"(pp. 43-58), *Mots* no.60, septembre 1999.
Barats, Christine, 2001, "Les mots de l'immigration et l'ethnicisation des rapports sociaux."(pp.147-179), *Réseaux* no.107, 2001/3.
Battegay, A. & A. Boubeker, 1993, *Les images publiques de l'immigration: médias, actualité, immigration dans la France des années 80*, Paris: L'Harmattan.
Bayart, Jean François, 2005, *The Illusion of Cultural Identity*, London: C. Hurst & Co.
Beaud, S. & M. Pialoux, 2001, "Emeutes urbaines, violence sociale", *Le Monde diplomatique* Juillet 2001.
Begag, Azouz, 2004, *La République à ciel ouvert, Rapport pour le ministre de l'intérieur, de la sécurité et des libertés locales*, Novembre 2004.
Bernard, Pierre, 2002, *Immigration: le défi mondial*, Paris: Folio actuel.
Betz, Hans-Georg, 1994, *Radical Right-Wing Populism in Western Europe*, New York: St.-Martin's.
Betz, Hans-Georg, 2004, *La droite populiste en Europe*, Paris: Autrement.
Blanc-Chaléard, 2001, *Histoire de l'immigration*, Paris: la découverte: Repères.
Blum Le Coat Jean-Yves & Mireille Eberhard, 2014a, "Introduction", in J.-Y. Blum Le Coat & M. Eberhard, *Les immigrés en France*, Paris: La documentation française.
Blum Le Coat Jean-Yves & Mireille Eberhard, 2014b, "Législations et politiques

migratoires en France", in J.-Y. Blum Le Coat & M. Eberhard, *Les immigrés en France*, Paris: La documentation française.

Bonelli, L. et G. Sainati, 2004, *La machine à punir*, Paris: L'esprit frappeur.

Bonelli, Laurent, 2004, "Des populations <<en danger>> aux populations <<dangereuses>>: vers une redéfinition du contrôle des jeunesses populaires"(pp. 14-55) in Bonelli, L. et G. Sainati(ed.) *La machine à punir*, Paris: L'esprit frappeur.

Bonelli, Laurent, 2005a, "Les raisons d'une colère", *Le Monde diplomatique*, Déc. 2005.

Bonelli, Laurent, 2005b, "Quand les services de renseignement construisent un nouvel ennemi", *Le Monde diplomatique*, Avril 2005.

Boulay, Benjamin, 2008, "L'interculturel en France"(pp.61-95), *Hommes & Migrations*, Hors-série, Novembre 2008.

Bourdieu, Pierre, 1970, *La reproduction*, Paris: Les éditions du minuit.

Bourdieu, Pierre, 1996, *Sur la télévision*, Paris: Raisons d'agir.

Carsten, 1967, *The Rise of Fascism*, London: Methuen & Co Ltd.

Cesari, Jocelyne, 1994, *Etre musulman en France*, Paris: KARTHALA-IREMAM.

Cesari, Jocelyne, 1995, "L'islam en France, naissance d'une religion"(pp.33-40), *Hommes & Migrations*, no.1183, Jan. 1995

Castel, Robert, 1995, *Les métamorphoses de la question sociale: Chronique du salariat*, Paris: Fayard.

Chassard, Collard, 2006, *Des Sources Pour L'histoire De L'immigration En France de 1830 à nos jours,* Paris: Ed. Bibliothèque Nationale de France.

Clanet, Claude, 1993, *L'interculturel: Introduction aux approches interculturelles en éducation et en sciences humaines*, Toulouse: Presses Universitaires Mirail.

Conseil Supérieur de l'audiovisuel(CSA), 2010, *Représentation de la diversité de la société française à la télévision*, Rapport au Parlement, Avril 2010.

Corm, Georges, 2002, *Le Proche-Orient éclaté*, Paris: Folio.

Cossée, Claire, 2010, "Médias tsiganes en France et en Hongrie: re-présentation de soi dans l'espace public"(pp.57-80), *Revue européenne des migrations internationales*, vol. 26, n°1.

Costa-Lascoux, Jacqueline, 1989, *De l'immigré au citoyen*, Paris: La documentation Française.

Docquier F. et Rapoport H., 2007, "L'immigration qualifiée, remède miracle aux problèmes économiques européens?"(pp.95-111), *Reflets et perspectives de la vie économique* 2007/1, Tome XLVI.

Dow, Jay K., 1999, "Voter Choice in the 1995 French Presidential Election"(pp. 305-324), *Political Behavior*, 21(4), Dec. 1999.

Entzinger, H., 2005, "Politiques d'intégration en Europe: un modèle multidimensionnel" in L. Arnaud(dir.) *Les minorités ethniques dans l'Union européenne*, Paris: La découverte.

Euromed, 2006, *Racisme, xenophobie et médias*(rapport du séminaire de l'UE), 22-23 mai 2006.

European Network Against Racism. 2014. *Invisible visible minority.* Brussels: ENAR.

Fassin, D. et E. Fassin, 2006, *De la question sociale à la question racial?*, Paris: La découverte

Fassin, D. et E. Fassin, 2006, *A l'ombre des émeutes*, Paris: La découverte.

Feteke, Liz, 2013, "The growth of xeno-racism and Islamophobia in Britain." in Michael Lavalette (ed.), *Race, Racism and Social Work: Contemporary Issues and Debates,* Policy Press.

Fetzer, J. S. & Soper, J. C., 2005, *Muslims and the State in Britain, France and Germany*, Cambridge: Cambridge University Press.

Foucault, Michel, 1972, *Histoire de la sexualité, tome1: La volonté de savoir*, Paris: Gallimard.

Foucault, Michel, 1975, *Surveiller et punir*, Paris: Gallimard.

Foucault, Michel, 2004, *Sécurité, territoire, population: cours au Collège de France. 1977-1978*, Paris: Hautes études, Gallimard, Seuil.

Gendron, Jean-Pierre et alii, 1986, *Ecorama*, Paris: Nathan.

Gendron, G. et J. Deborde, "Immigration et délinquance : ce que l'on sait, ce que l'on croit savoir", 『Libération』 2014년 12월 12일자.

Girard, René. 2007, *Achever Clausewitz.*, Paris: Carnets nord.

Guillaumain, Colette, 1981, "'Je suis bien mais quand même', ou les avatars de la notion de 'race'", *Le Genre humain,* numéro spécial: La science face au racisme, 1981(1).

Hammouche, Abdelhafid, 2008, "Définir l'interculturalité par les situations, les rapports pratiques et symboliques"(pp.4-8), *Hommes & Migrations*, Hors-série, novembre 2008: L'interculturalité en débat.

Harmon, Chris, 1992, "The Return of the National Question"(pp.3-61), *International Socialism* 2-56, Autumn 1992.

Harvey, David, 2003, *Paris, Capital of Modernity*, Routledge.

Hassane, Souley, 2010, "L''archivage de l''Internet et la formation d''une mémoire numérique mondiale : enjeux et perspectives du web migrant" *E-Migrinter*, no.3.

Hassner, Pierre, 1995, *La violence et la paix,* Paris: Editions Esprit.

Hatton, T. J. & J. G. Williamson, 2005, *Global Migration and the World Economy*, Massachusetts: The MIT Press.

Heisler, B. Schmitter, 2008, "The Society of Immigration"(pp.83-111), in C. B. Brettell & J. F. Hollifield(eds.), *Migration Theory: Talking across Disciplines*, New York & London: Routledge.

Hopkins, L. B. et L., 2007, *La lutte contre le racisme et la promotion de l'égalité dans l'éducation*. Réseau Européen Contre Le Racisme.

INED et INSEE, 2008, *Trajectoires et Origines.*

INSEE, 1992, *INSEE Première: Recencement de la population de 1990*, no.234, décembre 1992.

INSEE, 1999, *Enquête sur l'emploi 1999.*

INSEE, 2007, *Enquêtes annuelles de recensement de 2004 à 2006*. Paris.

INSEE, 2012, *Fiches thématiques: Population Immigrée*. Paris.

INSEE, 2013, "Fiches thématiques: Flux d'immigration", in *Immigrés et descendants d'immigrés en France.*

Institut Panos Paris, 2005, *Média et information: pratiques et réalités de la diversité.*

Institut Panos Paris, 2008, *Médias et diversité en Europe: Quels rôles, quelles responsabilités?*(Compte-rendu du débat du 11 décembre 2008. A la Maison de l'Europe de Paris)

Jazouli, Adil, 1992, *Les Années banlieues*, Seuil.
Jazouli, Adil, 1995, *Une Saison en banlieue*, Plon.
Journal officiel de l'Union européenne 2006년 11월 24일자
Juhem, Philippe, 1999, "La participation des journalistes à l'émergence des mouvements sociaux"(pp.119-152), *Réseaux* vol.17, no.98.
Kam C. D., and D. R. Kinder, 2012, "Ethnocentrism as a Short-Term Force in the 2008 American Presidential Election"(pp.326-340), *American Journal of Political Science*, Vol. 56, No. 2 (April 2012).
Kastoryano, Riva, 2000, "Les multiculturalismes en Europe au multicultiralisme européen"(pp.163-178) in *Politique Etrangère* 1/2000.
Kepel, Gilles, 1984, *Le Prophète et le Pharaon. Aux sources des mouvements islamistes*, Le Seuil.
Kepel, Gilles, 1994, *A l'ouest d'Allah*, Le Seuil.
Kerzil, Jennifer, 2002, "L'éducation interculturelle en France"(pp.120-159), *Carrefour de l'éducation* 2002-2, no.14.
Khader, B., 1990, *L'immigration maghrébine en Europe: un bilan*, Univ. Catholique de Loubain.
Lapeyronnie, Didier, 1993, L*'individu et les minorités*, Paris: PUF.
Le Bras, Hervé, 1991, *Marianne et les Lapins: L'obsession démographique*, Pluriel.
Legifrance, 1998, *Code civil: Article 21-7*. Paris.
Legifrance, 2006, *Code de l'entrée et du séjour des étrangers et du droit d'asile: Article L411-1*. Paris.
Lentin, Alana, 2004, "Racial States, Anti-Racist Responses"(pp.427-443), *European Journal of Social Theory* 7(4).
Les propositions pour un projet populaire, in http://a1692.g.akamai.net/f/1692/2042/7d/
Lévy, R. & R. Zauberman, 1999, "De quoi la République a-t-elle peur? Police, Blacks et Beurs"(pp.39-48) *Mouvements*, mai-juillet 1999.
Lewis-Beck, M. and G. Mitchell, 1993, "French Electoral Theory: The National Front Test", *Electoral Studies*, 12(2).
Lindenberger, Thomas, 1993, "Politique de rue et action de classe à Berlin avant la Première Guerre mondiale"(pp.47-68), *Genèses*, 12(1).

Liogier, Raphaël 2014, "Le mythe de l'invasion arabo-musulmane", *Le Monde diplomatique*, Mai 2014.

Louis Harris, 2001, *Enquête Louis Harris 2001*.

Marc, J., 2015, *Rapport de l'OCDE : le point sur l'immigration en France et en Europe indépendamment des flux de réfugiés*. Paris: Atlantino.

Maschino, Maurice T. 2003, "Vers une police black-blanc-beur?", *Le Monde diplomatique* Oct. 2003.

Mauger, Gérard, 2006, *L'émeute de novembre 2005*, Editions du croquant.

Menanteau, Jean, 1994, *Les banlieues*, Le Monde Editions: Marabout.

Meziti, Kamel, 2013, *Dictionnaire de l'islamophobie*, Paris: Bayard.

Ministère de la Culture et de la Communication, 2009, *Année européenne du dialogue interculturel 2008: document de stratégie nationale.*

Ministère des Affaires étrangères, 2007, *Combating racism and anti-semitism in France*, January 2007.

Modood, Tariq, 2006, *Multiculturalism, Muslims and Citizenship: A European Approach*, Routledge.

Mouvements, 1999, "Le modèle français de discrimination: un nouveau défi pour l'antiracisme"(pp.5-8) *Mouvements* no.4, mai-juillet 1999.

Nacu, Alexandra, 2010, "Les Roms migrants en région parisienne: les dispositifs d'une marginalisation"(pp.141-160) in *Revue européenne des migrations internationales*, Vol.26, no.1.

Noiriel, Gérard, 2007, *Immigration, antisémitisme et racisme en France: XIX-XXe siècle,* Paris: Fayard.

Ohana, J. et M. Wieviorka, 2001, *La différence culturelle*, Paris: Editions Balland.

Ouellet, Fernand. 1992, "L'éducation interculturelle: les risques d'effets pervers"(pp.61-108), in *L'interculturel: Une question d'identité*, Québec: Musée de la Civilisation.

Ouellet, Fernand. 2002, "L'éducation interculturelle et l'éducation à la citoyenneté"(pp.146-167), *VEI Enjeux*, no.129, juin 2002.

Pagé, Michel. 1993, *Courants d'idées actuels en éducation des clientèles, scolaires multiethniques*, Québec: Conseil supérieure de l'éducation.

Pachet, Pierre, 1991, "D'un archaïsme tout à fait contemporain", *Les cahiers de l'Est,* no.1.

Powell, Richard J., 2004, "The Strategic Importance of State-Level Factors in Presidential Elections"(pp.115-130), *Publius,* Vol.34, no.3: The State of American Federalism, 2003-2004 (Summer, 2004).

Rabaud, Aude, 2014, "Une histoire de l'immigration en France", in J.-Y. Blum Le Coat & M. Eberhard, *Les immigrés en France,* La documentation française.

Radio France, 2010, *Rapport Diversité 2010.*

Rigoni, Isabelle, 2010a, "Les médias des minorités ethniques"(pp.7-16), in *Revue Européenne des Migrations Internationales,* vol.26, no.1.

Rigoni, Isabelle, 2010b, "Les luttes de dénomination autour des 'médias des minorités ethniques': Réflexions méthodologiques et épistémologiques", *Migrations Société,* n°128, mars-avril 2010.

Roché, Sébastian, 2004, *Réformer la police et la sécurité,* Paris: Odile Jacob.

Rodinson, Maxime, 1987, *Europe and the mystique of Islam,* Seattle: University of Washington Press.

Rosanvallon, Pierre, 1995, *La nouvelle question sociale: Repenser l'Etat-providence,* Paris: Seuil.

Rouchard, S., 2012, *No Title.* Paris: leRavi.

Said, Edward. W. 1979. *Orientalism.* Vintage.

Sayad, Abdelmalek, 1977, "Les 'trois ages' de l'émigration algérienne en France"(pp.59-79), *Actes de la recherche en sciences sociales,* no.15.

Sayad, Abdelmalek, 1999, *La double absence,* Paris: Seuil.

Schmid-Drüner, Marion, 2006, "Germany's New Immigration Law: A Paradigm Shift?"(pp.191-214), *European Journal of Migration and Law* no.8.

Schor, Ralph, 1996, *Histoire de l'immigration en France,* Armand Colin.

Schor, Ralph, 2004, *Français et immigrés en temps de crise(1930-1980),* Paris: L'Harmattan.

Sellier, Yannick, 2007, "Exception et diversité culturelle: L'audiovisuel au centre des préoccupations européennes.(1986-1998)"(pp.2-19), *Culture à confine.*

Smith, A. D. 1991, *National Identity,* London: Penguin.

Solé, Robert, 1988, "Le journaliste et l'immigration"(pp.157-165), *Revue Européenne des Migrations Internationales,* Volume 4, nos.1 et 2, 1er semestre 1988.

Stalker, Peter, 2002, "Migration Trends and Migration Policy in Europe"(pp.151-176), *International Migration* Vol.40.

Sternhell, Zeev, 1978, *La droite révolutionnaire, 1885-1914. Les origines françaises du fascisme*, Paris: Seuil.

Studlar, Donley, 1978, "Policy voting in Britain: the colored immigration issue in the 1964, 1966, and 1970 general elections"(pp.46-64), *American Political Science Review* 72(1).

Swidler, A., & Geertz, C., 1973, "The Interpretation of Cultures: Selected Essays", *Contemporary Sociology,* Vol. 25. New York: Inc. http://doi.org/10.2307/2077435

Tabet, Ibrahim. 2016. "Islamisation de l'Europe ou islam européen?", *L'Orient le jour*. 2016년 7월 10일자.

Taguieff, Pierre-André, 1987, *La force du préjugé*, Paris: La découverte.

Taguieff, Pierre-André, 2002, *Le couleur et le sang*, Paris: Ed. Mille et une nuits.

Taguieff, Pierre-André, 2003, *La République enlisée. Pluralisme, communautarisme et citoyenneté*, Editions des Syrtes.

Tersigni, Simona, 2014, "Le fait religieux: croyances, protiques et revendicaitons", in J.-Y. Blum Le Coat & M. Eberhard, *Les immigrés en France*, Paris: La documentation française.

Tevanian, Pierre, 2007, *La République du mépris*, Paris: La découverte

Tevanian, Pierre, 2008, *La mécanique raciste*, Editions Dilecta

Todd, Emmanuel, 1994, *Le destin des immigrés,* Paris: Seuil.

Toinet, Marie-France, 1994, "Etats-Unis: l'Etat tentaculaire, irrésistiblement inefficace", in Noëlle Burgi(dir.) *Fractures de l'Etat-nation*. Kimé.

Wacquant, Loïc, 2007, *Parias urbains: Ghetto, banlieurs, Etat*, La découverte: Poche.

Weil, Patrick, 1991, *La France et ses étrangers*, Paris: Calmann-Lévy.

Weil, Patrick, 2005, *La République et sa diversité*, Paris: Seuil.

Wieviorka, Michel, 1992, *La France raciste*, Paris: Seuil.

Wihtol de Wenden, Christian, 1987, *Citoyennté et nationalité*, Arcantère

Wihtol de Wenden, Christine, 2002. "Ouverture et fermeture de la France aux étrangers: un siècle d'évolution"(pp.27-38), *Vingtième Siècle*. janvier-mars 2002.

Young, Iris Marion, 1990, *Justice and the Politics of Difference*, Princeton University Press.

Zarka, Yves Charles (Ed.), 2004, *L'islam en France: Cités*, Paris: PUF.

Zehraoui, Arsène, 1995, "Les cités de banlieues", *Les Temps Modernes,* Avril-Juin 1995.

http://fr.wikipedia.org/wiki/ Caricatures de_Mahomet_du_journal_Jyllands-Posten

http://www.bbc.com/news/world-europe-15551998, BBC News Europe, 2015년 1월 8일자, 2015년 3월 2일 검색

http://integration.francetelevisions.fr

http://korean.seoul.usembassy.gov/sp_062308a.html, 주한 미국 대사관 홈페이지

http://live.media.daum.net/issue/sanders

http://www.afrik.com/article10081.html

http://www.alterites.com/cache/center media/id_ 667.php

http://www.cndp.fr/ tice/teledoc/mire/teledoc_urga.pdf

http://www.france-amerique.com/articles/2012/05/03, 2015년 1월 28일 검색

http://www.franceculture.fr/print/4404010, 2015년 1월 28일 검색

http://www.francetelevisions.fr

http://www.presseetcite.info/ node/528, 2011년 11월 16일 검색

http://www.urgence-notre-police-assassine.fr/123663553, 2017년 9월 10일 검색

https://fr.news.yahoo.com/v%C3%A9hicule-b%C3%A9lier-contre-foules-dautres-attaques-europe-154250185.html) 2017년 7월 13일 검색

https://fr.wikipedia.org/wiki/Attentat_contre_Charlie_Hebdo, 2017년 7월 12일 검색

https://fr.wikipedia.org/wiki/Attentats_de_1995_en_France#6_octobre_:_

attentat_avenue_d.27Italie_.C3.A0_Paris, 2017년 6월 10일 검색
http://www.unesco.org/en/university-twinning-and-networking/access-by-region/europe-and-north-america/germany/unesco-chair-in-cultural-policy-for-the-arts-in-development-978/, 2015년 5월 20일 검색
www.blackpanet.com
www.grioo.com
www.nationdelislam.com
www.SaphirNews.com
www.wsws.org, 2011년 7월 25일자 기사: "The slaugter in Oslo"

찾아보기

ㅂ

ㅅ

ㅈ

ㅊ

ㅋ

ㅌ

ㅍ

ㅎ